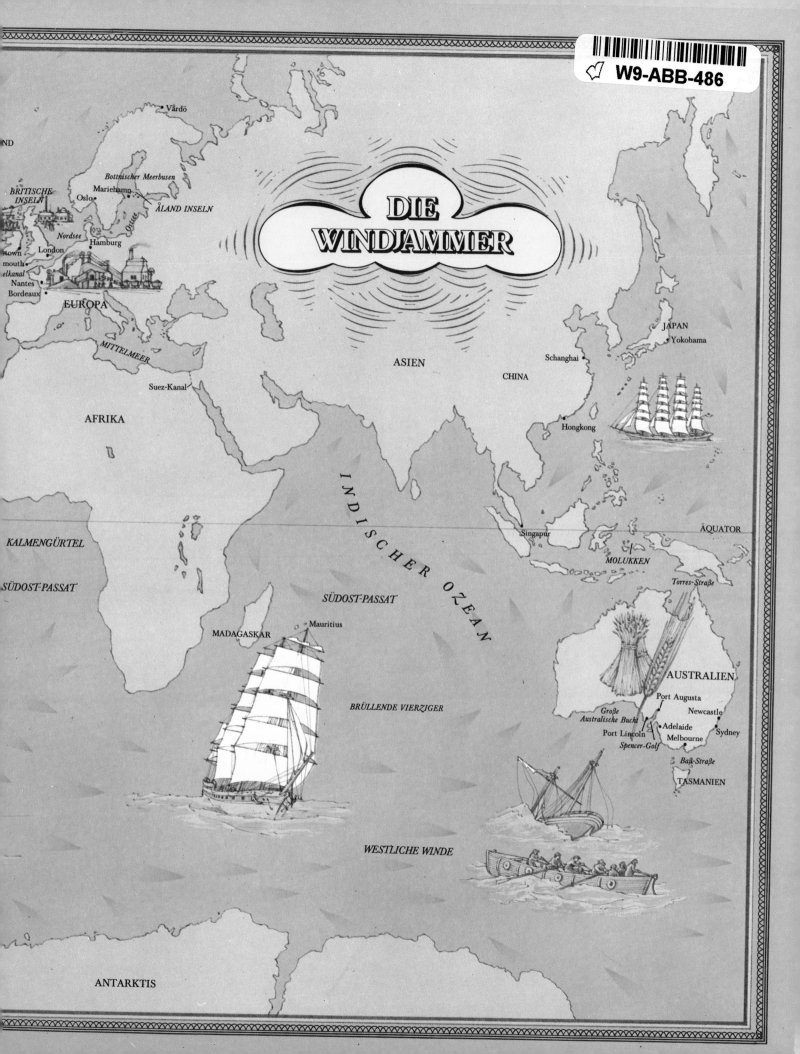

DIE WINDJAMMER

ND

BRITISCHE INSELN

Vårdö

Bottnischer Meerbusen

Mariehamn

Oslo

ÅLAND INSELN

Nordsee

Hamburg

London

stown

mouth

elkanal

Nantes

Bordeaux

EUROPA

MITTELMEER

Suez-Kanal

AFRIKA

ASIEN

CHINA

JAPAN

Yokohama

Schanghai

Hongkong

INDISCHER OZEAN

ÄQUATOR

KALMENGÜRTEL

Singapur

MOLUKKEN

SÜDOST-PASSAT

Torres-Straße

SÜDOST-PASSAT

MADAGASKAR

Mauritius

AUSTRALIEN

Port Augusta

Newcastle

Große Australische Bucht

Adelaide

Port Lincoln

Melbourne

Sydney

Spencer-Golf

BRÜLLENDE VIERZIGER

Baß-Straße

TASMANIEN

WESTLICHE WINDE

ANTARKTIS

Die Seefahrer **DIE WINDJAMMER**

Die Seefahrer

DIE WINDJAMMER

von Oliver E. Allen

UND DER REDAKTION DER TIME-LIFE BÜCHER

BECHTERMÜNZ

DIE SEEFAHRER

Redaktionsstab des Bandes
Die Windjammer:
Chefredakteur: George D. Daniels
Bildredaktion: John Conrad Weiser
Graphische Gestaltung: Herbert H. Quarmby
Textredaktion: Anne Horan, Sterling Seagrave
Vertragsautoren: William C. Banks, Carol Dana,
Stuart Gannes, Gus Hedberg
Leitung der Dokumentation: Martha T. Goolrick,
Charlotte A. Quinn
Dokumentation: Mary G. Burns, Patti H. Cass,
Philip B. George, W. Mark Hamilton,
Barbara Levitt, Elizabeth L. Parker
Assistentin des graphischen Gestalters:
Michelle R. Clay
Redaktionsassistentin: Adrienne George

Redaktionsleitung der deutschen Ausgabe:
Hans-Heinrich Wellmann
Textredaktion: Sibylle Dralle, Ulla Fröhling,
Regine Scourtelis

Fachberater der deutschen Ausgabe:
Dr. Paul Heinsius, Kapitän zur See a.D.

Aus dem Englischen übertragen von
Rudolf Hermstein

Korrespondenten: Elisabeth Kraemer (Bonn);
Margot Hapgood, Dorothy Bacon (London); Su-
san Jonas, Lucy T. Voulgaris (New York); Maria
Vincenza Aloisi, Josephine du Brusle (Paris);
Ann Natanson (Rom).

Wertvolle Hilfe leisteten außerdem Wibo Vande-
linde, Janny Hovinga (Amsterdam); Leny Heinen
(Bonn); Lance Keyworth (Helsinki); Penny
Newman, Judy Aspinall (London); Bill Lyon
(Madrid); John Dunn (Melbourne); Carolyn
T. Chubet, Miriam Hsia (New York); John Scott
(Ottawa); Al Prince (Papeete); Janet Zich
(San Francisco); Mario Planet (Santiago);
Mary Johnson (Stockholm); Bill Carroll
(Toronto).

Die Herausgeber sind Champ Clark, Barbara
Hicks und Richard M. Seamon zu Dank ver-
pflichtet.

Der Autor:
Oliver E. Allen, Ururenkel eines Teeklip-
per-Kaufmanns, dessen Rahschiffe in den
vierziger Jahren des 19. Jahrhunderts von
Philadelphia nach Kanton segelten, lebt
als freier Schriftsteller in Pelham, New
York. Er war früher Planungsdirektor von
TIME-LIFE BOOKS, und seine Veröffentlichungen umfassen einen breiten Themen-
bereich, von Politik bis zur Gartenarbeit.

Die beratenden Mitarbeiter:
John Horace Parry, Professor für Ozeani-
sche Geschichte an der Harvard University, hat an der Cambridge University
studiert und dort auch den Dr. phil. erworben. Im Zweiten Weltkrieg diente er in der
Royal Navy und stieg bis zum Korvettenka-
pitän auf. Er hat zehn Bücher geschrieben,
darunter *The Discovery of the Sea, The
Spanish Seaborne Empire, Europe and a
Wider World* und *Trade and Dominion.*

Giles M. S. Tod, eine Autorität auf dem
Gebiet der Segelschiffahrt, ist Verfasser
von *Last Sail Down East* und zahlreicher
weiterer Veröffentlichungen über Schiffe
und das Meer. 1934 lernte er die Windjammer aus eigener Anschauung kennen, als
er als Besatzungsmitglied der unter finnischer Flagge fahrenden *Herzogin Cecilie*
eine Reise von England nach Australien
und zurück um Kap Horn mitmachte.

Dr. Jürgen Meyer, Autor von vier Büchern
über die Geschichte der deutschen Seefahrt, ist Kustos der Schiffahrtsabteilung
des Altonaer Museums in Hamburg.

Inhalt

Das Goldene Zeitalter
der Segelschiffe

Windjammer – das klang wie Spott, und so war es auch gemeint. Mit diesem verächtlichen Spitznamen belegten nämlich die auf Dampfern fahrenden Seeleute die riesigen, rahgetakelten Segelschiffe, die im beginnenden Zeitalter der Dampfschiffahrt noch ein gewichtiges Wort im internationalen Seehandel mitzureden versuchten. Diese Monstren, so behaupteten die Dampfschiffer, seien viel zu plump, um elegant am Wind zu segeln; man müsse sie vielmehr mit bis an die Backstage angebraßten Rahen an den Wind „pressen" – dies die Bedeutung des englischen Wortes „to jam".

Aber aus dem Spottnamen wurde ein Ehrentitel. Denn in Wahrheit verkörperten die Windjammer in den 60 Jahren, in denen sie sich erfolgreich gegen die immer stärker aufkommenden Dampfschiffe behaupten konnten, die ganze Majestät der Segelschiffahrt und den glanzvollen Höhepunkt einer jahrhundertelangen Entwicklung.

Ob sie in einem heulenden Kap-Horn-Sturm lenzten oder vor Passatwinden gute Fahrt machten, kein anderes Fahrzeug konnte sich an Größe, Kraft und Schönheit mit diesen hohen, weißgeflügelten Schiffen messen. Viele waren doppelt so lang wie ihre Vorgänger, die schlanken hölzernen Klipper, und beinahe genauso schnell wie diese. Mit mehreren tausend Quadratmetern Segelfläche an ihren Masten beförderten sie Tausende von Tonnen Salpeter, Guano, Kohle, Getreide oder Holz in ihren geräumigen Rümpfen über die Weltmeere.

Von Anfang an eroberten die Windjammer die Herzen von Seeleuten und Landratten gleichermaßen. Die *Potosi*, die *Preußen*, die *Herzogin Cecilie* und zahllose andere stellten für die Überfahrt von Chile oder Australien nach Europa immer wieder neue Schnelligkeitsrekorde auf. Selbst in der Zeit ihres Niedergangs, in den zwanziger und dreißiger Jahren, hatten sie noch den Ehrgeiz, alle Rivalen hinter sich zu lassen. Als die *Hougomont* 1927 der *Archibald Russell* von Australien nach Irland ein Rennen lieferte, ging ihre Besatzung so weit, den Rumpf während der Fahrt mit einem unter dem Kiel durchgezogenen Drahtseil vom Bewuchs zu säubern – und das Schiff gewann mit vier Tagen Vorsprung. Auf der *Viking* bemerkte 1934 ein Mann, das Barometer sei gestiegen und man könne sich auf gutes Wetter freuen. „Zum Teufel mit dem steigenden Barometer!" schnauzte der Kapitän. „Wir wollen, daß es Sturm anzeigt, damit wir schneller heimkommen."

Windjammer brauchten steife Brisen, um durch schnelle Überfahrten ihre Daseinsberechtigung zu beweisen.

Angesichts eines aufkommenden Sturmes auf einer Kap-Horn-Fahrt Anfang der dreißiger Jahre machen Besatzungsmitglieder der Viermastbark „Parma", mit gespreizten Beinen auf den Fußpferden balancierend, das steifgefrorene Großsegel mit den Beschlagzeisingen fest. Nach Möglichkeit befolgten sie die Regel „Eine Hand für das Schiff, die andere für sich", aber ein steifes Großsegel mußte man schon mit beiden Händen packen, und nur der Wind drückte die Seeleute bei dieser Arbeit fest an die Großrah.

Bei grobem Wetter im Pazifik, auf einer Lachsfahrt nach Alaska Anfang dieses Jahrhunderts, holen Besatzungsmitglieder der „Star of Finland" ein Stagsegel nieder, um es anschließend zu verstauen; nur die Sturmsegel bleiben gesetzt. Das Boot links ist von Brechern aus seiner Halterung gerissen worden. Amerikanische Windjammer, die sich in der Lachsfahrt betätigten, führten diese Boote an Deck mit, um damit die Lachsnetze vor der Küste von Alaska zu bedienen. Die gefangenen Lachse wurden später eingedost.

Bei gutem Wetter auf der Überfahrt von New York nach Yokohama im August 1900 schleppen Besatzungsmitglieder der amerikanischen Viermastbark „Arthur Sewall" ein schweres Segel über das Deck, um es anschließend an einer Rah anzuschlagen. Zwei weitere große Segel liegen schon an Deck bereit. Bei schwerem Wetter wurden oft Segel vom Sturm beschädigt oder fortgerissen, weshalb jeder Windjammer nach Möglichkeit Ersatzsegel an Bord hatte. Trotzdem mußten die Seeleute ständig Segel flicken.

Indem sie sich mit aller Kraft in die Spillspaken legen, holen Besatzungsmitglieder des Dreimast-Vollschiffs „Grace Harwar" 1929 in einem abflauenden Weststurm vor Kap Horn das Großmarssegel auf. Wenn sich nach einem Sturm das Wetter besserte, wurden wieder mehr Segel gesetzt, damit das Schiff mehr Fahrt machen konnte. Die 1889 erbaute „Grace Harwar" hatte schon das reife Alter von 40 Jahren erreicht, als sie mit einer Getreideladung diese Überfahrt von Australien nach England machte.

Die wettergegerbten Seeleute eines französischen Windjammers genießen beim Segelflicken an Deck die warme Sonne. Das waren die schönsten Stunden einer Überfahrt, in denen man scherzte und Seemannsgarn spann. Die französischen Windjammer hatten ihren Konkurrenten aus anderen Ländern wirtschaftlich einiges voraus, weil die Regierung ihren Bau und Betrieb subventionierte. Diese Maßnahme ermöglichte es den französischen Reedern, von 1892 bis 1902 insgesamt 212 neue Segelschiffe zu bauen.

Kapitel 1

Gigantische Nachfahren der anmutigen Klipper

Dieses Gemälde des Marinemalers John Stobart zeigt die 1895 aus dem Hafen von New York auslaufende „Wavertree".

Um Mitternacht wurde es zum erstenmal als winziger Fleck am mondhellen Horizont gesichtet. Bis zum Morgengrauen war es zu imposanter Größe angewachsen. Fahrgäste und Besatzung des britischen Passagierdampfers drängten sich an der Reling, um das große Schiff zu bestaunen, das sie überholten. Es kam ihnen vor wie eine Erscheinung aus einer anderen Epoche. Die schlanke, weißrümpfige Bark, alle vier Masten mit windgeschwellten Segeln besetzt, gehörte auf einen Ozean, wie es ihn früher einmal gegeben hatte, auf Seewege, die noch nicht vom Ruß der Dampfer befleckt waren.

Der Kapitän des Dampfers ging an den Maschinentelegraphen und signalisierte: „Volle Kraft voraus!" Er wollte seinen Passagieren ein Schauspiel bieten, das sie so schnell nicht vergessen würden. Er wollte diesen alten Kasten rasch einholen, ihm stolz vorm Bug vorbeilaufen und dann die Fahrt nach Rio de Janeiro fortsetzen. Aber er hatte an diesem Oktobermorgen des Jahres 1934 im Südatlantik die Rechnung ohne den Wirt gemacht, ohne Kapitän Sven Eriksson nämlich, der die große Stahlbark befehligte. Für ihn war seine 32 Jahre alte *Herzogin Cecilie* kein verwitterter Veteran; unterwegs vom irischen Belfast nach Port Lincoln in Südaustralien, wo sie eine Ladung Getreide aufnehmen sollte, war sie für ihn ein nützlicher Hochseefrachter, der noch immer klaglos seinen Dienst auf den Weltmeeren versah und seinem Eigner Gewinne einbrachte. Vor allem aber sollte kein unbeholfener Dampfer mit rauchspeienden Schornsteinen und ratternden Maschinen Eriksson das Heck zeigen – jedenfalls nicht, solange die *Herzogin Cecilie* sich im auffrischenden Wind langsam, aber stetig ihrer Höchstgeschwindigkeit näherte.

Die *Herzogin Cecilie* war 1902 in Deutschland erbaut worden, lief aber seit dem Ende des ersten Weltkriegs unter finnischer Flagge. Sie war mit Matrosen aus vielen Ländern bemannt, aber den Kern der Besatzung bildeten Seeleute von der zwischen Finnland und Schweden gelegenen Insel Åland – zähe junge Männer um die Zwanzig, wie geschaffen für die See und die Knochenarbeit auf Schnellseglern. Eriksson schickte seine Leute in die Wanten, um noch mehr Segel zu setzen.

Während der Dampfer immer mehr aufkam, wurden die Royalsegel der *Herzogin Cecilie,* die obersten Segel, dichtgeholt, so daß der mächtige Windjammer nun mit Vollzeug lief – 34 Segel mit der unglaublichen Gesamtfläche von 4181 Quadratmetern. In fliegender Hast wurden mit starken, auf Deck montierten Winden die Rahen so gebraßt, daß diese gewaltige Segelfläche die Kraft des zusehends auffrischenden Windes in möglichst großen Vortrieb umwandelte. Er wehte jetzt mit 18 bis 20 Metern pro Sekunde, also fast schon mit Sturmstärke. Die Bugwelle der *Herzogin Cecilie* schwoll im Sonnenlicht auf, während das Schiff immer schneller durchs Wasser glitt – 16 Knoten, dann 17, fast 18. Die Leereling wurde überspült. Sturzseen zischten am Achterdeck entlang. Zwei Besatzungsmitglieder mußten am mächtigen Ruder der Bark alle Kraft aufbringen, um sie auf ihrem Kurs zu halten.

Ein paar Augenblicke lang lagen Dampfer und Segler Bug an Bug auf gleicher Höhe. Aber dann schob sich das große Segelschiff unaufhaltsam nach vorne. Nicht lange, und es hatte den Dampfer überholt. Während dieser immer weiter zurückfiel, ließ sein Kapitän in ritterlicher Anerkennung seiner Niederlage dreimal die Dampfpfeife ertönen; dann dippte er zum Salut für den Sieger die rote britische Flagge. An Bord der *Herzogin Cecilie* erwiderte Kapitän Eriksson den Gruß, indem er seinerseits die blauweiße finnische Nationalflagge dippen ließ.

Die beiden Schiffe setzten ihre Fahrt auf verschiedenen Kursen fort. Schon bald verschwanden die Masten der *Herzogin Cecilie* unter der Kimm. Ihr kurzer Triumph war vorüber. Und es war auch nicht wahrscheinlich, daß er sich noch einmal wiederholen würde. Das letzte große Zeitalter der

Segelschiffe, die glanzvolle Epoche der Windjammer, trieb bereits dem Kalmengürtel entgegen, aus dem es kein Entrinnen geben würde. Genaugenommen waren schon vor diesem Rennen auf den windigen Weiten des Atlantik die *Herzogin Cecilie* und ihre stolzen Schwesterschiffe längst zum Untergang verurteilt. Aber diejenigen, die auf diesen großen Schiffen fuhren, und diejenigen, die sie vorüberziehen sahen, wußten recht gut, was der britische Hofdichter John Masefield gemeint hatte, als er den Windjammern die folgenden Zeilen widmete:

"Sie geh'n dahin, so wie wir Menschen niedergeh'n,
Dergleichen Schiffe wird die Welt nie wieder seh'n."

Es ist ein geschichtliches Zusammentreffen von trauriger Ironie, daß Segelfrachter wie die *Herzogin Cecilie* gerade zu der Zeit auf der Höhe ihrer Anmut und Schnelligkeit waren, als die dampfgetriebenen Passagierschiffe und Frachter sich anschickten, endgültig die Seeverkehrswege der Welt zu erobern. Die große Zeit der Windjammer war allzu kurz – ganze 60 Jahre, die etwa das letzte Drittel des 19. und das erste Drittel des 20. Jahrhunderts umfaßten. Ende der dreißiger Jahre unseres Jahrhunderts waren die schlanken Klipper aus der Mitte des 19. Jahrhunderts schon verschwunden. Dabei hatten die Klipper zu ihrer Zeit im Wettrennen um einen Anteil am lukrativen Seehandel phantastische Geschwindigkeiten auf der Ostindienroute erzielt. Und sie hatten riesige Heere ungeduldiger Glücksritter

Der Kanal, der den Segelschiffen zum Verhängnis wurde

Segelschiffe auf dem Suezkanal zeigt dieses Gemälde, das vor Eröffnung des Kanals entstand.

Anfang der sechziger Jahre des 19. Jahrhunderts beauftragte die Suezkanal-Gesellschaft den deutschen Maler Albert Rieger, ein Panorama des künstlichen Wasserwegs zu malen, den sie gerade zwischen dem Mittelmeer und dem Roten Meer anlegte. Anhand von Karten und Plänen schuf Rieger ein Ölgemälde *(links)*, das sich als erstaunlich naturgetreu erwies, als der Kanal 1869 eröffnet wurde – bis auf eine Einzelheit. Rieger ließ Segelschiffe auf dem Kanal fahren, doch in Wirklichkeit war er für seetüchtige Segelschiffe so gut wie nutzlos. Während er für Dampfer ideal war, konnten Segler den schmalen, oft windstillen Kanal kaum passieren.

Was das bedeutete, wurde schon vor der offiziellen Eröffnung klar. Wenige Stunden vor der Einweihungsfeier lief eine dreimastige Fregatte mitten im Kanal so hoffnungslos auf Grund, daß die Behörden mit einer Sprengung des Schiffes drohten, falls es nicht flottgemacht werden könne. Ein Jahr darauf schrieb der Erbauer des Kanals, Ferdinand de Lesseps, voller Bedauern: "Ich bitte die Segelschiffe um Verzeihung."

westwärts um Kap Horn herum zu den Goldfeldern Kaliforniens und
Australiens gebracht. Aber im Jahre 1869 wurde die Eisenbahnverbindung
zwischen den beiden nordamerikanischen Küsten fertiggestellt. Im selben
Jahr erwies sich der Suezkanal als ein Geschenk des Himmels für die
Dampfschiffe – und als verhängnisvoller Schlag gegen die Hochsee-Segel-
schiffe (S. 19). Auf manchen Routen waren die neuen Dampfer jetzt um
Wochen schneller als die schnellsten Klipper. Mit ihrer infolge der
Holzbauweise begrenzten Größe und Kapazität und ihrer Abhängigkeit von
den Launen des Wetters, die bei den Dampfern dank des eigenen Antriebs
fortfiel, wurden die Klipper mit der Zeit einfach unwirtschaftlich.

Als die Klipper im Hochseehandel nicht mehr mithalten konnten, stellten
sich die meisten Schiffseigner auf Dampfantrieb um. Trotzdem gab es immer
noch Dickköpfe, die felsenfest davon überzeugt waren, daß Segelschiffe
nach wie vor eine reelle Chance hatten – wenn sie nur entsprechend
konstruiert würden. Tatsächlich wurde dann im ausgehenden 19. Jahrhundert auf den europäischen Werften eine ganze Flotte solcher Segelschiffe
gebaut, die unter der Bezeichnung ,,Windjammer" bekannt wurden.

Direkte Abkömmlinge der Klipper, wurden die Windjammer im Gegensatz zu diesen aus Schiffbaustahl statt aus Holz gebaut. Und sie hatten
unglaubliche Dimensionen. Die meisten waren mindestens 90 Meter lang
(die *Herzogin Cecilie* hatte 102 Meter, ein Klipper durchschnittlich 45), und
manche erreichten sogar 120 Meter und mehr. Ihre in Deckshöhe einen
Meter dicken Masten ragten bis 60 Meter über den Kiel auf; manche der

*Rahschiffe liegen hier im Jahre 1900 dicht-
gedrängt an einer Hafenpier in Newcastle,
Australien, und warten darauf, Kohle für
Chile und Peru an Bord zu nehmen. ,,Die
Schiffe", berichtete ein Offiziersanwärter
eines englischen Kohlenschiffs, ,,hoben
sich als ein einziges Gewirr von Masten,
Spieren und Takelage vom Himmel ab."*

Rahen, an denen die Segel festgemacht waren, waren über 30 Meter lang und bis zu 60 Zentimeter dick. Das größte Segel wog trocken eine Tonne und naß noch weitaus mehr. Die Drahttrossen, Ketten und Hanftaue ihrer Takelage hätten aneinandergelegt eine Länge von vielen Kilometern ergeben.

Diese gigantischen Segelschiffe der neuen Generation konnten gewaltige Ladungen aufnehmen – bis zu 7000 Tonnen – und sie auf Routen, wo Passatwinde kräftig und verläßlich wehten, mit eindrucksvoller Geschwindigkeit über große Entfernungen befördern. Unter dem Kommando von Kapitänen wie Sven Eriksson, die Experten in der schwierigen Kunst des Segelns waren, konnten sie mit jedem anderen Schiff mithalten. Erikssons Sieg über den Passagierdampfer war deshalb nicht einmal ungewöhnlich: In mancher Hinsicht, auf bestimmten Routen und für begrenzte Zeit waren die Windjammer den Dampfern sogar überlegen.

Ganz vortrefflich eigneten sie sich für den Transport von Rohstoffen aus den entlegensten Weltgegenden in die Industrieländer, wo sie für eben jene moderne Technik gebraucht wurden, die schließlich die Segelschiffe von den Weltmeeren verdrängen sollte. Um die Jahrhundertwende stieg beispielsweise der Bedarf der rasch expandierenden europäischen Industrie an Kupfererz aus Chile in ungeahntem Ausmaß. Die Landwirte in Europa hatten Mühe, genug Nahrung für die rapide anwachsende Stadtbevölkerung zu produzieren, und hätten ohne zusätzlichen Dünger dieser Aufgabe nicht gerecht werden können; Peru aber besaß Dünger in Hülle und Fülle – in Form von Vogelmist nämlich, dem sogenannten Guano, der die Inseln vor seiner Felsküste bedeckte, und auch Chile hatte im salpeterreichen Boden seiner Anden-Vorberge reiche Düngerreserven. Nutzholz aus den Wäldern des amerikanischen Nordwestens war sehr gefragt, desgleichen Kohle aus Australien und Getreide aus dem weitläufigen Innern des Inselkontinents.

Doch Chile, Peru, Australien und Nordwestamerika waren viele tausend Seemeilen von Europa entfernt und nur über einen der tückischsten Ozeane der Erde zu erreichen. Von Europa westwärts auslaufende Schiffe mußten stürmischen Winden trotzen, die fast ständig in dem Seegebiet zwischen dem 39. und 50. Breitengrad rasten, das als „Brüllende Vierziger" bekannt ist. Vor Kap Horn peitschten die Stürme dann die Schiffe mit Graupel-, Schnee- und Hagelschauern, die von den Hängen der Südanden herabfegten. Böen und Nebel verbargen die zackigen Klippen an den Inselspitzen von Feuerland und die gefährlich scharfen Finger von Eisbergen, die von den gefrorenen Wüsten der Antarktis abgebrochen waren.

Die Windjammer hatten in dieser Frühzeit der Dampfschiffe diesen noch manches voraus. So überstanden sie meist auch die schlimmsten Unwetter und bahnten sich ihren Weg durch furchterregende Wellen, die bei den Dampfern Schornsteine umknickten, das Kesselfeuer löschten und Schiffsschrauben wie Stanniol zerrissen. Bei gutem Wetter konnten die Dampfer der achtziger und neunziger Jahre im Durchschnitt sieben Knoten laufen. Die Windjammer waren schneller, ausgenommen bei sehr schwachem oder sehr stürmischem Wind. Außerdem gab es den Wind umsonst. Bunkerstationen, wo die Dampfer Kohle aufnehmen konnten, waren in den südlichen Ozeanen dünn gesät, und die wenigen, die es gab, verlangten überhöhte Preise. Der kostbare Brennstoff, von dem man riesige Mengen brauchte, wurde um so teurer, je weiter die Dampfer sich vom Heimathafen entfernten. Auch Süßwasser für die Dampfkessel war oft Mangelware.

Selbst unter idealen Bedingungen waren Dampfer auf See ungeheuer kostspielig und mußten fast ununterbrochen laufen, wenn sie für ihre Eigner einen Gewinn abwerfen sollten. Damit verglichen waren die Betriebskosten eines Windjammers fast lächerlich gering. Ein solches Segelschiff konnte sogar Wochen oder Monate fern der Heimat auf Reede liegen und auf seine Ladung warten, diese dann aufnehmen und nach Hause segeln und immer noch einen Gewinn abwerfen.

Um die Jahrhundertwende, als die Dampfer eben erst seetüchtig wurden, durchpflügten Tausende von Windjammern im Dienste des Seehandels die Weltmeere, und Hunderte von Reedereien machten sich gegenseitig Konkurrenz. Einzeln und in ihrer Gesamtheit gesehen, waren diese großartigen Schiffe der absolute Höhepunkt der Segelschiffahrt, „das Ergebnis", wie der Marinehistoriker W. L. A. Derby schrieb, „von jahrhundertelangen Experimenten mit der Nutzung der Windenergie für Antriebszwecke. Obwohl sie nicht so grazil, so wendig und so elegant waren wie ihre Vorgänger, waren sie in ihrer Blütezeit dennoch der Inbegriff von Kraft, Seetüchtigkeit, Wirtschaftlichkeit und Langlebigkeit des Segelschiffs".

Stahl war das große Geheimnis beim Bau der Windjammer. Erst stählerne Schotten, Rumpfplatten und Masten ermöglichten den Bau so stabiler und großer Schiffe. Holz wurde praktisch nur noch für Decks und dekorative Teile, etwa in der Kapitänskajüte, verwendet. Während sich Größe und Stabilität sprunghaft erhöhten, wurden gleichzeitig auch Veränderungen in der Rumpfkonstruktion vorgenommen. Die gewölbten Bordwände und Schiffsböden der früheren Holzschiffe gehörten nun der Vergangenheit an; die Rümpfe wurden mit geraden Bordwänden und tiefen, flachen Schiffsböden versehen, die größtmögliche Ladefähigkeit gewährleisteten.

Die laufende Vergrößerung der Schiffe führte dazu, daß aus den drei Masten vier und schließlich fünf wurden. Und auch die Besegelung wurde verändert. Die ersten Windjammer, die in den achtziger und neunziger Jahren des vorigen Jahrhunderts gebaut wurden, waren echte Vollschiffe, führten also an allen drei Masten einen vollen Satz Rahsegel. Aber als weitere Masten hinzukamen, entwickelte man auch neue Takelungen. Ein Viermaster, der an Fock-, Groß- und Kreuzmast rahgetakelt war, am vierten Mast jedoch mit längsschiffs stehenden Gaffelsegeln ausgerüstet war, erwies sich als wendiger und fast genauso schnell wie ein bisheriges Vollschiff. Diese Barken, wie man sie nannte, entwickelten sich praktisch zur Standard-Konstruktion für Windjammer, und zwar noch aus einem anderen Grund als dem der besseren Manövrierfähigkeit: Dank ihrer leichter zu handhabenden Segel kamen sie mit weniger Besatzung aus. Tatsächlich nahm die Stärke der Besatzungen bei den Windjammern im Laufe der Jahre immer mehr ab. Für einen 1500-Tonnen-Klipper hatte man im allgemeinen eine Besatzung von 50 bis 60 Mann gebraucht, für einen 2500-Tonnen-Windjammer reichten dagegen schon weniger als 30 Mann. Anfang der dreißiger Jahre dieses Jahrhunderts umsegelte der Großsegler *Grace Harwar* Kap Horn mit einer Besatzung von ganzen 19 Mann.

Aber nicht nur die Rumpfgröße und die Anzahl der Masten wurden gegenüber den Klippern verändert, sondern auch die Größe der Segel. Bei den kleinen Besatzungen konnten nicht mehr so viele Männer in die Masten gehen, um Segel loszumachen oder zu bergen, weshalb man auf den naheliegenden Ausweg verfiel, die Größe einiger Segel zu begrenzen. Die längeren Rahen bedingten zwar breitere Segel, manche waren jetzt aber nicht mehr so hoch wie früher. Während der Klipper nur ein einziges Bramsegel führte, war dieses Segel beim Windjammer in ein Oberbramsegel und ein Unterbramsegel geteilt *(S. 30–31)*. Gleichzeitig verzichtete man auf einige der Zusatzsegel des Klippers, beispielsweise die Leesegel, die an Steuer- oder Backbordseite an den unteren Rahen gesetzt wurden, die man zu diesem Zweck durch ausschiebbare Spieren verlängern konnte. Das Setzen dieser Segel war zu umständlich, befanden die Windjammer-Seeleute, und die geringe Geschwindigkeitszunahme, die durch sie zu erzielen war, lohnte ihrer Meinung nach nicht den Aufwand. Der mit Vollzeug und gesetzten Leesegeln laufende Klipper zeigte von vorn oder achtern gesehen eine fast dreieckige Silhouette, der Windjammer hatte hingegen eher die Form eines schmalen Rechtecks.

Mit speziellen, die ganze Handfläche schützenden „Fingerhüten" nähen zwei Segelmacher Lieke an die Kanten eines Windjammer-Segels, während ein dritter die passenden Kauschen und Gatjen aussucht, die aufgefädelt an der Wand hängen. Für die Besegelung eines Windjammers waren an die 13 000 Meter Leinwand, viele Kilometer lange Nähte und Tausende von Nadelstichen erforderlich.

Andere, längst überfällige Verbesserungen an Deck sorgten für einen besseren Schutz der Besatzung vor den mächtigen Seen, die bei schwerem Wetter überkommen und mit brutaler Leichtigkeit einen Mann über Bord spülen konnten. In der Blütezeit der Windjammer gab es keine Liste, die die Anzahl der über Bord gespülten oder aus anderen Gründen in der tobenden See ertrunkenen Männer erfaßte, doch waren es sicher jedes Jahr mehrere Dutzend. Aber Sturzseen auf Deck gefährdeten nicht nur Leib und Leben der Besatzungen, sondern bedrohten auch das Schiff selbst, da ihr gewaltiges Gewicht – schätzungsweise 600 bis 700 Tonnen, wenn das Deck stark überspült war – den Rumpf erheblich tiefer gehen ließ und Gleichgewicht und Seetüchtigkeit beeinflußte.

Eine wichtige Veränderung dieser Art war die Einführung einer mittschiffs gelegenen „Insel", die größer war als das Deckshaus eines Klippers. Als großer, die ganze Schiffsmitte einnehmender Aufbau teilte diese Insel die Kuhl des Oberdecks in zwei kleinere Schächte, wodurch die Wucht der Sturzseen gebrochen wurde. Auf vielen Schiffen lagen in diesem Aufbau die Quartiere der Offiziere und der Mannschaft, eine wesentliche Erleichterung gegenüber der herkömmlichen Aufteilung, nach der Kapitän und Steuerleute achtern und die Mannschaft im Vorschiff unter der „Roof" oder „vor dem Mast" untergebracht waren.

Die „Insel" war mit dem Achterdeck und dem Vorschiff durch erhöhte Laufstege verbunden, sogenannte Laufbrücken, die es der Besatzung wenigstens manchmal ermöglichten, dem Wasser an Deck auszuweichen. Deutsche Schiffer gingen in der Fürsorge für ihre Besatzungen noch einen Schritt weiter und brachten an den Seiten des tiefer liegenden Decks, in der Kuhl, Sorgnetze oder Leinen an, sobald sich schweres Wetter ankündigte.

Auch die Rudergänger wurden auf den Windjammern besser geschützt. Das Rad befand sich auf Segelschiffen herkömmlicherweise sehr weit achtern, meist nahe dem Ruderblatt, und die Rudergänger waren aufs höchste gefährdet, wenn das Schiff achterliche Sturzseen übernahm. Auf dem Windjammer *Gogoburn* zerschmetterte 1899 eine solche achterliche See das Ruder und warf die beiden Rudergänger gegen den Besanmast, wo sie verwundet und bewußtlos liegenblieben. Dieselbe tückische See spülte auch den Kapitän und einen Matrosen über Bord; beide fanden den Tod.

Die Rudergänger wurden oft an Deck festgebunden, damit die See sie nicht seitlich über Bord spülte; gleichwohl war das Bedienen des Ruders bei stürmischem Wetter eine kräftezehrende und gefährliche Aufgabe. Auf manchen Windjammern wurde deshalb dicht hinter dem Ruder eine Schutzhaube angebracht. Auf anderen, vor allem den großen deutschen Barken, verlegte man das Ruder selbst schließlich weiter nach vorne, auf die mittschiffs gelegene Insel, wo es höchstens noch durch ganz außergewöhnlich große Seen gefährdet war.

Die wohl einschneidendsten Änderungen gegenüber anderen Segelschiffen betrafen jedoch die Takelage der Windjammer. Zusammen mit den stählernen Masten und Spieren wurden auch Drahttauwerk und Ketten in der Takelage eingeführt. Diese Takelage aus Metall war zwar schwer – Masten, Spieren und Gut einer Viermastbark wogen zusammen über 60 Tonnen –, aber auch ungleich widerstandsfähiger als die herkömmliche Takelage aus Holz und Hanf. Im allgemeinen war nur noch das laufende Gut – das bewegliche Tauwerk, das zum Bedienen der Rahen und Segel diente – aus Hanf. Durch die Einführung von Winden wurde die Schwerarbeit des Heißens und Fierens der schwersten Rahen und Segel erleichtert, nämlich derjenigen an den Untermasten. Winden vereinfachten auch das Brassen, das seitliche Herumholen der Rahen zur besseren Ausnutzung des Windes. Die Braßwinden waren eine Erfindung des stets auf Neuerungen bedachten schottischen Schiffsführers Captain J. C. B. Jarvis, der in den siebziger und achtziger Jahren des vorigen Jahrhunderts viele der überlieferten Methoden der Segelschiffahrt in Frage stellte. Aus einem Satz schwerer, von Hand zu drehender, konischer Trommeln bestehend, waren die Jarvis-Winden so konstruiert, daß man mit ihnen die Brassen, die zur einen Seite der Rahen führten, fieren und gleichzeitig die auf der anderen Seite dichtholen konnte. Eine Arbeit, für die man früher bis zu einem Dutzend Männer gebraucht hatte, konnte damit nun von zwei oder drei bewerkstelligt werden. Leider bewahrheitete sich auch für Jarvis der Spruch, daß der Prophet im eigenen Lande nichts gilt. Nur auf wenigen britischen Schiffen wurden seine Winden installiert. In anderen Ländern erkannte man dagegen recht bald die Vorzüge seiner Erfindung und führte die Winden als Standardausrüstung der Segelschiffe ein.

Die stählerne Takelage sorgte für ungewohnte Geräusche an Bord. W. L. A. Derby hat dies wie folgt beschrieben: „Spannung und Stärke der Takelage aus Stahl und Draht lassen bei schlechtem Wetter ein Konzert erklingen, wie man es nirgendwo sonst zu hören bekommt als an Bord eines großen, schwer beladenen Seglers. Das Schiff wird gewissermaßen zu einer riesigen Orgel, gespielt von den schweren Händen des Windes und der See. Heftige Windstöße zupfen an den straffen Wanten und schwirrenden Stagen wie Finger an Harfensaiten. Während manche Trossen einen tiefen, dröhnenden Ton erzeugen, summen andere unter der Belastung schrill wie

Telegraphendrähte. Fallen klirren wie Banjosaiten, und ein unaufhörliches dumpfes Ächzen kommt von den Spannschrauben. Der Sturm fährt heulend durch das schlaffere laufende Gut, dessen schwere Blöcke einen irrwitzigen Trommelwirbel auf den stählernen Spieren entfesseln. Während das Schiff rollt und sich überlegt, schlagen die stählernen Klappen der Speigatte lärmend hin und her, und die ganze Zeit über jagen die mächtigen Seen längsseit vorbei oder kommen an Deck über, um strudelnd und schäumend vom Achterdeck bis zum Vorschiff zu schwappen, an die Türen des Deckshauses zu krachen und an den Lukenbezügen zu zerren. Jede Planke, jeder Spant des stampfenden Rumpfes ächzt unter dem Anprall der Wogen, und das dumpfe Dröhnen der Sturzseen und das Stakkato der Hagelschauer tragen das Ihre zu dieser schier unbeschreiblichen Kakophonie bei – dem Gesang eines windgetriebenen Segelschiffs."

Die phantastische Widerstandsfähigkeit dieser robusten stählernen Schiffe erregte immer wieder Staunen und Bewunderung – und zwar nicht nur auf See, wenn sie sich im Toben der Elemente behaupten mußten. Eine der eindrucksvollsten Demonstrationen ihrer Unverwüstlichkeit ereignete sich vielmehr an einem schönen Sommertag des Jahres 1893 im Hafen von Philadelphia, vor den Augen zahlreicher Landratten.

Bei dem Windjammer handelte es sich um die britische Viermastbark *Wanderer,* die sich irgendwie von einem der beiden Schlepper losriß, die sie an ihren Liegeplatz bringen sollten. Den zweiten Schlepper wie ein Beiboot neben sich herziehend, trieb die Bark flußabwärts auf einen Kai zu, Pier 22. John Masefield, der eine Geschichte des Schiffes verfaßt und es in einem seiner schönsten Gedichte verherrlicht hat, beschrieb, was sich dann zutrug: „Auf der Pier waren leere Fässer gestapelt. Die *Wanderer* drückte den Schlepper in die Pier und stieß die Fässer um, so daß sie in alle Richtungen davonrollten; die Besatzung des Schleppers hatte vor dem Anprall der Bark gerade noch an Land springen können. Die *Wanderer* schrammte an der Pier 22 entlang, trieb weiter zur Pier 23, rammte auch diese und setzte ihre Unglücksfahrt in Richtung auf das Vine Street Dock fort, wo das Fährboot *Cooper's Point* gerade Passagiere nach Camden aufnahm. Ein paar Männer auf dem Polizeischlepper *Stockley,* der in der Nähe festgemacht hatte, riefen den Passagieren zu, sie sollten sich an Land in Sicherheit bringen. Die Passagiere drängten von dem Boot, aber noch ehe die meisten von ihnen festen Boden unter den Füßen hatten, bohrte sich der Bug der *Wanderer* in die *Cooper's Point,* durchschnitt die kräftigen hölzernen Fender auf ihrer Backbordseite, zerstörte ihre Aufbauten, rasierte ihr Oberdeck ab und knickte ihren Schornstein. Ein paar Menschen und Pferde wurden zu Boden gestoßen; zwei Damen und ein Mann erlitten leichtere Verletzungen."

Mit dieser Kollision endete die Geisterfahrt der Bark, und als sie zur Ruhe kam, wurde festgestellt, daß lediglich ihr Ruder leicht beschädigt war. Die Kosten für die Instandsetzung der *Cooper's Point* beliefen sich auf 7000 Dollar. Das Ruder der *Wanderer* war schnell repariert; sie nahm eine Ladung Kerosin an Bord und ging nach Kalkutta in See.

Kein aus Holz gebauter kleiner Klipper hätte solche Verheerungen anrichten und dabei selbst mit so geringen Schäden davonkommen können. Und mit Sicherheit hätte auch kein Holzschiff manche der Ladungen befördern können, die das tägliche Brot der Windjammer wurden. Salpeter aus Chile beispielsweise war in hohem Grade feuergefährlich; wenn eine solche Ladung in Brand geriet, hatte nur ein stählernes Schiff eine Überlebenschance, und selbst dann mußte das Feuer rasch gelöscht werden, damit das Schiff nicht innen vollständig ausbrannte.

Auch Kohle, die ebenfalls in großen Mengen auf Windjammern befördert wurde, hatte ihre Tücken. Wenn sie in einem geschlossenen Laderaum feucht wurde, konnte sie durch Selbstentzündung ins Schwelen geraten.

Möglicherweise vergingen Tage, bis ein solcher Schwelbrand entdeckt wurde, und dann war er sehr schwer zu löschen. In vielen Fällen gab es keinen anderen Ausweg, als zu versuchen, das Feuer durch Abdichten des Laderaums niederzuhalten und den nächsten Hafen anzulaufen.

Ein berühmt gewordenes Feuer an Bord der Viermastbark *Cedarbank*, die im Jahre 1893 Kohle von Newcastle, Australien, nach San Francisco bringen sollte, brannte über einen Monat lang. Die Pumpen liefen Tag und Nacht; mehrmals wurden durch Explosionen Lukendeckel abgesprengt, aber es gelang der Besatzung jedesmal, die Luken wieder zu schalken. Beißender Rauch behinderte die Männer bei allen Arbeiten, und in den Fugen zwischen den Decksplanken schmolz das Pech. Trotzdem setzte der „schwimmende Ofen" seine Fahrt fort. Erst im Hafen konnte der Brand gelöscht werden. Ein Holzschiff hätte den Hafen nie erreicht.

Die Windjammer wurden manchmal mit schwimmenden Vorratsbehältern verglichen, als mobile Lagerhäuser bezeichnet. Niemand erwartete, daß sie genauso leichtfüßig wären wie die früheren Klipper, und das waren sie auch wirklich nicht. Trotzdem wunderte sich immer wieder alle Welt – vielleicht mit Ausnahme ihrer Kapitäne und Besatzungen –, in welch kurzer Zeit sie ihre Passagen bewältigten. Die Rekorde für die Etmale (binnen 24 Stunden zurückgelegte Strecke) von Segelschiffen werden alle von Klippern gehalten; die amerikanische *Champion of the Seas* schaffte einmal von Mittag bis Mittag 465 Seemeilen, einen Durchschnitt von über 19 Knoten, und die *Flying Scud* brachte es auf 449 Seemeilen, was einer Durchschnittsgeschwindigkeit von über 18 Knoten entspricht. Die beste Leistung, die je ein Windjammer erreichte, betrug dagegen nur 378 Seemeilen oder durchschnittlich weniger als 16 Knoten; aufgestellt wurde dieser Rekord im Jahre 1900 von der deutschen Fünfmastbark *Potosi*. Trotzdem können sich bei vergleichbaren Überfahrten von Hafen zu Hafen die Leistungen der schnellsten Windjammer durchaus sehen lassen. Den Rekord auf der Route London–Melbourne – 60 Tage – hielt der britische Wollklipper *Thermopylae;* im Jahre 1934 gelang es den beiden deutschen Barken *Padua* und *Priwall*, eine längere Route – von Hamburg nach Port Lincoln in Australien – in 65 Tagen zu bewältigen.

Am dichtesten lagen die Rekorde bei den absoluten Höchstgeschwindigkeiten nebeneinander. Auch hier waren die Klipper nicht zu schlagen, aber die Windjammer folgten dichtauf. Der absolute Geschwindigkeitsrekord für Handelssegler wurde von dem amerikanischen Klipper *James Baines* aufgestellt, der im Jahre 1856 21 Knoten erreichte. Fünfundsiebzig Jahre später, am 2. Juni 1931, erzielte die *Herzogin Cecilie* – der Windjammer, der die Wettfahrt mit dem Ozeandampfer gewann – vor der Nordostküste Dänemarks eine Geschwindigkeit von 20¾ Knoten. Die Begleitumstände dieser Rekordfahrt waren zugegebenermaßen außergewöhnlich.

Die *Herzogin Cecilie* segelte auf dem Weg von Wales nach Finnland durch das Kattegat, die Meerenge, die Dänemark von Schweden trennt. In diesen relativ geschützten Gewässern gibt es keine weiten Strecken, auf denen sich große Wellen aufbauen könnten. Bei starkem Wind war es deshalb für ein Segelschiff möglich, dort seine Höchstgeschwindigkeit zu erreichen. Und das gelang der *Herzogin Cecilie.* Am Spätnachmittag frischte der Wind stürmisch auf. Da die Flut günstig war, flog das Schiff nur so dahin.

Ein Beobachter an Bord der um mehr als 30° überliegenden Bark rechnete anhand der 75 Minuten, die sie für die bekannte Strecke zwischen zwei Feuerschiffen brauchte, die Durchschnittsgeschwindigkeit aus und kam auf 10,36 Meter je Sekunde oder nahezu 21 Knoten. Da es dunkel wurde, war zu überlegen, ob die rasende Fahrt abgebrochen werden sollte, denn das Schiff hatte fast den vielbefahrenen Öresund erreicht. Aber es war ein so begeisterndes Bild, wie die Bark pfeilschnell übers Wasser glitt, daß sich Kapitän Sven Eriksson zum Weitersegeln entschloß.

Die ganze Nacht hindurch flog die *Herzogin Cecilie* südwärts. Eriksson ließ wiederholt blaue Lichtsignale geben, um andere Fahrzeuge vor der herannahenden Bark zu warnen. „Keiner ging in dieser Nacht unter Deck", berichtete später der Chronist der *Herzogin Cecilie*. „Die normalen Wachen wurden vernachlässigt, alle Mann standen an Deck und sahen zu, wie die große weiße Bark dahinschoß, gewiß nicht, ohne sich ab und zu die besorgte Frage zu stellen, ob ihre Leinwand dieser ungeheuren Belastung standhalten werde. Sie flog durch den Sund, vorbei an der Insel Ven, und überholte in gleicher Richtung fahrende Dampfer, als ob diese ankerten."

Endlich dann, als die *Herzogin Cecilie* im Morgengrauen Kopenhagen passierte, flaute der allmählich nachlassende Wind zu einer sanften Brise ab, und die Bark setzte ihre Fahrt nun gemächlicher fort. Doch mit ihrem Spurt hatte sie in 13 Stunden 164 Seemeilen zurückgelegt, was einem Durchschnitt von nahezu 13 Knoten entsprach.

Diese Glanzleistung war um so erstaunlicher, als die Bark bald darauf zur Reinigung ins Trockendock mußte, weil sie unter der Wasserlinie stark bewachsen war. Windjammer-Spezialisten haben immer wieder darüber spekuliert, wie schnell sie wohl gelaufen wäre, wenn sie gerade eine Überholung hinter sich gehabt hätte.

Nur ein vortrefflicher Kapitän und eine bestens eingespielte Besatzung konnten solche Geschwindigkeiten aus einem Windjammer herausholen. Mit einem solchen Schiff zu manövrieren war eine Kunst für sich. Ein im Dienst ergrauter Seemann drückte das einmal so aus: „Ein einziger Nichtskönner an Bord, eine einzige unklare Trosse, ein einziges zu stark abgenutztes Stück der Takelage könnte das Manöver mißlingen lassen."

Die Takelage dieser vollendeten Segelschiffe war ein Höhepunkt komplizierter Logik – einer Logik, die auf Jahrhunderten praktischer Erfahrung fußte. Die in den Himmel ragenden Masten mit ihrem Spinnennetz aus Tauen bestanden aus zwei getrennten und praktisch voneinander unabhängigen Systemen. Das stehende Gut, also die Wanten und Stags, deren Aufgabe es war, die Masten und Stengen seitlich, nach vorne und nach achtern zu stützen, bestand aus Drahttauen. Die Wanten waren paarweise durch dünne Querleinen verbunden, die sogenannten Webeleinen, so daß Strickleitern für das Aufentern der Matrosen entstanden.

Um bis zur höchsten Vor-Royalrah aufzuentern, brauchte ein erfahrener Seemann nicht länger als zwei bis drei Minuten. Bei einem Schiffsjungen konnte das bis zu einer halben Stunde dauern – während er Meter um Meter höher klomm, war er hauptsächlich damit beschäftigt, seine Angst vor der schwindelnden Höhe zu überwinden. Die Backstage (Pardunen), schwere Stahltrossen, die von den Mastspitzen nach achtern liefen und an den Bordwänden verankert waren, wurden manchmal von erfahrenen Matrosen, die sich wichtig tun wollten, zu einer schnellen Rutschpartie hinunter an Deck mißbraucht, obwohl man sich dabei von gebrochenen Drähten aufgerissene Hände holen konnte. Besonnenere Matrosen gingen genauso nieder, wie sie aufgeentert waren: in den Wanten. Auf See benutzten sie zum Aufentern und Niedergehen immer die Wanten auf der Luvseite, damit der Wind sie gegen die Wanten drückte und nicht von ihnen weg. Im Sturm in den Mast zu gehen, schrieb einmal ein Seemann, „erforderte die ganze Kraft eines Mannes, denn der Wind drückte ihn buchstäblich platt an die Wanten, und jeder Schritt auf- oder abwärts mußte erkämpft werden".

Das laufende Gut, das das zweite System darstellte, diente zur Bedienung der Segel und Rahen. Bevor die Winden aufkamen, war das Holen an den Fallen, mit denen die Rahen zum Losmachen oder Bergen der Segel geheißt oder niedergeholt wurden, eine außerordentlich anstrengende Arbeit, die oft von Arbeitsliedern, den Shanties, oder zumindest von rhythmischen Rufen oder lautem Grunzen begleitet wurde. Wenn ein Segel zu bergen war,

Der Kampf um die Freibordmarke

In Gehrock und Zylinder, eine riesige Kamera im Schlepptau, war Samuel Plimsoll zu Beginn der Windjammer-Ära, Anfang der siebziger Jahre des vorigen Jahrhunderts, eine ebenso kuriose wie vertraute Gestalt in den englischen Hafenstädten. Noch seltsamer war der Vorsatz, der diesen Parlamentsabgeordneten bewog, sich unter Seeleute zu mischen, von denen die meisten keinen Besitz und deshalb auch kein Wahlrecht hatten.

Mit einem Eifer, der an Fanatismus grenzte, hatte Plimsoll 1870 einen Kreuzzug gegen die von ihm so genannten „schwimmenden Särge" begonnen – nicht hinreichend seetüchtige Schiffe, Segler wie Dampfer, die jedes Jahr den Tod von Hunderten von Seeleuten verursachten. Trotz heftigen Widerstandes im Parlament ging Plimsoll daran, die schlimmsten Verstöße gegen die gesetzlichen Bestimmungen anzuprangern und die Öffentlichkeit zur Mitarbeit aufzufordern. Das Ergebnis war ein 1873 erschienenes Buch, *Our Seamen* (Unsere Seeleute) betitelt, in dem er anhand erschütternder Beispiele und amtlicher Statistiken nachwies, daß Überladung und Seeuntüchtigkeit die Hauptursachen für Schiffbrüche in der englischen Handelsmarine seien. Plimsoll erzählte auch mitleiderregende Geschichten – etwa die von einer Seemannswitwe, die sich unter Tränen durchbrachte, indem sie beim Licht eines Dachfensters für andere Leute nähte – und druckte sogar Photos von bleichen, abgezehrten Frauen, an deren schwarze Kleider sich ihre vaterlose Kinderschar anklammerte.

Das Buch, in dem Plimsoll die Schuld an diesem Elend gewinnsüchtigen Reedern und der untätigen Regierung zuschob, erzielte die beabsichtigte Wirkung. Schon 1875 wurde im Unterhaus ein Gesetzentwurf vorgelegt, der eine von Plimsoll verfochtene Reform vorsah – die Einführung der Pflicht zum Anbringen einer Ladelinie an der Außenseite von Frachtschiffen, die die höchstzulässige Ladetiefe angeben sollte. Am 22. Juli zog Premierminister Disraeli jedoch den Gesetzentwurf zurück, wahrscheinlich unter dem Druck von Reedern.

Plimsolls anschließender Wutausbruch machte Schlagzeilen, und das Parlament sah sich schließlich gezwungen, das Gesetz über seeuntüchtige Schiffe zu verabschieden. Das Gesetz überließ es jedoch den Schiffseignern, in welcher Höhe sie die Freibordmarke anbringen wollten, und manche malten den Streifen auf die Decks ihrer Schiffe. 1890 wurden jedoch verbindliche Vorschriften für die „Plimsoll line" erlassen, denen sich die meisten anderen Länder anschlossen.

Samuel Plimsoll, porträtiert in Vanity Fair 1873.

Die gesetzliche Freibordmarke besteht aus einem Kreis von 30 cm Durchmesser, mit einem 46 cm langen Querstrich. Die wechselnden Wasserdichten und jahreszeitlichen Schwankungen berücksichtigt eine weitere Lademarke (F/WNA).

wurde es zuerst mit den bis an Deck reichenden Geitauen an seine Rah aufgeholt. Dann mußten die Männer aufentern und es festmachen.

So hart die Arbeit an Deck war, in der Takelage konnte es noch schlimmer sein – zumal, wenn das Wetter schlecht wurde. Dann mußten in fliegender Hast Segel geborgen werden, damit die zu große Segelfläche das Schiff nicht unter die Wellen drückte. Sobald ein Segel an die Rah aufgeholt war, enterten die Seeleute zu der Rah auf und schoben sich dann an ihr nach außen, die Füße auf dem unter der Rah gespannten Fußpferd, die Hände am Jackstag, einem mit den Zänken auf der Oberseite der Rah befestigten Kamm. Dann schlugen die Männer den restlichen Wind aus dem Segel.

Der Autor und Seemann Alan Villiers beschrieb diesen Vorgang aus eigener Anschauung: „Man beginnt mit dem Kampf in der Mitte der Rah, schlägt auf das nach achtern geblähte Tuch, holt die Teile des Segels herauf, die unter der Rah und am Fußpferd hängen, bis man alles Tuch oben auf der Rah unter seinem Bauch hat; dann formt man aus dem Tuch, das der Rah am nächsten ist, einen etwa einen Fuß breiten Überzug, stopft den ganzen Rest mit Faustschlägen säuberlich hinein, lehnt sich mit den Knien an die Rah und rollt sie herum, wirft den Zeising herum, und die Arbeit ist getan!"

Alle Seeleute kannten die Regel: „Eine Hand für das Schiff und eine für sich." Trotzdem passierte nur allzu oft ein Unglück, und die Seeleute nahmen das als unvermeidlich hin. „Nicht daß es ihnen egal gewesen wäre", erläuterte ein alter Seebär. „Sie machten sich einfach die Gefährlichkeit ihrer Arbeit nicht klar, und das war vielleicht auch besser so." Ein Sturz von einer oberen Rahe bedeutete fast mit Sicherheit den Tod, und man muß sich nur wundern, daß nicht noch mehr Seeleute ums Leben kamen.

Der britische Schriftsteller Eric Newby, der seine Stellung in einer Werbeagentur aufgab, um als Schiffsjunge zur See zu fahren, schilderte später, wie er einmal in der Südsee während eines schweren Sturms mit mehreren Kameraden versuchte, auf der Bark *Moshulu* ein Marssegel festzumachen. Ganz plötzlich merkte er, daß er fiel. „Ich war der letzte Mann draußen auf der Luvseite und wollte einen Zeising losmachen, bevor wir mit der Arbeit am Segel begannen, als dieses plötzlich nach oben schlug, zwölf Meter Leinwand so hart wie Wellblech, und mich glatt vom Fußpferd stieß. Ich wußte überhaupt nicht, wie mir geschah, ich empfand keine plötzliche Reue wegen meiner Sünden. Statt dessen tat es nur einen sanften Ruck, und ich stellte fest, daß ich mich im Luvwant etwa eineinhalb Meter unter der Rah verfangen hatte. So schnell es ging, kletterte ich wieder zur Rah hinauf und machte meine Arbeit weiter. Der Schrecken kam erst viel später."

Newbys Kameraden waren so beschäftigt, daß sie gar nicht merkten, was passiert war. Als sie alle wieder unten an Deck waren, fiel einem von ihnen, einem Finnen, auf, daß Newby ein bißchen mitgenommen aussah, und er fragte ihn, ob ihm etwas zugestoßen sei. „Ich bin runtergefallen", sagte Newby. „Glaub ich nich'", sagte der andere. „Ich hab' nichts gesehn."

Ein Sturz war beileibe nicht die einzige Art für einen Seemann, beim Festmachen eines Segels zu Schaden zu kommen. Villiers erinnerte sich an einen verzweifelten Versuch, auf der *Herzogin Cecilie* ein Marssegel zu bergen, bei dem alle Männer total erschöpft, ihre Hände „blau vor Kälte und rot von Blut" waren, während das 185 Quadratmeter große Segel sich immer wieder losriß. „Einmal schlug eine stählerne Bauchgording peitschend bis über die Rah zurück und erwischte den Zimmermann, dem sofort das Blut herunterlief. Er wankte ein bißchen, machte aber weiter. Nach einer Weile sahen wir dann, daß er ohnmächtig geworden war und in lebensgefährlicher Weise über die Rah hing. Einen schrecklichen Moment lang hielt die Leinwand still, während wir uns zu ihm vorkämpften, und weil wir ihn nicht hinunterbringen konnten, banden wir ihn einfach fest. Als wir dann wieder Zeit hatten, an ihn zu denken, stellten wir fest, daß er zu sich gekommen war und bereits wieder arbeitete."

Segelschiffe in Vollendung

Vollgetakelte Windjammer führten mehr Leinwand als alle anderen Schiffe. Die deutsche Viermastbark *Herzogin Cecilie,* die 34 Segel setzen konnte, rühmte sich eines Gesamtsegelareals von 4180 Quadratmetern. Diese gewaltige Segelfläche ragte mehr als 45 Meter hoch über das Deck auf, und das Focksegel allein maß 26,5 mal 10,6 Meter.

Doch bei aller Kompliziertheit ihrer Takelage waren die Windjammer nach einigen der grundlegenden Lehrsätze der Segelkunst entworfen worden. Für den Hauptantrieb trugen drei große Masten 18 Rahsegel – niedrig, doch breit geschnittene Segel, die leicht zu bedienen waren und doch dem Wind eine möglichst große Angriffsfläche boten. An kräftigen Rahen angeschlagen, konnten diese Rahsegel rechtwinklig zum Kiel gebraßt werden, wenn das Schiff vor dem Wind lief, ließen sich aber auch für das Segeln am Wind hart anbrassen.

Außer den Rahsegeln hatten Schiffe wie die *Herzogin Cecilie* oft noch 16 oder mehr dreieckige, längsschiff stehende

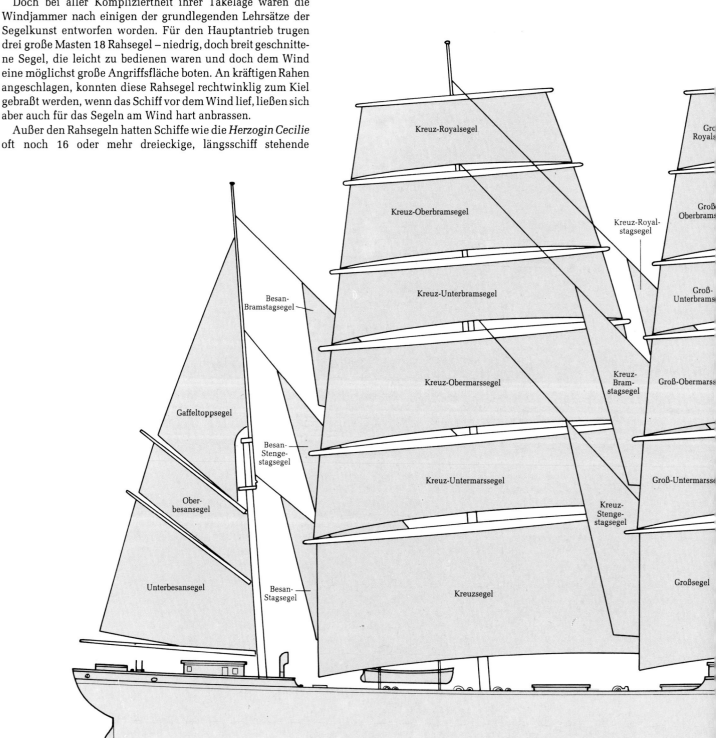

:

Schratsegel. Diese Segel waren zwar kleiner, konnten aber in einem günstigeren Winkel zum Wind gefahren werden als die Rahsegel, was dem Schiff wertvollen zusätzlichen Antrieb verlieh, wenn es hart an den Wind ging. Das war die Hauptfunktion der Stagsegel zwischen den Masten. Die dreieckigen Segel am Klüver und das Vor-Stengestagsegel dienten vor allem zum Steuern. Wenn sie voll standen, drückten diese Segel den Bug vom Wind ab und erleichterten dem Rudergänger damit das Abfallen.

Am Heck übten die Besansegel als Gaffelsegel eine entgegengesetzte Kraft aus, drückten also das Heck vom Wind weg. Wenn der Kurs gehalten wurde, hoben sich diese Schratsegel in ihrer Wirkung gegenseitig auf, trugen aber gleichzeitig zum Vortrieb bei. Um den Kurs zu ändern, konnte der Kapitän dieses Kräftegleichgewicht zwischen Klüver und Besansegeln aufheben und so neben dem Ruder auch die Kraft des Windes einsetzen, um sein riesiges Schiff zu drehen.

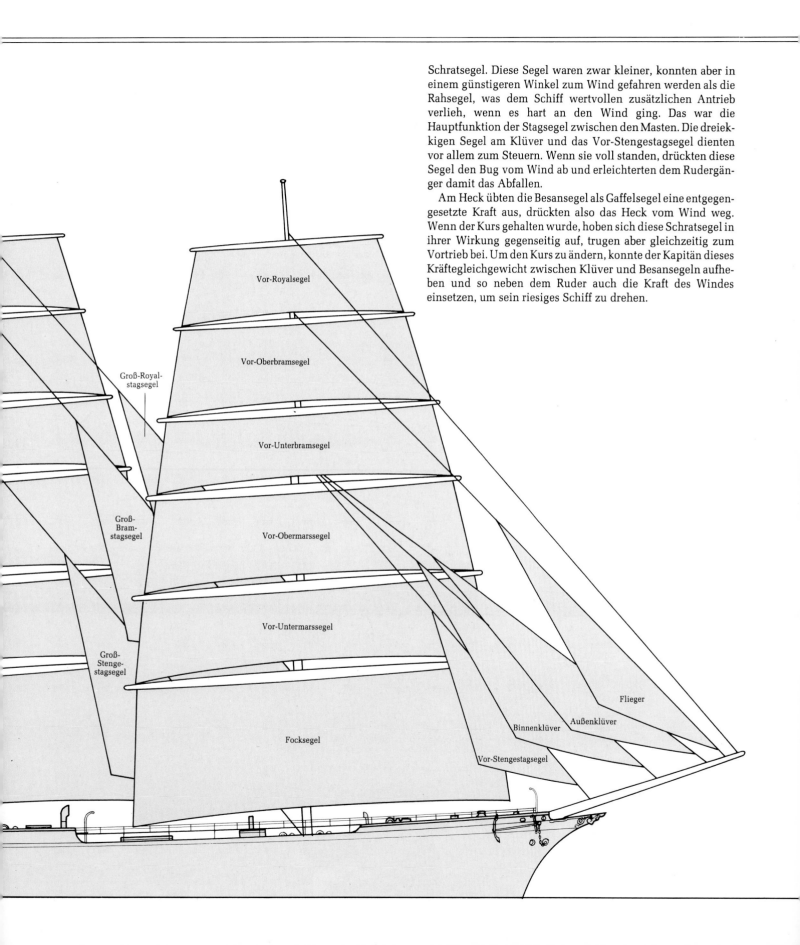

Vor-Royalsegel

Groß-Royalstagsegel

Vor-Oberbramsegel

Vor-Unterbramsegel

Groß-Bramstagsegel

Vor-Obermarssegel

Groß-Stengestagsegel

Vor-Untermarssegel

Flieger

Außenklüver

Binnenklüver

Focksegel

Vor-Stengestagsegel

Anpassung der Segel an die Gewalt der Elemente

Stärke und Richtung von Wind und Seegang, die Segeleigenschaften des Schiffes, die Verteilung der Ladung, die Größe der Besatzung und sogar die Persönlichkeit des Kapitäns – von all diesen Faktoren hing es ab, wieviel Leinwand ein Windjammer fuhr. Die *Herzogin Cecilie* konnte zeitweise noch bei Windgeschwindigkeiten bis zu 20 m/sek all ihre 34 Segel tragen.

Bei noch stürmischerem Wind konnte jedoch zuviel Leinwand die Stabilität des Schiffes beeinträchtigen und es womöglich in ernste Gefahr bringen. Ein unvorbereitetes Schiff, das von einem Sturm überrascht wurde und noch zuviel Segel gesetzt hatte, konnte im schlimmsten Fall entmastet, seitlich umgeworfen oder vom achterlichen Wind buchstäblich unter Wasser gedrückt werden – obwohl meistens nur die Segel rissen und dann in Fetzen an den Masten hingen. Um solches Unglück zu verhüten, minderten kluge Kapitäne Segel, wenn der Sturm an Gewalt zunahm, und zwar nach einem ganz bestimmten System ähnlich dem, das auf der *Herzogin Cecilie* angewandt wurde *(unten)*.

Wenn der Wind auf mehr als 20 m/sek anschwoll, wurden als erste die obersten Segel – die Royalsegel, die oberen Stagsegel und das Gaffeltopsegel – sowie das riesige Kreuzsegel am Kreuz-Untermast weggenommen. Bei seitlich einkommendem Wind ließen diese Segel das Schiff stark überkrängen, wodurch der Vortrieb, den sie brachten, aufgehoben wurde.

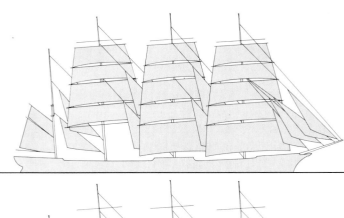

Bei starkem Sturm – also einer Windgeschwindigkeit von annähernd 25 m/sek – wurde die Segelfläche durch Bergen des Großsegels weiter verkleinert. Dann holten ein paar Mann den Flieger nieder, während die übrigen Besatzungsmitglieder in die Masten gingen, um die nächste Reihe der oberen Segel zu bergen, nämlich die Oberbramsegel und die Bramstagsegel.

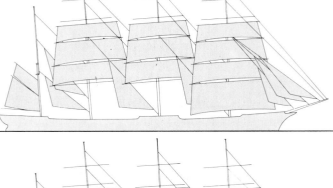

Wenn die Windstärke weiter auf 30 m/sek zunahm, wurden wiederum die oberen Segel geborgen, also die Unterbramsegel. Waren diese großen Rahsegel festgemacht, holte die Mannschaft den Außenklüver am Bug und zwei kleine Stagsegel am Heck nieder. Inzwischen wurden die Decks schon überspült, während das Schiff gegen den Sturm ankämpfte, und die Fahrt wurde durch die See stark vermindert.

Das letzte große Segel, das Focksegel, wurde erst geborgen, wenn der Sturm eine Geschwindigkeit von annähernd 35 m/sek erreichte. Anschließend wurden die Obermarssegel und der Binnenklüver geborgen, so daß nur noch das Unterbesansegel, die unteren Stagsegel und die Untermarssegel das Schiff trieben. Bei über 40 m/sek Windgeschwindigkeit wurde oft noch das Kreuz-Untermarssegel festgemacht, und das Schiff ritt den Sturm ab.

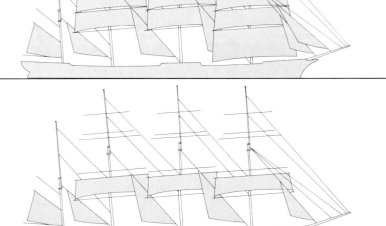

Das Schlimmste war, daß selbst bei nur mäßig schlechtem Wetter die Segel ständig geborgen und wieder losgemacht werden mußten. Mit jedem Auffrischen und Abflauen des Windes änderte sich die Zahl der Segel, die ohne Gefahr für das Schiff gesetzt werden konnten, und ein Kapitän mußte immer darauf bedacht sein, so viele Segel zu setzen, wie er verantworten konnte. Er behielt das Barometer ständig im Auge und minderte die Segel, wenn schlechtes Wetter bevorstand, vergrößerte aber die Segelfläche gleich wieder, wenn es schöner wurde. Es war deshalb durchaus nicht ungewöhnlich, daß eine Besatzung den ganzen Tag schuftete, um etwa ein Dutzend Segel zu bergen, und dann abends, wenn der Sturm abflaute, erneut in die Masten geschickt wurde, um alle Segel wieder loszumachen. Dann kam noch hinzu, daß die Segel die Unart hatten, sich immer wieder loszureißen. „Zu 24 Mann", erinnerte sich ein Seemann, „mühten wir uns mit dem Groß-Obermarssegel ab – sogar der Smutje war acht Stunden mit oben, um uns zu helfen, das Segel festzumachen. Aber jedesmal, wenn wir das Tuch endlich drin hatten, wurden wir müde, und dann kam der Wind und hat es wieder herausgerissen. Wir waren von Mitternacht bis sieben in der Frühe da oben, dann hatten wir's endlich geschafft."

Nach stundenlanger Arbeit in der Eiseskälte warfen sich die Männer dann noch mit dem Ölzeug am Leibe in ihre Kojen und schliefen auf der Stelle ein. Aber sie mußten trotzdem zu jeder Tages- und Nachtzeit darauf gefaßt sein, auf das Schrillen der Bootsmannspfeife hin schlaftrunken aus den Kojen taumeln und erneut in die Takelage gehen zu müssen.

Wenn der Wind umsprang, wandte sich die Besatzung einem anderen Teil des laufenden Gutes zu – den Brassen, mit denen der Winkel der Rahen und damit der Segel gegenüber der Längsachse des Schiffs verändert werden konnte. Diese Taue oder Drahttrossen liefen von den Enden der Rahen aufs Deck hinab – zu Braßwinden, falls das Schiff schon damit ausgerüstet war. Bei richtiger Stellung der Rahen konnte ein Windjammer erstaunlich dicht am Wind segeln, fast genau in die Richtung, aus der der Wind wehte. So plump ihre Takelage wirken mochte, konnten die meisten Windjammer doch mit einem Kurswinkel von sechs Strich am Wind segeln – d. h., bei einem Amwindkurs, der nur etwas mehr als 65° von der Windrichtung abwich, gute Fahrt machen. Und einige konnten sogar noch dichter beim Wind segeln. Die französische Viermastbark *Nord* soll mit einem Kurswinkel von fünf Strich (56¼°) am Wind zu gesegelt sein.

Beim Brassen der Rahen kam es auf genaueste zeitliche Abstimmung und Koordination an: Während man die luvseitigen Brassen ausrauschen ließ, wurden gleichzeitig die leeseitigen Brassen dichtgeholt. Wie alles andere auf einem Windjammer war auch dies Schwerarbeit, vor allem, wenn die Rahen quer gebraßt, also gegen den Widerstand des Windes herumgeholt werden mußten, bis sie im rechten Winkel zur Schiffsrichtung standen. Bei beständigem Wind mußten die Rahen vielleicht nur ein- bis zweimal täglich gebraßt werden, aber in manchen Gegenden mußte das fast ununterbrochen geschehen, zumal im Kalmengürtel am Äquator, wo es immer wieder vorkam, daß eine leichte Brise aus einer bestimmten Himmelsrichtung wehte, abflaute und plötzlich aus einer ganz anderen Richtung kam.

Wenn ein Rahschiff vor dem Wind segelte, war das Brassen der Rahen ein Kinderspiel. Lief es jedoch am Wind, mußten die Rahen so gedreht werden, daß die Segel möglichst viel Wind einfingen, ohne jedoch back zu schlagen – also den Wind von der falschen Seite einzubekommen und rückwärts gegen den Mast gedrückt zu werden, was bei starkem Wind zu einem Mastbruch führen konnte. In seinem Bemühen, „voll und bei" zu steuern – das Schiff möglichst dicht am Wind zu halten, ohne daß die Segel zu killen anfingen –, wurde der Rudergänger dadurch unterstützt, daß die Rahen ähnlich wie die Stufen einer Wendeltreppe gegeneinander versetzt wurden. Die Rahe des höchsten Segels, etwa des Kreuz-Royalsegels, wurde so weit wie möglich herumgebraßt, um das Segel so dicht wie möglich an den Wind zu bringen. Die tieferen Segel wurden so gebraßt, daß sie in der Höhe des Toppsegels einen zunehmend stumpferen Winkel mit dem Wind bildeten und ihm so mehr Angriffsfläche boten. Der Rudergänger behielt das Kreuz-Royalsegel im Auge. Fing dieses zu flattern – zu killen – an, wußte er, daß er zu spitz zum Wind steuerte und abfallen mußte. Wenn dieses Segel eben prall war, konnte er sicher sein, daß die anderen den größtmöglichen Vortrieb erzeugten. Vor einem starken Wind segelnd, vermochte ein gut konstruiertes Schiff sich fast selbst zu steuern.

Doch ein Schiff konnte noch so gute Fahrt machen, früher oder später mußte es wenden, also den Kurs ändern, indem der Bug durch den Wind drehte und die Segel so gestellt wurden, daß sie den nun von der anderen Seite einkommenden Wind einfingen *(s. Zeichnung auf dieser Seite)*. Denn nur durch Kreuzen – Steuern eines Zickzackkurses durch wiederholtes Wenden – konnte ein Schiff gegen den Wind vorankommen.

Selbst unter günstigsten Bedingungen erforderte das Wenden mit einem Windjammer gründliche Vorbereitung und präzise Ausführung; es war ein Manöver, das von Kapitän und Besatzung einen hundertprozentigen Einsatz verlangte. Geleitet wurde solch ein Vorhaben stets vom Kapitän selbst, der neben dem Rudergänger stand und den Maaten seine Befehle zurief.

Eric Newby hat beschrieben, wie dieses Manöver auf der *Moshulu* ausgeführt wurde. Das Schiff segelte auf der Fahrt von Belfast nach Port Lincoln in Südaustralien mit Steuerbordhalsen – bekam also den Wind von Steuerbord ein. Obwohl es gleich darauf nach Steuerbord drehen sollte – in den Wind –, gab der Kapitän zunächst einen gegenteiligen Befehl. „Gut vollhalten“, rief er, und das Schiff fiel ein bißchen ab, so daß es noch etwas mehr Fahrt aufnehmen konnte. Die würde es nämlich gleich brauchen. „Klar zum Wenden!“ rief der Kapitän.

Jetzt war die Besatzung auf rasches Handeln vorbereitet. „Rüber das Ruder!“ rief der Kapitän. Der Rudergänger drehte das Ruder, so schnell er konnte, und die *Moshulu* begann, sich gegen den Wind zu drehen, mit flatternden Segeln und zitternder Takelage. Achtern postierte Besatzungsmitglieder holten den Besan über, um die Drehung des Hecks zu unterstützen, während ihre Kameraden auf dem Vorschiff die Klüversegel anholten, um die Drehung des Bugs zu erleichtern. Durch das Drehen in den Wind verlor die mächtige *Moshulu* – 3116 Tonnen, 102 Meter Länge – natürlich auch Fahrt. Für ein paar Augenblicke standen alle ihre Segel back; wären nun nicht einige davon sofort rundgebraßt worden, um den Wind vor Backbord einzubekommen, dann wäre sie zum Stillstand gekommen und hätte mit dem Kopf im Wind manövrierunfähig im Wasser gelegen.

Die Kunst bestand darin, den richtigen Moment abzupassen. „Großsegel anholen!“ rief der Kapitän. Das war das traditionelle Kommando für das Herumholen der Groß- und Kreuzrahen. Singend und unter Aufbietung aller Kräfte braßten die Männer an den Winden und Tauen die Rahen entsprechend der neuen Windrichtung. Dieser Vorgang geschah genau im richtigen Augenblick, und die *Moshulu* wurde wieder steuerfähig. Jetzt drückten die Segel an Groß- und Kreuzmast das Heck in die eine Richtung, während die am Fockmast, die immer noch back standen, einen Druck in die entgegengesetzte Richtung ausübten und dadurch die Drehung des Schiffes in dieser letzten Phase des Wendemanövers unterstützten.

Während das Schiff allmählich seinen neuen Kurs erreichte, beobachtete der Kapitän es aufmerksam. Als er den Befehl „Laß laufen und hol dicht!“ gab, rannte die Besatzung nach vorne, um auch die Fockrahen herumzuholen, so daß sie in die gleiche Stellung kamen wie die Groß- und Kreuzrahen.

Nun konnten alle Segel und Rahen richtig getrimmt werden. Alle Taue wurden aufgeschossen oder sonstwie zurechtgelegt, um gleich griffbereit zu sein, wenn das Schiff wieder auf den anderen Bug gehen mußte – was bei

Kurswechsel durch Wenden

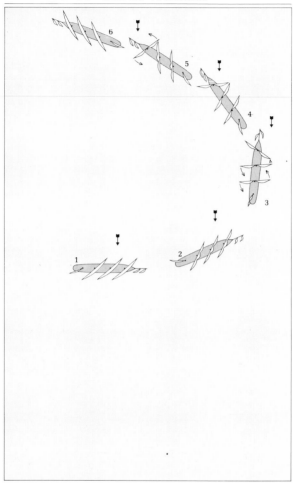

Die schnellste und wirkungsvollste Art, einen Kurswechsel vorzunehmen, war für einen Windjammer-Kapitän das Wenden, wobei das Schiff mit dem Vordersteven durch den Wind drehte. (1) Das mit Backbordhalsen – also auf Steuerbordbug – segelnde Schiff fiel etwas ab. (2) Das Ruder wurde hart nach Backbord gelegt, und die Besanschot wurde dichtgeholt, um die Drehung des Schiffes einzuleiten. (3) Die Groß- und Kreuzrahen wurden herumgeholt, ihre Segel und die Klüversegel flatterten einen Augenblick, während die Rahsegel des Vortopps backschlugen und dadurch das Drehen des Schiffes erleichterten. (4) Das Schiff verlor rasch an Fahrt, doch während es weiter drehte, füllten sich Klüver sowie Groß- und Kreuzsegel allmählich mit Wind von Steuerbord, das Schiff legte sich auf Backbordbug. (5) Das Schiff nahm wieder Fahrt auf, und nun wurden auch die Heckrahen rundgebraßt. (6) Alle Segel wurden dem neuen Kurs entsprechend getrimmt.

Kurswechsel durch Halsen

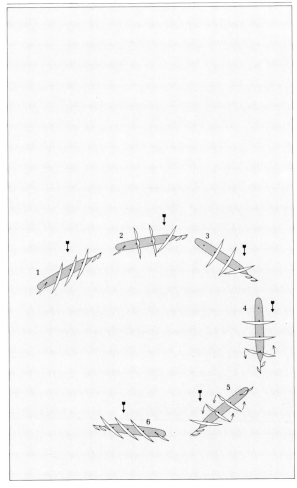

Das Halsen, ein Kurswechsel, bei dem das Schiff mit dem Heck durch den Wind dreht, war ein Manöver, das hauptsächlich bei schwerem Wetter ausgeführt wurde. (1) Mit verkleinerter Segelfläche wurde das mit Backbordhalsen auf Steuerbordbug segelnde Schiff auf das Segeln vor dem Wind vorbereitet. (2) Das Besansegel wurde eingeholt und das Ruder nach Steuerbord gelegt, während Groß- und Kreuzsegel quer zur Mittschiffslinie in den Wind gestellt wurden. (3) Das Schiff fiel nach Lee ab, bis der achterliche Wind Kreuz- und Großsegel füllte. (4) Direkt vor dem Wind bekalmten Kreuz- und Großmast den Vortopp, so daß sich dessen Segel für einen Kurs auf Backbordbug leicht herumbrassen ließen. (5) Die Vorsegel bekamen nun den Wind von Steuerbord ein, und Groß- und Kreuzsegel wurden härter angebraßt. (6) In entgegengesetzter Richtung laufend, wurden die Segel für den neuen Kurs getrimmt, das Besansegel wurde wieder gesetzt.

der *Moshulu* auch alsbald der Fall war. Als das Manöver beendet war, so erinnerte sich Newby, „war ich so erledigt wie noch nie in meinem ganzen Leben, viel zu erschöpft, um noch ein Auge für die über mir aufragenden schönen Segelpyramiden zu haben".

Wie lange ein Wendemanöver dauerte, hing weitgehend von Seegang und Wind ab. Wenn eine kräftige Brise dafür sorgte, daß der Windjammer vor dem Wenden noch seine Geschwindigkeit erhöhen konnte, und ihn dann flott herumdrehte, konnte das Wenden innerhalb einer Viertelstunde abgeschlossen sein. Aber bei schwachem Wind konnte es auch eine Stunde und länger dauern. Als gleichermaßen hinderlich erwies sich sehr schweres Wetter, bei dem es bisweilen zu gefährlich war, ein Wendemanöver auch nur zu versuchen. In diesem Fall konnte eine Kursänderung beim Segeln gegen den Wind nur durch Halsen erreicht werden, ein Manöver, bei dem das Schiff nicht mit dem Bug durch den Wind, sondern vor ihm drehte und einen vollständigen Kreis beschrieb, bis es schließlich auf dem neuen Kurs lag *(s. Zeichnung auf dieser Seite)*. Halsen war sicherer als Wenden, weil die Segel dabei nicht backschlugen, aber es kostete Zeit und Höhe. Jeder Schiffer wendete daher lieber, wann immer es möglich war.

Ob ein Schiff kreuzte oder vor dem Wind lief, solange alles zum besten stand, konnte ein Rudertörn eine außerordentlich befriedigende Sache sein. „Das Gefühl, das Schiff völlig in der Gewalt zu haben", schrieb einmal ein Seemann, „seine turmhohen Masten, deren weiße Leinwandflächen sich als Silhouetten vom bestirnten tropischen Himmel abhoben, alle 24 Segel in der kräftigen Brise bauchig gebläht, das Plätschern und Glucksen des Wassers, durch das wir mit zehn Knoten dahinglitten, voll und bei segelnd – das alles verursachte mir einen angenehmen, erregenden Schauder."

Schweres Wetter jedoch machte die Arbeit am Ruder zur Plackerei. Manchmal waren auf einem mit zwei Ruderrädern ausgestatteten Schiff vier Mann nötig, um dem Druck der Seen gegen das massive Ruderblatt des Windjammers genügend Widerstand entgegenzusetzen. Ein plötzliches Überholen, ein leichtes Lockern des Griffes an den Spaken des Steuerrads, und der Rudergänger konnte von dem flirrend rotierenden Rad über das Deck geschleudert werden. Ein alter Seebär erzählte, wie er einmal versuchte, das rotierende Rad durch Druck mit den Armen zu stoppen. Er verfing sich mit dem Ellbogen in einer Speiche und wurde querschiffs an die Reling geworfen. Die Speiche brach ab; er bewahrte sie als Andenken auf.

Wind und See waren nicht die einzigen Faktoren, die sich auf die Steuercharakteristik eines Schiffes auswirkten. Jedes Schiff hatte darüber hinaus Eigenheiten, die sein Verhalten beeinflußten; die Stellung der Masten, der Zuschnitt der Segel, ja selbst schon eine kleine Unregelmäßigkeit in der Rumpfform konnte dazu führen, daß es anders reagierte als seine Schwesterschiffe. Unsachgemäß gestaute Ladung konnte die Stabilität auch des seetüchtigsten Schiffes mindern und es in einen plumpen Kahn verwandeln. Aber das war noch nicht das Schlimmste: Die Ladung konnte während eines Sturmes verrutschen. Wenn dies passierte, bestand die Gefahr, daß sich das Schiff durch die gewaltige Gewichtsverlagerung so weit überlegte, daß die Rahnocken ins Wasser eintauchten. Richtete sich das Schiff dann nicht sofort wieder auf, konnte durch die Lukenbezüge Wasser eindringen und es zum Sinken bringen.

Als die Viermastbark *Bengairn* Ende 1907 vor der australischen Küste bei plötzlich umspringendem Wind von einer heftigen Bö erfaßt wurde, rutschte ihre Kohleladung auf die eine Seite, so daß sich das Schiff überlegte und Wasser durch eine Luke einströmte. In fliegender Hast spannte die Besatzung ein nagelneues Toppsegel über die Luke, um das Eindringen weiteren Wassers zu verhindern. Dann befreite sie das Schiff von den oberen Stengen und Rahen, indem sie Wanten und Stage kappte und die ganze Topptakelage mit allem Gut in die See fallen ließ. An die 80 Tonnen Metall

Koppelnavigation: die Rettung bei schwerem Wetter

Während ein Besatzungsmitglied das Logglas hält, mißt ein Offizier die Schiffsgeschwindigkeit, indem er die Knoten der auslaufenden Logleine zählt.

Jeder Windjammer-Kapitän hatte einen Chronometer und einen Sextanten an Bord, um nach dem Stand der Sonne und der Sterne sein „Besteck", seinen Ort auf See, bestimmen zu können, doch diese Präzisionsinstrumente waren in den stürmischen südlichen Breiten oft wertlos, weil der Himmel nur allzu oft Tag und Nacht von dichten Wolken verdeckt war, die jede Orientierung unmöglich machten. An manchen Tagen regnete oder schneite es so stark, daß nicht einmal der Horizont zu sehen war.

Doch solange der Kapitän seine Geschwindigkeit und seinen Kompaßkurs zu bestimmen vermochte, konnte er – unter Berücksichtigung von Strömung und Drift – durch einfaches Rechnen seine Position mit hinlänglicher Genauigkeit ermitteln. Diese Navigationsart wurde als „Gissen" bezeichnet. Für manch einen Segelschiffkapitän war sie bei schwerem Wetter das einzige Mittel, einem Unglück zu entgehen.

Den Kompaßkurs eines Schiffes festzuhalten war, außer bei extrem schlechtem Wetter, keine Schwierigkeit. Etwas kniffliger war es schon, die Fahrt durchs Wasser zu bestimmen. In alten Zeiten

behalfen sich die Seefahrer damit, daß sie maßen, wie lange das Schiff brauchte, um ein vom Bug ins Wasser geworfenes Stück Holz zu passieren: wenn ein 30 Meter langes Schiff zehn Sekunden brauchte, legte es in der Minute 180 Meter, also in der Stunde knapp 11 Kilometer oder rund sechs Seemeilen zurück.

Walkers hydromechanisches Patentlog bestand aus einer Metallschraube (unten), die vom Schiff nachgeschleppt wurde und rotierte, und einem Anzeigegerät an Bord (rechts), das die Umdrehungen der Schraube in Seemeilen umsetzte.

In der Frühzeit der Windjammer wurde die Fahrt mit Hilfe einer Logleine bestimmt – einer aufgerollten Leine, die in gleichmäßigen Abständen mit Knoten versehen und an deren losem Ende ein Logscheit befestigt war. Auf ein Signal vom wachhabenden Offizier warf man das Log aus, ließ es während eines festgelegten Zeitabschnitts, der mit dem Logglas gemessen wurde, auslaufen, und einer der Seeleute zählte die auslaufenden Knoten. Der Abstand der Knoten verhielt sich zur Seemeile wie die Laufzeit des Logglases – einer kleinen Sanduhr – zu einer Stunde.

Das „Abrollen der Knoten" wurde zu einer seemännischen Tradition, und ein gutes Etmal, das heißt, von Mittag zu Mittag eine gute Strecke zurückgelegt zu haben, war für alle Windjammer-Besatzungen ein Grund, stolz zu sein. Doch die auf diese Weise ermittelten Werte, die nur einmal während jeder Wache gemessen wurden, waren auf langen Reisen nicht zuverlässig genug.

Um 1900 waren die meisten Windjammer mit einem hydromechanischen Log oder „Patentlog" *(unten)* ausgerüstet, das Logscheit und Logleine überflüssig machte. Das Gerät, das sich der britische Hersteller Thomas Walker 1878 patentieren ließ, wurde während der ganzen Reise im Wasser nachgeschleppt. Es zeigte die zurückgelegten Seemeilen an und lieferte dem Kapitän einen Fixwert zur Schiffsbestimmung.

gingen damit über Bord. Der Schwerpunkt verlagerte sich dadurch nach unten, und das Schiff richtete sich ein wenig auf. Erst jetzt konnte die Besatzung damit beginnen, die Kohle wieder in die richtige Lage zu bringen. Schaufeln erwies sich jedoch als zwecklos – die Kohle rutschte immer wieder zurück. Deshalb wurden Taljen angebracht, um die Kohle in Körbe umladen zu können. Tagelang arbeiteten alle Mann – der Kapitän und die Offiziere ebenso wie die Matrosen – in „schrecklicher, staubiger, schwankender Finsternis", wie sie es später beschrieben, um die Kohle umzuschiften, während die Pumpen nach und nach das eingedrungene Wasser aus dem Schiff entfernten. Schließlich segelte die *Bengairn* mit ihren Maststümpfen und immer noch mit starker Schlagseite nach Sydney, wo sie von einem Schlepper an einen Ankerplatz bugsiert werden mußte. Und das waren für den Kapitän der *Bengairn* und ihre Besatzung sicherlich die peinlichsten Stunden der ganzen Reise. Einem Windjammer-Seemann war der bloße Gedanke, sein Schiff von einem qualmenden kleinen Schlepper herumbugsieren zu lassen, aus tiefster Seele verhaßt. Natürlich ließ sich das nicht umgehen, wenn man eine enge, gewundene Hafeneinfahrt passieren mußte. Aber wann und wo immer menschenmöglich, versuchten die Windjammer, ohne fremde Hilfe auszukommen.

Ein großer Viermaster, der, mit Vollzeug und mit höchster Präzision manövrierend, in einen Hafen einlief, bot ein Schauspiel, das keiner, der es miterlebte, je wieder vergaß. An eine Meisterleistung dieser Art, vollbracht Anfang dieses Jahrhunderts in einem chilenischen Hafen von dem deutschen Schiff *Lisbeth,* erinnerte sich ein Augenzeuge noch Jahre danach:

„Die Tocopilla-Bucht hatte die Gestalt eines Kreissegments, mit einer felsigen Landzunge am Vorderende und einer Gruppe häßlicher Riffs, die sich am anderen Ende in die offene See hinaus erstreckten. Die Schiffe im Hafen lagen in einer Reihe, von dicht in Lee der Riffs bis zu einem Punkt etwa eine viertel Seemeile von der Landzunge entfernt.

„Eines Nachmittags sichteten wir vor der Hafeneinfahrt eine Bark, die mit Vollzeug kühn auf den Ankerplatz zuhielt. Sie lief in grandioser Fahrt direkt auf die Linie der ankernden Schiffe vor der Stadt zu, mit starker Krängung und einer weiß leuchtenden Bugsee.

„So kam sie näher, ohne daß auch nur eine Schot oder eine Hals bewegt wurde. Die Männer auf dem zunächst ankernden Schiff gerieten sichtlich in Aufregung, weil sie einen Zusammenstoß befürchteten. Die Bark hielt weiter auf die ankernden Schiffe zu, und noch immer machte die Besatzung keine Anstalten, die Segel zu mindern. Man sah nur, daß sie im Näherkommen den Kurs leicht änderte, um zwischen dem letzten Schiff und der Landspitze hindurchzugehen.

„Die fremde Bark hielt unerschütterlich ihren Kurs, bis sie nur noch wenige hundert Meter von dem nächsten Schiff und nicht mehr als eine Kabellänge von der Landzunge entfernt war. Dann hörten wir, wie an Bord eine Pfeife erschrillte. Das Ruder wurde hart nach Backbord herumgeworfen, Mars- und Bramsegelfallen quietschten in den Scheiben der Blöcke, Stagreiter surrten an den Stagen herab, und die Bark vollführte eine kühne Drehung unter den Hecks der vor Anker liegenden Schiffe. Mit geringerer Fahrt passierte sie das schmale Fahrwasser zwischen diesen und dem Land. Nach ein bis zwei Minuten drehte sie erneut nach Backbord. Nachdem sie zwischen dem letzten Schiff und den Riffs hindurchgegangen war, so daß ihr Bug auf die See hinaus zeigte, barg ihre Besatzung in Windeseile die Segel, und sie warf auf dem besten Liegeplatz des Hafens Anker."

Effekthascherei? Sicherlich. Aber ein solches Manöver erforderte Geschick und gute Nerven. Man brauchte dafür Männer, denen das Leben auf einem Segelschiff alles bedeutete, die stolz waren auf ihre mächtigen Schiffe, deren pfeilschnelle, anmutige Erscheinung nicht mehr ihresgleichen hat, seit die Windjammer von den Weltmeeren verschwunden sind.

Kapitel 2

Unumschränkte Herrscher über schwimmende Reiche

Peter John Riber Mathieson, Nachfahre der Wikinger und gebürtiger Brite, später dann kanadischer Staatsbürger und schließlich Amerikaner, erblickte das Licht der Welt in der Kajüte der schmucken, kleinen hölzernen Bark *Haakon Jarl,* die seinem Vater gehörte und zur Zeit des freudigen Ereignisses bei kräftiger Brise vor Gravesend ankerte. In seinem langen Leben auf See diente er vor und hinter dem Mast, unter Segeln und auf Dampfern, auf 41 Schiffen und unter sechs verschiedenen Nationalflaggen. Im Jahre 1944, als Kapitän des amerikanischen Dampfers *Joseph E. Wing,* überlebte Mathieson Angriffe japanischer Flugzeuge, löschte in Morotai auf den Molukken hochempfindlichen Sprengstoff und setzte sich dann in Montreal zur Ruhe – im gesegneten Alter von 73 Jahren.

Von all seinen Schiffen das liebste war ihm der eiserne Windjammer *Antiope,* 1866 in Schottland erbaut, um mit Stückgutladungen die Austra-lien- und Orientroute zu befahren. Für manche war die *Antiope* ein Unglücksschiff – weshalb sie auch „Anti-Hope" (Anti-Hoffnung) genannt wurde, teils als Wortspiel mit ihrem Namen, teils in Erinnerung daran, daß sie eine Meuterei erlebte (nicht unter Mathieson), im Russisch-Japanischen Krieg 1905 von den Japanern genommen wurde, einmal auf Grund lief und erst nach 96 Tagen wieder flottgemacht werden konnte. Für Mathieson jedoch, der sie 1905 als Kapitän übernahm, war sie „mein herrliches Schiff" und „die brave alte *Antiope".* Und er konnte von ihr sagen, daß sie „letzten Endes immer durchkam, ganz gleich, was ihr zustieß".

Ihr Kapitän polierte das Teakholz ihres Salons mit einer Mischung aus Olivenöl und Limonensaft, wodurch es glänzend und wohlriechend wurde. Er erzählte, wie er den hohen Raum mit „zwei guten Teppichen, einem Flügel, Sofas, Sesseln und Tischen, Blumen in Kästen und Kanarienvögeln in Käfigen unter dem großen Oberlicht" wohnlich einrichtete. Wenn Mathieson von der Anmut seiner *Antiope* sprach, geriet er ins Schwärmen: „Es schien fast", schrieb er, „als sei sie ein lebendes Wesen, wenn sie so dahinsegelte, rein und stark, unter dem vollen Druck all ihrer Segel. Kein Rauch. Kein Lärm. Nur die Melodie des Windes und der See."

In der Nacht des 11. November 1906 schien es, als hätte der *Antiope* das letzte Stündlein geschlagen. Sie war in der Südsee zwischen den Tongainseln und dem neuseeländischen Nordkap in einen Sturm geraten, und während Mathieson sich an der Hüttenreling anklammerte, hatte er „das seltsam unheilverkündende Gefühl, der heulende Wind und die tobende See hätten sich verschworen und die *Antiope* zu ihrem Opfer ausersehen". Doch der Abend wurde zur Nacht, ohne daß sich etwas geändert hätte – das Wetter besserte sich nicht, wurde aber auch nicht schlechter –, und Mathieson ging unter Deck, um ein Nickerchen zu halten. Auf einmal „spürte ich, wie ein heftiger Ruck durchs Schiff ging, eine gewaltige, furchtbare Erschütterung, unter der alles zu ächzen und zu brechen schien".

Während er noch die Treppe hinaufrannte, wußte Mathieson schon, was passiert war: Die Segel der *Antiope* waren back geschlagen. Das Schiff hatte unter den stürmischen Nordwestwinden einen süd-südöstlichen Kurs gelaufen. Als dann der Wind völlig unvorhersehbar um volle 90° auf Südwest drehte, traf er das Schiff mit seiner ganzen Wucht von vorne.

Für solche Behandlung war die *Antiope* nicht getakelt; ihre Segel waren für von achtern einkommenden Wind gesetzt, und jetzt gerieten ihre Fockstage in arge Bedrängnis. Wenn sie nicht hielten, würden mit Sicherheit Masten und Rahen an Deck kommen, würde es Tote und Verletzte geben und womöglich die *Antiope* manövrierunfähig und über den Achtersteven in ihr Grab getrieben werden.

Mathieson sollte diese Szene seiner Lebtage nicht vergessen: „Wir hatten den Sturm recht voraus. Es goß wie aus Kübeln. Die See war eine einzige graugrüne Bedrohung. Und die *Antiope* taumelte mit dem Heck voran durch

Kapitän Alexander Teschner – 20 Jahre lang Schiffsführer bei der Hamburger Reederei Laeisz – steht auf diesem Photo aus dem Jahre 1901 Pfeife rauchend auf dem regennassen Deck der Bark „Pera". Kapitäne wie Teschner waren auf ihren Schiffen unumschränkte Herrscher. Die besten von ihnen gebrauchten ihre Macht mit Umsicht. „Es waren ruhige Männer, doch wenn es sein mußte, konnten sie auch gelegentlich Krach machen", erinnerte sich ein Kap-Horn-Umsegler.

das aufgewühlte Wasser." Er kämpfte sich bis zum Rudergänger vor, und in den nächsten paar Augenblicken bewies er, daß er sein Handwerk als Schiffsführer gelernt hatte. Das Heulen des Sturmes übertönend, schrie er: „Ruder mittschiffs! Langsam! Speiche für Speiche!" Der Rudergänger gehorchte und brachte das Ruder in die Mittelstellung, damit das Schiff, während der Sturm es rückwärts drückte, nicht außer Kontrolle geriet. „Jetzt Backbord!" kommandierte Mathieson, sobald das Schiff sich wieder etwas stabilisiert hatte. Er hatte die Absicht, es behutsam auf einen nördlichen Kurs zu bringen, so daß es den Wind wieder von achtern einbekommen würde. „Komm auf! Langsam! Laß das Rad aus, und wir verlieren das Ruder!" In diesem Augenblick löste sich im Kartenhaus eine Öllampe aus ihrer Halterung und krachte auf den Fußboden herab. In Windeseile breiteten sich die Flammen aus. „Lauf, hol eine Decke!" rief Mathieson einem Schiffsjungen zu. „Rasch! Erstick das Feuer!" – worauf der Junge auf der Stelle in Ohnmacht fiel.

Dann nahm die *Antiope* eine achterliche See über. „Man hatte den Eindruck, daß sie rückwärts abstürzte", erinnerte sich Mathieson. „Hinab, hinab, hinab! in den aufgerissenen Rachen des großen graubärtigen Ungeheuers, das sich wie wild aufbäumte." Doch ausgerechnet diese gewaltige See brachte die Rettung. Bis zu den Schultern die Männer erfassend, die sich in Todesangst an der Besantakelage festhielten, begrub sie das Achterdeck unter sich, ergoß sich durch die Tür des Kartenhauses und löschte das schon hoch auflodernde Feuer.

„Ruder mittschiffs!" rief Mathieson, während die *Antiope* allmählich drehte und ihre Segel sich wieder zu füllen begannen. Die *Antiope* nahm wieder Fahrt auf, und Mathieson signalisierte der Besatzung, daß das Schlimmste überstanden sei: „Voll und beihalten!" Es war vielleicht der stolzeste Augenblick im Leben von John Mathieson, als die Besatzung darauf antwortete: „Hurra, *Antiope*!"

Die ganze Episode dauerte kaum zwölf Minuten. In dieser kurzen Zeitspanne höchster Gefahr hatte Mathieson jedoch einen kühlen Kopf bewahrt und sich auf seinen Instinkt und seine Erfahrung verlassen. Er hatte genau zum richtigen Zeitpunkt die richtigen Kommandos gegeben.

Der Kapitän war, wie Mathieson einmal schrieb, „Herr über alles, was ihm anvertraut war, sein Schiff, die gesamte, seinem direkten Befehl unterstellte Besatzung und die ganze offene See vor ihm, über die er seinen Kurs nehmen mußte. Er mußte ein bißchen von allem sein – Seemann, Navigator, Zimmermann, Segelmacher, Meteorologe, Richter und Arzt. Im Hafen mußte er sich mit all denen auseinandersetzen, die von der Schiffahrt lebten, mit Schiffslieferanten und Fleischern, Stauern und Dockpersonal, mußte er mit dem Agenten, dem Ladungsempfänger und den Zollbehörden genauso geschickt verhandeln wie mit dem Heuerbaas und den Hafenbehörden. Er mußte das Frachtgeld kassieren, alle Auslagen bezahlen, alle Bücher führen und das nach Abzug der Unkosten verbleibende Frachtgeld mit einer Abrechnung an die Schiffseigner schicken. Ich versah all diese Pflichten und bekam dafür ein Gehalt von 100 Dollar monatlich."

So verschiedenartig wie ihre Kenntnisse und Fähigkeiten, die man bei ihnen voraussetzte, waren auch die Kapitäne selbst. Da sie aus aller Herren Länder stammten und sich auch in ihrem Wesen und ihren Gewohnheiten stark unterschieden, gab es keine Faustregel dafür, wie ein Kapitän sein mußte, um Erfolg zu haben oder auch nur in seinem gefährlichen Beruf zu überleben. Doch als die Tage der Windjammer gezählt waren, tauchten bestimmte Namen immer wieder auf, wenn die Veteranen zusammenkamen, um von verstorbenen Schiffskameraden und vergessenen Inseln, öden Salpeterküsten und den scharfen Stürmen vor Kap Horn zu erzählen.

Vielleicht läßt sich eine Art Mosaik von Glanz und Größe des Kapitänsberufs anhand der individuellen Eigenschaften und Lebensläufe von fünf

Strenge Order für den Kapitän

„Unser Alter, Kapitän de Cloux", erinnerte sich ein Seemann, der in den zwanziger Jahren unter ihm fuhr, „weiß nichts mehr von all den Häfen, die er gesehen hat, außer vielleicht, daß in dem einen die Löschgebühren viel zu hoch waren oder daß er in einem anderen die Kohle für die Kombüse zu einem Wucherpreis einkaufen mußte."

Kein Wunder. Denn der Kapitän eines Windjammers war in den meisten fremden Häfen der einzige Vertreter eines Schiffseigners, und auf seinen Schultern ruhte die Verantwortung dafür, ob die Reise mit Gewinn oder Verlust abgeschlossen wurde. In manchen Fällen wurde der Vertrag zwischen Kapitän und Eigner durch bloßen Handschlag geschlossen. Besser war ein schriftlicher Vertrag, und so hielten es auch Kapitäne wie de Cloux und die Reedereien, für die sie arbeiteten. Auf diese Weise konnten keine Unklarheiten darüber entstehen, was vom Kapitän erwartet wurde und wie er dafür entlohnt werden sollte.

Die Verträge waren sehr unterschiedlich, je nach der Bonität der Firma und dem Ruf des Kapitäns, aber im allgemeinen zahlten die Reedereien den Kapitänen ein bescheidenes Monatsgehalt – zuzüglich eines bestimmten Prozentsatzes vom Wert der Ladung als Prämie, und die konnte ihn zum reichen Mann machen. Dafür machte die Reederei dem Kapitän aber auch eine Vielzahl strenger Auflagen, um die Kontrolle über das Schiff auch dann nicht zu verlieren, wenn es Tausende von Seemeilen vom Heimathafen entfernt war.

Ein typischer Vertrag, der 1904 zwischen der Nantes Sailing Ship Co. Ltd. und Kapitän A. Bidon geschlossen wurde, der das Schiff *Amiral de Cornuler* führen sollte, sah unter anderem folgendes vor:

Der Kapitän hat das Stauen zu überwachen; er soll achtgeben und die Anzahl der eingenommenen Sack Ladung genau zählen.

Da das Schiff ausreichend mit Tauwerk, Leinwand etc. versehen ist, dürfen Ausrüstungen dieser Art nicht gekauft werden, es sei denn im Falle absoluter Notwendigkeit und nur mit Zustimmung der Reederei.

Der Kapitän darf keine private Beifracht an Bord nehmen, es sei denn, er ist vorher für jede Reise von der Reederei ausdrücklich dazu autorisiert worden.

Bei Antritt der Reise wird dem Kapitän von der Reederei ein Ausgabenbuch ausgehändigt, in das alle an Bord gebrachten Vorräte eingetragen werden. Eine genaue Abschrift des Buches ist von jedem Anlaufhafen an die Reederei zu schicken, und bei der Rückkehr nach Europa hat der Kapitän das Buch auszuhändigen.

Bei seiner Ankunft in einem Hafen hat der Kapitän die Reederei telegraphisch davon zu unterrichten. Während des Aufenthalts im Hafen hat er regelmäßig, durch ein auslaufendes Schiff oder telegraphisch, Berichte über die Abfertigung seines Schiffes zu liefern, insbesondere über die Tage, an denen das Löschen oder Beladen beginnt und endet, ergänzt durch Erläuterungen über die Ursachen von Verzögerungen.

Das Logbuch des Schiffes ist vom Kapitän persönlich zu führen; darin hat er alle besonderen Begebenheiten und Vorkommnisse der Reise einzutragen; eine Abschrift davon hat er von jedem Anlaufhafen aus an die Reederei zu schicken.

Bei der Ankunft in Europa hat der Kapitän ein vollständiges Verzeichnis der Ausrüstung zu erstellen.

Wehe dem Kapitän, der nachlässig war. Er mußte damit rechnen, eine Geldstrafe zu zahlen.

hervorragenden Kapitänen bilden: C. C. Dixon (er schrieb stets nur die Anfangsbuchstaben seiner Vornamen), ein Neuschottländer von echtem Schrot und Korn, der sich auf allen Gebieten auskannte und auf den meisten unschlagbar war; James Learmont, ein Schotte von unverbrüchlicher Rechtschaffenheit, der schnelle Schiffe und harte Verhandlungen zu führen wußte; W. S. Leask, ebenfalls Schotte, doch von gröberem Schlag, ein Mann, dessen Geschäftstüchtigkeit nur von seiner Tüchtigkeit als Seemann übertroffen wurde; Robert Hilgendorf, ein Deutscher, dessen unheimliches Gespür für den Wind mindere Sterbliche argwöhnen ließ, er stehe mit dem Teufel im Bunde; und Robert Miethe, auch er Deutscher, der letzte große Kapitän der Fünfmastbarken, zäh und unbeugsam wie ein Seebär, doch voll zärtlicher Liebe zu den Schiffen, auf denen er diente.

Wenn, wie Mathieson meinte, Vielseitigkeit das Gütezeichen des Windjammer-Kapitäns war, dann kommt dem Neuschottländer C. C. Dixon ein bevorzugter Platz im Hochsee-Pantheon zu. Er besaß nicht nur all die von Mathieson aufgezählten Fähigkeiten und Eigenschaften, sondern war obendrein ein begeisterter Erfinder, Landmesser, Forscher, Photograph, Ozeanograph, Ornithologe, Ichthyologe und Geologe – ein wissenschaftlich gebildeter Mann, der unnachsichtig mit allerlei gängigen Mythen und Märchen über See und Seefahrt aufräumte.

Dreißig Meter hohe Wogen? Unsinn. Dixon hatte sie an allen Enden der Welt gemessen und photographiert und festgestellt, daß sie „nicht einmal halb so hoch" waren. Haie drehen sich stets auf den Rücken, wenn sie zubeißen? „Das", so erklärte Dixon, der sie lange und sorgfältig beobachtet hatte, „ist keineswegs der Fall." Haie könnten auch in normaler Schwimmlage mit tödlicher Präzision zubeißen. In den Gewässern um Kap Horn schwimmen Eisschollen? Dixon umsegelte das Horn 16mal und nahm bei jeder Fahrt äußerst sorgfältige Messungen vor; die niedrigste Wassertemperatur, die er dabei ermittelte, lag zwischen 0 und +1°C. In der Sargassosee liegen im Tang hängengebliebene Schiffe mit den Gerippen ihrer Besatzungen? Dixon schleppte ein Netz zwei Seemeilen durch das am stärksten mit Tang durchsetzte Gebiet und hatte hinterher die magere Ausbeute von ganzen sieben Kilogramm Tang im Netz.

Doch abgesehen davon war Dixon ein vorzüglicher Seefahrer, der nach seiner eigenen peinlich genauen Berechnung in seinen 30 Jahren zur See insgesamt 895 296 Seemeilen zurücklegte. Mehrmals konnte er nur dank seines umfassenden Wissens und seines Einfallsreichtums sich und seine Leute aus einer üblen Notlage befreien. Auf einer Überfahrt von Rotterdam nach Portland, Oregon, vergeudete der für die Rationierung zuständige Maat das Trinkwasser, bis schließlich, wie Dixon sich erinnerte, „nicht einmal mehr genug da war, um ein Hemd darin auszuwaschen". Die Besatzung war vom sicheren Tod durch Verdursten bedroht, bis Dixon einen Apparat konstruierte, mit dem es ihm gelang, Seewasser zu sieden und das Kondenswasser aufzufangen; auf diese Weise produzierte er täglich über 50 Liter destilliertes Wasser, womit der Bedarf gedeckt werden konnte.

Auf keiner Überfahrt wurde Dixons schier unerschöpflicher Erfindungsreichtum auf härtere Proben gestellt als während eines über 12 000 Seemeilen führenden Rennens von Sydney um Kap Horn bis in den Ärmelkanal, das im April 1907 begann. Anlaß für den Wettkampf war Großtuerei. Dixon kommandierte damals das Vollschiff *Arctic Stream*. Nicht weit davon lag im Hafen von Sydney ein deutsches Schulschiff, die Viermastbark *Herzogin Sophie Charlotte*. Kurz bevor das deutsche Schiff in See gehen sollte, verkündete dessen Kapitän, die *Herzogin Sophie Charlotte* werde unter eigenem Segel, ohne die Hilfe von Schleppern, aus dem überfüllten Hafen auslaufen. Dixon hielt das für krasse Aufschneiderei. „Mir wollte das gar nicht behagen", berichtete er später. „Ich war in Neuschottland aufgewachsen und war der Überzeugung, daß ein Neuschottland-Kapitän mit seinem

Schiff zumindest genausoviel anstellen kann wie jeder andere. Eines Morgens dann ließ ich in einem Heuerbüro die Bemerkung fallen, ich brächte mit der *Arctic Stream* aus Glasgow alles zuwege, wozu das deutsche Schiff fähig sei, ja wahrscheinlich noch ein bißchen mehr."

Solche Herausforderungen verhallen nicht ungehört in den Häfen der Welt. „Schon flogen die Wetten hin und her", erzählte Dixon später, „und ehe ich wußte, wie mir geschah, hatte ich mich bereit erklärt, dem deutschen Schiff ein Rennen bis zur Straße von Dover zu liefern." Der *Sydney Morning Herald* schrieb in einem Kommentar, wie die meisten Leute sich den Ausgang vorstellten: „Der Kommandant der *Arctic Stream* behauptet mit typisch kanadischer Bescheidenheit, sein Schiff sei noch nie in einem Geschwindigkeitswettbewerb unterlegen. Das deutsche Schulschiff ist für seine ausgezeichneten Leistungen bekannt. Es ist zweifelhaft, ob die *Arctic Stream* sich schon jemals mit einem Schiff von so hervorragenden Segeleigenschaften gemessen hat, und die *Herzogin Sophie Charlotte* muß deshalb als Favorit gelten."

In den darauffolgenden Tagen gab es sicher Augenblicke, in denen Dixon seine Voreiligkeit bereute. Die *Arctic Stream* hatte eine Ladung Schiefer an Bord, während die deutsche Bark längst nicht so schwer geladen hatte.

Gelassen auf dem Bugspriet sitzend, lassen sich Kapitän Pierre Stephan und seine Frau photographieren. Sie genießen ihre Flitterwochen an Bord des französischen Windjammers „President Félix Faure" auf einer Überfahrt nach Neukaledonien im Jahre 1905. Der 24 Jahre alte Kapitän hatte das Schiff Anfang des Jahres sicher über den Atlantik geführt, obwohl infolge einer losen, nicht reparablen Eisenplatte in der Bordwand täglich bis zu 100 Tonnen Wasser eingedrungen waren.

Dixon mußte sich mit einer zusammengewürfelten Besatzung von 24 Mann behelfen, die *Herzogin Sophie Charlotte* dagegen war mit 80 bestens ausgebildeten Kadetten bemannt. Zu allem Übel lief die *Herzogin Sophie Charlotte* auch noch mit einem Vorsprung von drei Tagen aus, und zwar verließ sie den Hafen unter Segel, wie ihr Kapitän angekündigt hatte, und machte unter den Sydney Heads bei idealem Wetter zwölf Knoten Fahrt. „Den holen Sie nicht mehr ein, Käpt'n", meinte ein Zuschauer, als Dixon den Deutschen in See gehen sah. Zuversichtlicher, als er tatsächlich war, erwiderte Dixon: „Es ist ein weiter Weg bis zur Straße von Dover."

Bei der *Arctic Stream* jedoch war von Anfang an alles wie verhext. Tagelang bekam sie nur leichte umlaufende Winde. Dixon hatte alle Mühe, innerhalb von jeweils 24 Stunden wenigstens 180 Seemeilen zu bewältigen. Als sich dann die *Arctic Stream* Kap Horn näherte, frischte der Wind auf und wehte fortan stetig. Dixon setzte alle Segel – „ich hängte unsere ganze Wäsche raus", wie er sich ausdrückte – und machte so gute Fahrt, daß er wieder Hoffnung schöpfte, den Deutschen doch noch einholen zu können. Plötzlich erschallte der schreckliche Ruf: „Mann über Bord!" Ein Matrose hatte die Fockschot klargemacht, als er auf einmal aufschrie und ins Wasser fiel. Dixon ließ sofort beidrehen, doch die nachfolgende stundenlange Suche blieb ohne Ergebnis. Schließlich trug Dixon den Unglücksfall ins Logbuch ein und nahm seinen Kurs wieder auf.

Aber das war erst der Anfang einer regelrechten Pechsträhne. Als Kap Horn immer näher rückte, schwoll der Wind während der Nacht auf Orkanstärke an, gewaltige Sturzseen brachen über das Schiff herein, die Masten zitterten, und die *Arctic Stream* kämpfte sich ächzend und bebend durch die aufgewühlte See. „Wenn das noch lange so weitergeht, Käpt'n", sagte der Steuermann, „fürchte ich das Schlimmste." „Keine Angst", erwiderte Dixon, „die hält das schon aus." Doch er hatte noch nicht ausgeredet, als ein schrilles Pfeifen in der finsteren Höhe der Takelage anzeigte, daß eines der Marssegel gerissen war. „Wir sollten lieber beidrehen, ehe auch noch das andere flöten geht", schrie der Steuermann. Aber Dixon wollte sich nicht unterkriegen lassen. „Die hält schon durch, und wenn das zweite auch noch reißt", schrie er zurück. „Ich hab sie schon mal bei noch höherer See unter nackten Spieren laufen sehen."

Doch als der Orkan immer stärker wurde, die Takelage zuschneite und die Seen zwei Meter hoch das Deck überfluteten, befand sogar Dixon, daß es besser wäre, das zweite Marssegel zu bergen. Über eine Stunde lang, berichtete er, waren die Männer in der Takelage, „kämpften mit Klauen und Zähnen gegen das gefährlich schlagende, eisverkrustete Tuch an". Schließlich hatten sie es geschafft. Selbst vor Topp und Takel, berichtete Dixon, „ohne ein einziges Segel machte das Schiff noch zwölf Knoten".

Dennoch, eine Krise folgte auf die andere und fast jede war schlimmer als die vorhergehende. Ohne Segel, von tonnenschweren Brechern geschüttelt, ließ sich das Schiff allmählich nicht mehr dirigieren. Und irgendwo dicht voraus lagen die Diego-Ramírez-Inseln, 60 Meilen südwestlich von Kap Horn, die letzten sichtbaren Ausläufer der Anden, mit zackigen Klippen, die 60 Meter aus dem Wasser aufragten und hinter Wolken von Wasserstaub der gegen sie anbrandenden Wogen verborgen waren.

Es war allerhöchste Zeit, daß der findige Dixon einen Griff in seine Trickkiste tat. „Ich glaube, etwas Öl würde die Brecher ein bißchen abflachen", sagte er zum Steuermann. „Wir wollen es mal versuchen." Zwei Eimer Fischöl, das normalerweise zur Instandhaltung der Takelage diente, wurde in die Toilettenschüsseln im Vorschiff geschüttet, so daß das Öl ins Meer tröpfelte. „Die Wirkung des Ölfilms machte sich augenblicklich bemerkbar", erzählte Dixon. „Ich sah riesige Sturzseen mit drei Meter hohen Kämmen anrollen und sich auf einmal harmlos abflachen, sobald sie den Rand des Ölteppichs erreicht hatten."

Behagliche Gemächer für den Kapitän und seine Frau

Bei aller äußerlichen Pracht waren die Windjammer unter Deck kaum mehr als riesige Lagerschuppen, in denen es für die Besatzung außer den nackten Holztischen und den engen Kojen kaum Komfort gab. Aber es gab eine großartige Ausnahme von dieser spartanischen Regel: das Heiligtum des Kapitäns, das in Behaglichkeit und Luxus einem Herrenhaus an Land kaum nachstand.

Auf der amerikanischen Bark *Florence* beispielsweise waren die Räume des Kapitäns mit einem Plüschsofa, einem Marmortisch, einem Harmonium und einer Badewanne ausgestattet. Die Eigner der *Florence* fanden, das Beste sei gerade gut genug für einen Mann, der alle Hürden auf dem Weg nach oben genommen hatte. Er sollte angenehm leben können, an Land wie auf See.

Wie diese Bilder zeigen, teilten die meisten Schiffseigner diese Ansicht. Die Kapitänskajüten waren so behaglich eingerichtet, daß manch ein Kapitän seine Frau mitnahm – und damit einen besonderen Grund hatte, das Schiff heil nach Hause zu bringen.

Kapitän Harrison von der „Eva Montgomery" erledigt Schreibarbeiten, während seine Frau liest.

Der Kapitän eines nicht identifizierten Windjammers posiert mit seiner Frau in der luxuriös ausgestatteten Suite für den Photographen.

Auf der „Puritan" hatten Kapitän und Mrs. Amesbury in ihrer behaglichen Kajüte auch ein Grammophon.

aminsims, Blumensträuße und ein Kanarienvogel boten Kapitän E. Gates James und seiner Frau auf der „Lynton" den Komfort eines Salons.

Aber die *Arctic Stream* gelangte schon bald wieder aus dieser künstlich beruhigten See hinaus, und die Wogen ließen das Schiff jetzt derart stampfen, daß das Ruderblatt öfter in der Luft als im Wasser war – und dagegen konnte auch Öl nichts ausrichten. Dixon ordnete an, aus dem Vorratsraum schwere Schlepptrossen zu holen, sie an den Pollern festzumachen und über das Heck auszustecken. „Es waren insgesamt 200 Meter“, berichtete Dixon. „Der Widerstand war enorm und wirkte immer gerade dann, wenn wir ihn am dringendsten brauchten, nämlich dann, wenn das Schiff auf riesigen Seen balancierte und sein Ruder aus dem Wasser tauchte. Jetzt ließ es sich viel besser steuern.“

Tags darauf klarte der Himmel auf, und Dixon konnte endlich seinen Standort berechnen. Irgendwie hatte die *Arctic Stream* wohlbehalten die tückische Fahrrinne zwischen Kap Horn und den Diego-Ramírez-Inseln passiert und war bereits auf dem offenen Atlantik.

Während des Martyriums der *Arctic Stream* hatte niemand an Bord mehr an das Rennen mit der *Herzogin Sophie Charlotte* gedacht, doch jetzt bemerkte der Steuermann mürrisch, das könne man sich wohl aus dem Kopf schlagen. Aber da kannte er seinen Kapitän schlecht. „Ich wußte“, berichtete Dixon, „daß ich immer noch eine Chance hatte, sie zu überholen, wenn ich meine meteorologischen Kenntnisse richtig einsetzte. Ich wußte, daß die Winde in diesen Breiten in regelmäßigen Abständen wechseln, und dachte mir, falls ich weiter nach Osten segelte, anstatt wie üblich auf Nord zu drehen, müßte ich auf günstige Winde treffen, die mich in die Passate befördern würden. Deshalb hielt ich auf den offenen Atlantik hinaus, Hunderte von Meilen östlich der normalen Schiffswege, und ging dann erst auf Nordkurs. Meine Rechnung ging auf.“

Und ob sie aufging. Die *Arctic Stream* legte mit vollen Segeln, einschließlich der Royalsegel, in einem Schlag an die 4300 Seemeilen zurück, ohne auch nur ein einziges Segel zu verändern. Und schließlich lief die *Arctic Stream* mit dem gespannt vorausspähenden C.C. Dixon auf der Poop in die Straße von Dover ein – drei Tage nach der *Herzogin Sophie Charlotte*. Trotz seiner verschwindend geringen Chancen hatte Dixon die Überfahrt in genau derselben Zeit beendet wie sein Rivale. Er segelte eilends nach Rotterdam weiter, wobei er den Vorsprung der *Herzogin Sophie Charlotte* sogar noch verringern konnte, und lief am selben Tag in Rotterdam ein, an dem das deutsche Schulschiff Bremen erreichte. Alles in allem hatte Dixon für die Überfahrt 97 Tage gebraucht, und er konnte zwar keinen Sieg, aber doch einen moralischen Triumph von gewaltigen Ausmaßen für sich buchen.

Die großen Windjammer-Kapitäne hatten zumindest eines gemeinsam: Sie waren allesamt Treiber, gingen kalkulierbare Risiken ein, setzten stets so viele Segel, wie sie nur konnten, wendeten lieber, statt zu halsen, und drehten nur bei, wenn es gar nicht mehr anders ging.

James Learmont, ein über 1,80 Meter großer Schotte, der nie ein Blatt vor den Mund nahm und ein ausgeprägtes Ehrgefühl hatte, wurde durch seine schnellen und gewagten Überfahrten schon zu seinen Lebzeiten zur Legende. Nicht, daß er tollkühn gewesen wäre; durchaus nicht. Er kannte die Regeln der Kunst in- und auswendig, aber er war ein so überragender Seefahrer, daß er es sich leisten konnte, alle Regeln über Bord zu werfen.

Seine Grundausbildung erhielt Learmont, nachdem er im Alter von zwölf Jahren auf einem Küstenschoner als Schiffsjunge angefangen hatte. Das Schiff gehörte seinem Vater, der ihm ein gestrenger Lehrmeister war, so daß er mit 15 Jahren so weit war, auf einem Hochseeschiff anzuheuern. Doch obwohl er jederzeit eine Stelle als Offiziersanwärter bekommen hätte, zog er es vor, als einfacher Matrose anzufangen und von der Pike auf zu dienen – ein Entschluß, den er nicht ohne guten Grund faßte. Der junge Learmont wollte sich auf allen Gebieten der Seemannschaft auskennen und auszeich-

Lässig um ihren Kapitän gruppiert, posiert die Mannschaft des britischen Schiffes „Rathdown" nach einer sechsmonatigen Reise von Belfast nach San Francisco für ein Erinnerungsphoto. Eine aus Angehörigen verschiedener Rassen bestehende Besatzung war in der großen Zeit der Windjammer keine Seltenheit. Schwarze von den Westindischen und Kapverdischen Inseln zählten zu den besten Seeleuten.

nen, und er war der Ansicht, daß Offiziersanwärter nur unzureichend für den Kapitänsberuf ausgebildet wurden. Noch ehe er 19 Jahre alt war, hatte er das Patent als zweiter Steuermann in der Tasche und entwickelte sich bereits zu einem besonnenen, tüchtigen Seemann, wie man ihn in einer kritischen Situation gern neben sich weiß.

Eines Abends im Jahre 1896, an Bord des Vollriggers *William Law* unweit Kap Horn, meldete der junge Learmont seinem Kapitän, er habe backbord querab Land gesichtet, nur etwa eine halbe Stunde entfernt. Der Kapitän, dessen Navigation offenbar fehlerhaft war, erklärte das schlankweg für unmöglich – um ein paar Minuten später seinen Irrtum einzusehen, als er vor einer steifen Brise laufend das Unheil direkt auf sich zukommen sah. Entgeistert fragte er Learmont um Rat, was er tun solle. „Drehen Sie in den Wind", erwiderte Learmont, „und setzen Sie mehr Segel." Aber der Kapitän war vor Entsetzen wie gelähmt, und deshalb übernahm der junge zweite Steuermann das Kommando. Er brachte den Windjammer an den Wind, kommandierte das Brassen der Rahen, ließ die Segelfläche vergrößern und segelte die ganze Nacht hindurch so dicht am Wind, wie er es für vertretbar hielt. Als der Morgen graute, war die *William Law* von der bedrohlichen Küste klargekommen und damit aus der Gefahrenzone.

Im Jahre 1902, ganze 26 Jahre alt, wurde Learmont bereits Windjammer-Kapitän, und in dieser Eigenschaft ging er unverzüglich daran, schnellere Überfahrten aus seinen Schiffen herauszuholen als irgend jemand vor ihm. Sein erstes Kommando, das 1250-Tonnen-Vollschiff *Brenhilda,* war als ziemlich „lahme Ente" verschrien, doch Learmont bewältigte mit diesem Schiff auf seiner ersten Überfahrt im Südatlantik in 18 Stunden eine Strecke von 288 Seemeilen, was einer schier unschlagbaren Durchschnittsgeschwindigkeit von 16 Knoten entsprach. In dem steifen Nordwest, so schwärmte Learmont, „hob sie sich unter dem mächtigen Druck der Segel buchstäblich aus dem Wasser".

Sechs Jahre später stieß Learmont mit einem anderen Schiff, der *Bengairn,* östlich von Kap Horn auf ein großes Eisbergfeld – und entschied sich mit dem für ihn typischen Wagemut, alle Segel zu setzen und mit voller Fahrt in eisfreie Gewässer zu segeln. Dabei überholte er eine Viermastbark, die *Fingal* aus Dublin, deren Kapitän ängstlich alle Segel bis auf die Marssegel weggenommen hatte. „Die haben sicher ihren Augen nicht getraut", meinte Learmont später einmal, „als sie uns mit vollen Segeln und 12 Knoten achteraus aufkommen sahen, während sie selbst mit ihren Marssegeln kaum vier machten." Nach seemännischem Brauch heißte Learmont seine Flagge und sein Erkennungssignal, um sich zu identifizieren. Die *Fingal* ließ sich zu keiner Erwiderung herbei, und Learmont setzte verschnupft das Signal „Auf Wiedersehen". Das Wiedersehen ließ auf sich warten, denn die *Bengairn* war drei Wochen vor der *Fingal* in Hamburg.

Angesichts solcher Glanzleistungen war der schottische Eigner von Learmonts Schiffen, Kapitän John Rae aus Liverpool, ganz gegen seine Art voll des Lobes. „Learmont", sagte er, „Sie haben eine gute Überfahrt gemacht. Das kommt, weil Sie das Wasser so gut im Griff haben."

Learmont war durch nichts zu erschüttern. Als er 1905 mit der *Brenda* in den Ärmelkanal einlief, wurde das Wetter so wechselhaft, daß er wiederholt den Kurs ändern mußte – während er zugleich immer wieder unter Deck gehen mußte, um nach seiner schwangeren Frau zu sehen, deren Entbindung kurz bevorstand. Eine ganze Nacht lang leitete er persönlich oder über seine Steuerleute die Manöver des Schiffes und kümmerte sich gleichzeitig um seine Frau. In der Frühe kam er an Deck und sah, daß eine schwere Bö aufzog. Anstatt aber nun beizudrehen, legte er noch mehr Segel zu, und die *Brenda* passierte Dover mit 18 Knoten Fahrt. Als die Bö abzog, hatte das Schiff die Meerenge bereits hinter sich. „Nachdem ich den Kurs festgelegt hatte", erinnerte er sich später, „übergab ich sie dem Steuermann und ging unter Deck. Drei Stunden später kam unsere Tochter zur Welt. Alles war gutgegangen, und ich war von Dankbarkeit erfüllt."

Aber so bekannt Learmont für seine draufgängerischen Fahrten war, so berüchtigt war er wegen seines ruppigen Umgangs mit den Hafenbehörden. Für die Behandlung dieser „Schmarotzer" hatte er ein simples Rezept: „Immer feste druff!" So versetzte er 1908 die Hafenbeamten von Newcastle in helle Aufregung, als er einlief, um eine Ladung Kohle aufzunehmen, und sich weigerte, ein für alle Schiffe vorgeschriebenes Verfahren einzuhalten. Da leere Schiffe mit ihren hohen Masten und schweren Rahen leicht kenterten, mußten sie von den Lade- und Löschplätzen an einen anderen Liegeplatz verholt werden, um dort vorübergehend Ballast zur Stabilisierung aufzunehmen und dann zu warten, bis sie wieder zum Ladeplatz geschleppt wurden. Learmont dachte aber gar nicht daran, seinen Liegeplatz zu verlassen; das hätte bedeutet, daß er mit Verspätung auslaufen würde. Er erklärte rundweg, er werde keinen Ballast aufnehmen und sich nicht von der Stelle rühren, bis er seine Ladung übernehmen könne. Unter den Augen der verblüfften Hafenbeamten, die an seinem Geisteszustand zweifelten, ließ er all seine Royal- und Oberbramsegel abnehmen, wodurch sich der Schwerpunkt des Schiffes so weit nach unten verlagerte, daß es genügend

Seefahrtsgeschichten, von einem Seemann meisterlich erzählt

Die Rahsegelschiffe des ausgehenden 19. Jahrhunderts hatten ihren beredtesten Schilderer in Joseph Conrad, dessen spannende Romane und Novellen auf seinen eigenen Erlebnissen aus den 20 Jahren, die er als Seemann und Kapitän auf See verbrachte, beruhen.

Conrad hieß eigentlich Theodor Jósef Konrad Korzeniowski und entstammte einer polnischen Adelsfamilie. Aber die Aussicht auf ein Leben in Müßiggang hatte für den rastlosen Jugendlichen schon bald keinen Reiz mehr, und er verließ 1874 mit 17 Jahren Krakau, um als Schiffsjunge auf einem französischen Westindienfahrer anzuheuern.

Er erwarb mit 23 Jahren sein Steuermannspatent und mit 29 Jahren sein Kapitänspatent *(unten)*. Sein erstes Schiff war eine kleine australische Bark mit dem Namen *Otago;* „unter ihresgleichen", schrieb Conrad, „wirkte sie wie eine Araberstute unter Ackergäulen."

Die reinrassige *Otago* übertraf alsbald sogar Conrads hochgespannte Erwartungen. Auf seiner ersten Reise geriet sie zwischen Singapur und Sydney in einen schweren Sturm. Mit zwei Untermarssegeln und einem gerefften Focksegel flog die *Otago* drei Tage lang über die See. Diese Leistung war für Conrad reine Poesie, und er schilderte sie später in einer Passage seines Erinnerungsbuches *Spiegel der See:*

„Die feierlich donnernden Brecher kamen von achtern heran, zogen mit bis zur Höhe des Schanzkleides wütend aufschäumendem Gischt an ihr vorbei und stürmten brüllend und brausend weiter: und das kleine Schiff tauchte seinen Klüverbaum in den aufgewirbelten Schaum und eilte in einer glatten, gläsernen Höhlung unverdrossen dahin, in einem tiefen Tal zwischen zwei Wasserbergen, die vorn und achtern den Horizont verdecken."

„Es lag ein derartiger Zauber in seinem Schneid, seiner Behendigkeit, in dieser unaufhörlichen Demonstration unfehlbarer Seetüchtigkeit, dieser Verkörperung des Mutes und der Ausdauer, daß ich mich von dem entzückenden Anblick nicht loszureißen vermochte."

Vierzehn Monate lang holte Conrad, von seiner Besatzung „der russische

Graf" genannt, vor dem Wind segelnd das Letzte aus der *Otago* heraus und gelangte dabei bis nach Mauritius. Vor der australischen Nordküste nahm er wagemutig eine Abkürzung durch die mit Riffen durchsetzte Torresstraße und erfüllte sich damit seinen Knabentraum, „die Orte der irdischen Heldentaten" des großen Forschungsreisenden James Cook aufzusuchen.

Nachdem er 1889 nach England zurückgekehrt war, nahm Conrad sein Lebenswerk als Romanschriftsteller in Angriff. Zwei Jahre später musterte er als Erster Offizier auf der *Torrens* an, einem für seine Schnelligkeit berühmten britischen Passagierschiff. Conrad machte auf der *Torrens* zwei Reisen nach Australien, aber 1894 nahm er für immer Abschied von der See. Er schrieb: „Ich hatte mich der Untätigkeit eines Heimgesuchten überlassen, der nach nichts Ausschau hält als nach Worten, um darin seine Visionen einzufangen."

Joseph Conrad (Mitte, mit Bart) diente 1891–1893 als Erster Offizier auf der „Torrens" und machte zwei Reisen nach Australien mit.

Das Kapitänspatent, das Joseph Conrad im Alter von 29 Jahren erhielt.

Kentersicherheit erhielt. Die Methode bewährte sich – wurde aber nur von wenigen Kapitänen übernommen, weil es selbst bei vollzähliger und gut ausgebildeter Besatzung als zu umständlich galt, die schweren, sperrigen Rahen abzunehmen und wieder zu heißen.

Es versteht sich von selbst, daß sich kein Kapitän gerne von Hafenbeamten übers Ohr hauen ließ, aber viele fanden sich nach langjährigen schlechten Erfahrungen schließlich doch damit ab. Nicht so James Learmont. Dank einem Gespür für finanzielle Zusammenhänge, das ihn durchaus auch zum Bankier befähigt hätte, durchschaute er jeden Versuch, ihn zu übervorteilen, und wehrte sich mit Händen und Füßen dagegen. Einmal wollte er eine Rechnung nicht anerkennen, die ein Schiffslieferant ihm gestellt hatte, zerriß sie vor dessen Augen, bezeichnete sie als einen einzigen Schwindel und verlangte eine neue Fraktur – die er auch bekam und beglich. Ein andermal, als das Schiff in einem chilenischen Hafen lag, beklagte sich die Besatzung bei Learmont, daß das am Ort eingekaufte Fleisch ungenießbar sei. Als der Metzger das nächstemal die Gangway heraufkam, wartete Learmont schon auf ihn. Er befahl dem Mann, seinen Sack auszuschütten, und sah, daß es fast nur Knochen waren – und noch nicht einmal sonderlich appetitliche. Daraufhin warf er das ganze Zeug über Bord. Als der Metzger protestierte, warf er ihn kurzerhand hinterher.

Zumindest einmal bewahrte Learmont jedoch Schiffe und Kapitäne vor großem Schaden. Im peruanischen Hafen Callao hatte die örtliche Hafengesellschaft in Zusammenarbeit mit einem korrupten Hafenmeister jahrelang Schiffen den Ballast, den sie brauchten, um sicher in den nächsten Hafen zu gelangen und ihre neue Ladung zu übernehmen, zu knapp gewogen. Mehrere dieser Schiffe mit unzureichendem Ballast waren verschollen; es war anzunehmen, daß sie gekentert waren.

Learmont deckte die gemeingefährliche Gaunerei auf. Als erstes ließ er den Hafenmeister wissen, er bestehe darauf, daß der Ballast vor dem Übernehmen gewogen werde. Dieses Verlangen war dem Hafenmeister nicht neu, aber er ignorierte es wie gewohnt. Als ein Teil des Ballasts geliefert, das Gesamtgewicht jedoch nur geschätzt worden war, weigerte sich Learmont, den Empfang zu quittieren. Der Hafenmeister redete sich nun darauf hinaus, daß ihm keine Wiegeanlage zur Verfügung stehe. Learmont konterte, indem er ihm vorschlug, eine behelfsmäßige Waage anzufertigen. Der Mann erklärte sich widerstrebend dazu bereit, und in Gegenwart von einem Dutzend Kapitänen wurde eine Probewägung vorgenommen. Die Stichprobe ergab ein wesentlich geringeres Ballastgewicht, als laut Schätzung vorhanden sein müßte – was wohl die Kapitäne, nicht aber den Hafenmeister überraschte.

Die Beladung wurde fortgesetzt, bis die Hafengesellschaft erklärte, die korrekte Menge geliefert zu haben. Learmont weigerte sich, deren Darstellung anzuerkennen, und reichte beim britischen Gesandten in Lima Protest ein. Der führte jedoch zu nichts. Der Hafenmeister forderte Learmont auf, den Liegeplatz freizumachen. Der Kapitän aber bestand darauf, erst noch die fehlenden 180 Tonnen Ballast zu bekommen. Als der Hafenmeister drohte, das Schiff zwangsweise aus dem Hafen schleppen zu lassen, kündigte Learmont an, er werde sich mit allen Mitteln dagegen zur Wehr setzen. Daraufhin lenkte der Hafenmeister endlich ein. Der eigensinnige Learmont bekam seinen restlichen Ballast, die Betrügerei hatte ein Ende – und es blieben keine von Callao ausgehenden Schiffe mehr auf See.

Kapitän Learmont war stets zu Überraschungen fähig, aber für die größte sorgte er im Jahre 1910, als er verkündete, er werde sich aus der Seefahrt zurückziehen. Er war damals kaum 35 Jahre alt. Aber, so meinte er, er sei seit seinem zwölften Lebensjahr zur See gefahren, habe Familie und habe den Entschluß gefaßt, Lotse zu werden. Sein Reeder bot ihm eine Gehaltserhöhung an. Seine Besatzungsmitglieder waren verzweifelt, und das mit gutem

Grund: In all den Jahren seines Dienstes als Kapitän hatte Learmont nur zwei Mann auf See verloren – zwei junge Iren, die in einem elenden Sturm von einem Obermarssegel stürzten. Aber Learmont beharrte wie immer auf seinem Entschluß. Bei der Abmusterung seiner letzten Besatzung erschien ein älterer finnischer Zimmermann, der auf allen von Learmont kommandierten Schiffen gedient hatte, ohne sein Seefahrtsbuch vor dem Zolleinnehmer, der die Formalitäten abzuwickeln hatte. Als der Einnehmer darauf ungehalten wurde, sagte der Zimmermann nur: „Ich glaube kaum, daß ich nochmal zur See fahre." Er wies auf Learmont, der in der Nähe stand, und fügte hinzu: „Und wenn, dann nur unter diesem Mann."

Ebenfalls Schotte und genauso tüchtig wie Learmont, wenn auch nicht ganz so himmelstürmend, war Kapitän W. S. Leask („Old Jock") von der *City of Florence*. Folgt man der Beschreibung von David W. Bone, der damals Offiziersanwärter unter Leask war, mußte Old Jock eine der erfreulicheren Figuren in den Annalen der Seefahrt gewesen sein. Er war ein unscheinbarer Mann, mittelgroß, untersetzt und von grobgeschnittenen Zügen, mit „scharfen, grünen Augen, die unter buschigen Augenbrauen hervorblitzten", und er gab seine Kommandos mit schnarrender Stimme. Als sich sein Schiff einmal von Glasgow ausgehend San Francisco näherte, brach in der Kohleladung in der Vorluke ein Schwelbrand aus, und durch die Hitze blätterte der Anstrich der Steuerbord-Bordwand ab. Old Jock begriff sofort, daß der Schlepperkapitän, der das Schiff durch das Goldene Tor bugsieren sollte, nichts von dem Brand merken durfte, weil er sonst anstelle des vergleichsweise bescheidenen Schlepperlohns einen gepfefferten Bergelohn hätte verlangen können.

Um den Schaden zu verheimlichen, manövrierte Leask die Bark so, daß der Schlepperkapitän von der Backbordseite auf sie zuhalten mußte. Für alle Fälle gab er seinem Steuermann Anweisung, den heißen Fleck auf der Bordwand immer wieder frisch streichen zu lassen. Der Schlepperkapitän eröffnete die Verhandlungen über den Schlepplohn mit einer Forderung in Höhe von 600 Dollar. Old Jock bezeichnete das rundweg als Wucher. „Den Teufel auch, ich will doch nicht Ihr Boot kaufen, Kapitän!" rief er zu ihm hinunter, und um zu zeigen, daß es ihm mit seiner Ablehnung ernst war, ordnete er an, Segel zu setzen, um ohne Schlepper in den Hafen einzulaufen. Der Schlepper drehte ab, wobei er glücklicherweise auf der Backbordseite blieb, kam dann aber wieder längsseits. Diesmal verlangte der Kapitän einen etwas niedrigeren Lohn, den Leask jedoch ebenfalls zurückwies.

Mittlerweile hatte der frische Anstrich schon wieder Blasen getrieben und war heimlich erneuert worden. Schließlich tauchte in der Ferne ein zweiter Schlepper auf, und der Kapitän des ersten Schleppers, der nun befürchten mußte, den Auftrag ganz zu verlieren, ging mit seiner Forderung auf 300 Dollar herunter, was Old Jock nach gespieltem Zögern großmütig akzeptierte. Erst als das Schiff Benita Point erreicht hatte, hißte Leask endlich Signalflagge, um den Agenten des Schiffes an Land mitzuteilen, daß das Schiff brannte, und erst als der Feuerlöschdampfer auftauchte, ging dem Schlepperkapitän auf, daß er hinters Licht geführt worden war.

Als das Feuer gelöscht und die restliche Kohle entladen war, nahm die *Florence* Getreide ein und ging in See, um nach Falmouth heimzukehren. Bei Kap Horn geriet sie in schweres Wetter und mußte immer wieder achterliche Seen übernehmen, die sie schier zu verschlingen drohten. Old Jock stand eine ganze Nacht und den folgenden Tag neben dem Rudergänger, führte das Schiff ruhig und überlegt und gab mit gewohnter Gelassenheit seine Kommandos. „Ungewaschen und hohlwangig, mit blauen Lippen, verfroren und durchnäßt", erinnerte sich Bone, „blieb er trotzdem, was er immer war: jeder Zoll ein Herr der Meere." Einen oder zwei Tage danach flaute der Wind östlich von Kap Horn ab, und Old Jock ging unter

Deck, um sich erst einmal den wohlverdienten Schlaf zu gönnen. Aber schon bald darauf hüllte dichter Nebel das Schiff ein. Alles war ruhig. Der Ausguck erhielt Befehl, das Nebelhorn zu blasen.

Dreimal dröhnte es als dumpfe Warnung über das Wasser: R-R-R-R-R-AH! R-R-R-R-R-AH! R-R-R-R-R-AH!

Plötzlich sahen die Wachgänger einander an. Täuschten sie sich, oder kam aus dem Nebel ein Antwortsignal? Wieder wurde das Nebelhorn geblasen, und tatsächlich, es waren drei schwache Antwortsignale zu hören. Befand sich ein anderes Schiff in der Nähe? Der Steuermann hielt es für richtig, den Kapitän zu rufen. Old Jock befahl, das Nebelhorn erneut zu bedienen, und lauschte angespannt. Kaum ließ sich der erste Antwortton vernehmen, als der Kapitän auch schon in hektische Aktivität ausbrach.

„Über das Ruder! Hart über!" schrie er und sprang selbst ans Ruder. „Hol die Rahen! Los Backbordbrassen! Schmeiß los und hol ein! Schnell, Mister! Mein Gott, was überlegen Sie da noch? Eis, Eis, Sie verdammter Idiot. Eis! Das Echo! Schmeiß los und hol dicht! Laß laufen!"

Die *Florence* wurde lebendig, während Rahen herumflogen, Blöcke surrten, Segel ausblähten und die Besatzung ihr Bestes tat, um möglichst rasch die Kursänderung zu bewerkstelligen. Das Schiff reagierte und drehte langsam an den Wind, während der Kapitän am Kompaß stand und immer wieder schnüffelte und in den Nebel hinausspähte. Nichts. Stille.

Dann klarte es auf, der Nebel lichtete sich, und da war sie. Eine Mauer aus Eis, auf die die Bark zutrieb. In diesem Augenblick schrie der Ausguck am Bug „Stop!". Dicht vor dem Schiff trieb ein von dem Eisberg abgebrochenes, sechs bis acht Meter aus dem Wasser ragendes „Kalb". Sekunden später rammte es die *Florence*. Der Klüverbaum brach mit lautem Knall, und die Vorbramstenge krachte mit all ihren Rahen aufs Deck herab und riß ein Loch

Ohne ausreichenden Ballast plötzlich von einer Bö überrascht, liegt der kurz zuvor ausgerüstete Windjammer „Jacques" 1900 im Kanal von Tancarville bei Le Havre, Frankreich, auf der Seite. Solche Unfälle waren selten, aber recht kostspielig, wenn sie doch einmal passierten; in diesem Fall mußten alle drei Masten gekappt werden, bevor das 1900-Tonnen-Schiff wieder aufgerichtet werden konnte.

in die Planken. Das Knirschen, Splittern und Poltern war ohrenbetäubend. Ein riesiger Eisklumpen krachte auf das Vorluk und zertrümmerte es. Alle Mann machten sich bereit, das Schiff aufzugeben.

So wie Old Jock das Unheil hatte kommen sehen, so verfiel er jetzt auch instinktiv auf einen Ausweg. In all der heillosen Verwirrung war ihm nicht entgangen, daß der Wind leicht gedreht hatte, so daß die *Florence* von dem Eisberg freisegeln konnte. „Fockrahen!" schrie der Kapitän. „Schmeiß los die Brassen und hol dicht die Schoten!" Die *Florence* drehte noch etwas weiter und nahm Fahrt auf. Doch nun schlug der gebrochene Klüverbaum an den Bug. „Kapp weg und laß sausen!" schrie Old Jock. Der Baum fiel ins Wasser, und die verkrüppelte Bark hielt aufs offene Meer zu.

Old Jock und seine Mannschaft setzten das Schiff auf den Falklandinseln selbst instand, und die *Florence* konnte in bestem Zustand ihre Reise nach Falmouth fortsetzen. Doch eine Bewährungsprobe mußten die Bark und ihr Kapitän noch bestehen, ehe die Reise zu Ende war. In Falmouth erhielt die *Florence* Order, nach Sligo an der Nordwestküste Irlands weiterzusegeln und dort ihre Ladung zu löschen. Für diese Fahrt kam ein walisischer Lotse an Bord, ein redseliger Mensch, dem Leask mit tiefem Mißtrauen begegnete. Eines Spätnachmittags verkündete der Lotse, bei den leewärts aufgetauchten Klippen handle es sich um die Stags – es sei also nicht mehr weit bis Sligo. „Und bei Gott", fügte er (so berichtet Bone) selbstgefällig hinzu, „das ist die beste Ansteuerung, die ich je erlebt habe, Kapitän!" Das Wetter war mäßig, und grauer Nebel hing über der Küste. Leask konsultierte seine Seekarten und sah dann wieder zu den Klippen hinüber: In seinem Segelhandbuch stand, daß es sich bei den Stags um vier felsige Inseln handle. „Ich will verdammt sein", murmelte er, „aber ich sehe bloß drei."

„Kennen Sie die Stags auch wirklich, Mister?" befragte er den Lotsen. „Sind Sie in diesen Gewässern zu Hause?"

„Aber, aber", lachte der Lotse selbstgefällig. „Und ob ich die Stags kenne! Wie meine Westentasche. Von jetzt an Ost-Südost, Käpt'n, und Sie sind in Nullkommanichts in Sligo!"

Leask war trotzdem nicht überzeugt. Als die Nacht hereinbrach, dunkel und mondlos, schritt Old Jock auf der Poop auf und ab. Dann kam der verzweifelte Ruf des Ausgucks aus der Dunkelheit: „Bran-dung vo-raus!"

Als ob er sich schon aufs Schlimmste gefaßt gemacht hätte, wandte sich der Kapitän an den Rudergänger. „Luv an! Über das Ruder! Dicht an den Wind!" Wenn die Drehung gelang, würde die Bark vielleicht noch an den Felsen vorbeikommen. Selbst in diesem Augenblick höchster Not fand Old Jock noch Zeit, dem Lotsen seine Verachtung zu zeigen. „Wieviele Stags kennen Sie eigentlich, Mister? Zum Teufel mit Ihnen und Ihren verdammten Stags." Und zum Steuermann: „Alle Mann auf, Mister! Rührt euch, Jungs, wenn euch an einem trockenen Begräbnis liegt!"

Mit der Furcht im Nacken enterten die Leute auf und vergrößerten die Segelfläche. Die Bark nahm Fahrt auf, begann zu drehen und legte sich so stark über, daß die leeseitige Reling im Wasser schleifte. Der Wind war fast auf Sturmstärke angeschwollen. Leask stand an der Gangway und sprach auf das Schiff ein. „Haltet aus, ihr Spieren." Er tätschelte die Heckreling. „Komm hoch, mein gutes Schiff, komm hoch!" Rahen und Masten schienen sich unter der Belastung zu biegen, aber sie hielten. Die Bark näherte sich den Riffen. Mit quälender Langsamkeit begann sie dann abzudrehen. Der Zweite Steuermann berichtete, der Kompaß zeige eine Kursänderung an – um einen halben Strich immerhin. Der Wind heulte in der Takelage. Old Jock ermahnte den Rudergänger: „Halt voll, mein Junge. Halt voll und nicht mehr! Zeig ihr, wer der Herr ist! Steure, wie du noch nie gesteuert hast." Das Schiff schnitt weiter mühsam durchs Wasser und drehte kaum merklich.

„Nicht höher! Nicht höher!" schrie Leask, weil er befürchtete, daß die Segel backschlagen könnten. „Laß sie nur jetzt nicht in den Wind

schießen!" Unversehens tauchte zwischen dem Bug und den Riffen eine schmale Straße offenen Wassers auf. Die Bark glitt darüber hin – und war in Sicherheit. Sie gelangte wieder in offenes Fahrwasser, und Old Jock nahm seinen Kopf zwischen beide Hände. „Du hast es geschafft, altes Mädchen! Geschafft! Wir sind durch!"

Was die allgemeine seemännische Tüchtigkeit anbetraf, waren die besten deutschen Kapitäne unübertroffen. Und der Kapitän, der Leistungsmaßstäbe setzte, die noch gültig waren, lange nachdem er sich aus der Seefahrt zurückgezogen hatte, war Robert Hilgendorf, ein hochgewachsener Mann mit einer Adlernase und Augen, die so eisblau waren wie die Ostsee, an deren Gestaden seine Wiege gestanden hatte.

Hilgendorf war ein Rätsel. Sein Name wurde in Hafenkneipen von Hamburg bis Iquique mit ehrfürchtiger Scheu – oder mit Neid – genannt. Er sprach in Aphorismen: Sein Wahlspruch lautete „Im Interesse der Firma immer so schnell wie möglich", seine Einstellung zu seiner Besatzung war „Harte Arbeit, aber gutes Essen", und über Moral und gute Sitten äußerte er: „Man kann nie zuwenig trinken – aber leicht zuviel!"

Mythen, viele davon übertrieben und an seinem wahren Wesen vorbeigehend, rankten sich um ihn. Er würde, so hieß es von ihm, lieber seine Segel vom Sturm fortreißen lassen, als die Segelfläche zu verkleinern; um zu verhindern, so wurde weiter behauptet, daß furchtsame Besatzungsmitglieder die Entscheidung selbst in die Hand nahmen, sichere er seine Segel mit Vorhängeschlössern und stehe an den Fallen mit einem Revolver in der Hand Wache. Die Wahrheit ist, daß auf Hilgendorfs Schiffen nicht mehr Segel zu Schaden kamen als auf anderen, und daß es unmöglich war, Segel mit Vorhängeschlössern zu sichern.

Weniger erfolgreiche Kollegen nannten ihn neidisch „De Düvel von Hamborg", weil sie meinten, so gut mit dem Wind zurechtkommen könne nur jemand, der einen unheiligen Bund eingegangen sei. Selbst seine Bewunderer deuteten oft an, daß er etwas Mystisches habe. Einmal, als er sich eingeschlossen hatte, um seine Seekarten zu studieren, bemerkte einer leise: „Der Alte zaubert wieder." Und einer seiner Kapitänskollegen hat von ihm gesagt: „Das Problem mit ihm war, daß er irgendwie anders war als wir übrigen. Er hatte wirklich einen ungewöhnlichen sechsten Sinn für den Wind. Sogar der Wind schien das zu wissen."

Doch was manchen als übermenschliche Fähigkeit erschien, war in Wirklichkeit das Ergebnis von Hilgendorfs einmaliger Hingabe an den Seemannsberuf. „Hilgendorf", schrieb Alan Villiers, „war ein Wissenschaftler – ein Segel-Wissenschaftler."

Er wurde 1852 in einer Kleinstadt am Stettiner Haff geboren. Als sein Vater, Kapitän in Stettin beheimateter kleiner Briggs und Barken, 1864 in die Armee eintrat, um bei der Infanterie gegen Dänemark zu kämpfen, übernahm der erst zwölfjährige Robert das kleine Schiff seines Vaters. Mit 17 befuhr er bereits als fertig ausgebildeter Handelsschiffsmatrose die Ost- und Nordsee. Es war ein rauhes, kaltes Gewerbe, und als Hilgendorf sein Kapitänspatent erworben hatte und sich mit 27 Jahren bei der Hamburger Reederei F. Laeisz vorstellte, war er ein rauher, kalter Mann geworden. „Kapitän Hilgendorf war ein Dienstherr, dem man es nicht leicht recht machen konnte", meinte ein früheres Besatzungsmitglied, „aber er war ein glänzender Kapitän und Navigator."

Die Deutschen gingen mit preußischer Gründlichkeit an das Problem der Navigation heran. In der Hamburger Seewarte arbeiteten vier Wissenschaftler an der ersten systematischen Studie der Welt über die Ozeane mit all ihren Eigenarten. Von den Kapitänen wurden beispielsweise Berichte angefordert über die Breiten und Längen, in denen sie auf die Passatwinde stießen, über Unregelmäßigkeiten, die sie in den Kalmen und Roßbreiten feststellten, über Winde und Strömungen zu allen Jahreszeiten – und stets

Salziges Ritual am Äquator

Neptun mit seiner – schnurrbärtigen – Königin und seinem Gefolge hält 1912 Hof an Bord des deutschen Windjammers „Elfrieda".

Die Zeit „vor dem Mast" auf einem Windjammer zu fahren, bedeutete vor allem harte Arbeit, doch gab es hin und wieder auch Gelegenheiten, bei denen der Seemann ein bißchen Unterhaltung und den einen oder anderen Schluck Rum erwarten durfte.

Der Brauch wollte es, daß bei jeder Überquerung des Äquators – und Windjammer mußten ihn auf den von ihnen befahrenen Routen fast auf jeder Reise kreuzen – alle Personen an Bord, die zum erstenmal den Trennungsstrich zwischen beiden Erdhälften überfuhren, sich einer Taufzeremonie unterzogen, die aus Neulingen echte Seebären machte. Und für kurze Zeit segelte das Schiff unter der anarchistischen Flagge von König Neptun, unter dessen Kommando es hoch herging.

Wenn man sich dem Äquator näherte, ließ der Kapitän auf ein barsches Kommando hin beidrehen, und der Seemann, der den Neptun darstellte, kam am Bug des Schiffes herauf, triefnaß und fluchend zum ohrenbetäubenden Lärm von Pfeifen, Kämmen, Topfdeckeln und Kaffeekannen. Mit ihm erschien sein abenteuerlich aussehendes Gefolge – seine Frau Amphitrite, als Dirne aufgeputzt, ein Richter mit einer Liste der Täuflinge in der Hand, ein Pastor, ein Arzt, ein Barbier und Wächter mit angemalten Gesichtern.

Nach einer Pause, in der sich alle mit einem kräftigen Schluck Rum stärkten, rief Neptun die bedauernswerten Täuflinge auf. Eine rigorose Befragung schloß sich an, bei der es in erster Linie um die Abstammung und Mannbarkeit der Täuflinge ging, die allesamt für schmutzige Landratten befunden wurden, denen eine Rasur und ein Bad dringend zu empfehlen sei.

Die Rasur begann damit, daß dem Täufling, sobald er, um eine Frage zu beantworten, den Mund aufmachte, eine mit Teer und Seife getränkte Quaste zwischen die Zähne gesteckt wurde. Anschließend wurde er mit einem hölzernen Rasiermesser balbiert.

Als nächstes wurde der Täufling in eine Balge mit Seewasser getaucht (oft mit verbundenen Augen, damit er glaubte, er sei über Bord gefallen) und von Neptuns Helfern unnachsichtig geschrubbt, die dazu ein Lied sangen:

Seift ihn und schlagt ihn,
Taucht ihn und spritzt ihn,
Quält ihn und haut ihn,
Und laßt ihn nicht los.

Das Opfer mußte sodann schwören, künftige Neulinge stets derselben Prozedur zu unterwerfen, worauf es sein Taufzeugnis ausgehändigt bekam.

über die Einzelheiten ihrer Kap-Horn-Umsegelung. Manche Kapitäne mochten die Berichte, die die Seewarte aufgrund dieser Informationen zusammenstellte, für unwichtig halten. Nicht so Hilgendorf. Er verschlang sie – und wandte sie nutzbringend an. Darin lag das Geheimnis seiner von manchen als übermenschlich angesehenen Fähigkeiten.

Hilgendorf war ein zurückhaltender, bescheidener Mensch, dem nichts daran lag, sich selbst zu glorifizieren, und zeitgenössische Berichte enthalten nur wenige Schilderungen, die ihn jedoch als einen Mann zeigen, der in jeder Lage einen kühlen Kopf bewahrte. Seine härteste Bewährungsprobe erlebte Hilgendorf zu einer Zeit, die ihm als der Höhepunkt seiner Laufbahn erschienen sein mußte. Er war mit der anmutigen Bark *Parsifal* mit 1500 Tonnen Kohle an Bord nach Chile unterwegs, als er etwa 22 Seemeilen südlich von Kap Horn in grobes Wetter geriet. Krachend rutschte plötzlich die gesamte Ladung auf eine Seite. Hilgendorf befahl, die Masten zu kappen, eine Maßnahme, die zwar die *Parsifal* vor dem Kentern bewahrte, sie andererseits jedoch hilflos der tobenden See auslieferte. Der Schiffsboden wurde leck, und als das Wasser schon im Laderaum stieg, wurde in der Ferne ein fremdes Segelschiff gesichtet. Hilgendorf setzte ein Notsignal. Dann gingen er und die Besatzung in die Boote und begannen, auf das andere Schiff zuzurudern – das jedoch das Signal offenbar nicht wahrgenommen hatte und bald außer Sicht war.

Nun zeigte Hilgendorf aber erst richtig, was in ihm steckte: Anstatt landwärts zu rudern, ordnete er ruhig an, die Boote sollten zur rasch sinkenden *Parsifal* zurückkehren. Um auf See oder auch am öden Kap Horn überhaupt eine Überlebenschance zu haben, würden sie Proviant, Wasser und Decken brauchen. Hilgendorf und seine Männer kletterten beherzt an Bord des auf der Seite liegenden, untergehenden Schiffes und kämpften sich bis zu den Vorratsräumen unter Deck durch. Die *Parsifal* konnte jetzt jede Minute sinken. Mit Angstschweiß auf der Stirn rafften die Männer zusammen, was in Reichweite war, und hasteten wieder nach oben. Sie hatten gerade abgelegt und ruderten davon, als der havarierte Windjammer in einem gewaltigen Strudel in die Tiefe gerissen wurde.

Es ergab sich, daß der Proviant dann doch nicht gebraucht wurde. Dank eines glücklichen Zufalls sichtete die britische Bark *Saraka* in der Nacht ein Leuchtsignal der Boote und nahm Hilgendorf und seine Männer an Bord. Die gesamte Besatzung der *Parsifal* hatte das Unglück überlebt.

Im Laufe von 20 Jahren führte Hilgendorf neun Windjammer der Reederei Laeisz. Er umrundete Kap Horn nicht weniger als 66mal und erzielte mit diesen Überfahrten Bestleistungen an Schnelligkeit und Zuverlässigkeit, die erst ein Vierteljahrhundert später von Frachtdampfern erreicht wurden. Vor Hilgendorf galt jede Reise nach einem chilenischen Hafen, die in weniger als 80 Tagen beendet wurde, als gut, und die Kapitäne rechneten für die Umrundung von Kap Horn stets zwei bis drei Wochen. Hilgendorf benötigte ausgehend im Durchschnitt 64 Tage und heimkehrend 74 Tage, und seine Durchschnittsfahrt mit vollbeladenen Schiffen, bei gutem wie schlechtem Wetter, betrug siebeneinhalb Knoten. Er umsegelte Kap Horn einmal in sieben Tagen und brauchte auf keiner Überfahrt länger als zehn Tage dafür. In seinen Logbüchern finden sich die Eintragungen über seine damals wie heute erstaunlichen Rekordfahrten: „*Pirat* – Ärmelkanal-Valparaiso 68 Tage. *Pergamon* – Ärmelkanal-Valparaiso 65 Tage. *Palmyra* – Ärmelkanal-Valparaiso 63 Tage. *Placilla* – Ärmelkanal-Valparaiso 58 Tage. *Potosi* – Einfahrt Ärmelkanal-Valparaiso 55 Tage."

Im Jahre 1901, im Alter von 49 Jahren, hörte Hilgendorf mit seiner Hexerei auf, ohne Gründe dafür zu nennen. Er trat als Kapitän in den Ruhestand und betätigte sich die nächsten 30 Jahre als Schiffsbesichtiger und Schätzer für Seeversicherungen. Im Februar 1937, hoch in den Achtzigern, kam er bei einem Fahrradunfall ums Leben. Er war also doch sterblich.

Begabt mit einem unheimlichen Gespür für Wind und Meeresströmungen, das ihm den Ruf eines seemännischen Hexenmeisters eintrug, wurde Robert Hilgendorf in den 20 Jahren, die er als Windjammer-Kapitän für die Hamburger Firma Laeisz fuhr, schon zu Lebzeiten eine legendäre Gestalt. Zu seinen Glanzleistungen gehörten zwei Rundreisen zwischen Hamburg und den Salpeterhäfen an der chilenischen Nordwestküste in einem Jahr.

Robert Miethe, einer von Hilgendorfs Kapitänskollegen in der Reederei Laeisz, empfand stets Achtung und Zuneigung für seine Schiffe. „Für uns", sagte er einmal, „war das Schiff eine Art Lebewesen, und Kapitän und Besatzung waren dazu da, ihm zu dienen."

Miethe hatte sein Leben lang Umgang mit Schiffen und der See. In einem holsteinischen Dorf an der Ostsee geboren, schiffte er sich als 14jähriger auf einem kleinen Schiff ein, das vom Meeresboden Steine für den Bau des Kieler Kanals aufschürfte. Zwei Jahre später wurde er Decksjunge auf einer Bark der Firma Laeisz und stieg durch alle Dienstposten aufwärts, bis er nacheinander fünf Schiffe der Reederei befehligte.

Ein kräftig gebauter, entschlossener Mann mit durchdringenden graublauen Augen und Stentorstimme, war Miethe weder durch Gefahr noch durch Schmerz aus der Fassung zu bringen. Als er einmal mittschiffs an Deck einer Laeisz-Bark stand, warf ihn ein Brecher gegen schwere eiserne Teile der Takelage. Ein Schlüsselbein war gebrochen und eine Kniescheibe ausgerenkt, und aus einer klaffenden Kopfwunde strömte das Blut. Nachdem der Steuermann ihm aufgeholfen hatte, vergewisserte sich Miethe, ob mit dem Schiff alles in Ordnung war, und ließ sich dann erst unter Deck tragen, wo er seine eigene Behandlung leitete. Er überwachte das Festlegen der Schulter, wies den Steuermann an, mit einem Belegnagel seine Kniescheibe wieder einzurenken, und gab ihm dann Anweisungen für das Vernähen seiner Kopfwunde: „Drücken Sie die beiden Seiten zusammen und nähen Sie sie wie ein Segelmacher zusammen!" Als die Wunde mit 24 Stichen genäht war, ging der Kapitän wieder an die Arbeit.

Sein erklärter Liebling war Laeisz' *Pitlochry*, eine in Schottland erbaute Viermastbark, die er von 1908 bis 1911 kommandierte. Die *Pitlochry* war einer jener Glücksfälle, bei denen alle wichtigen Konstruktionselemente – Linienriß, Decksaufteilung, Segelriß und Takelage – so perfekt aufeinander abgestimmt sind, daß ein vollkommenes Segelschiff entsteht. All ihre Kapitäne waren von ihr begeistert, und Miethe sagte von ihr: „Sie horchte besser auf den Wind als jedes andere Schiff, das ich jemals hatte."

Die *Pitlochry* reagierte so empfindlich auf das Ruder, daß Miethe hoffte, eines Tages Gelegenheit zu bekommen, sie in all ihrem Glanz einem dankbaren Publikum vorzuführen. Diese Gelegenheit ergab sich an einem herrlichen Sommertag, an dem die *Pitlochry* im Ärmelkanal aufkreuzte. Zufällig hielt sie gerade zu einer Tageszeit auf Brighton zu, als in dem Seebad Hochbetrieb herrschte. Kapellen spielten auf, die Stimmung war festlich, und auf der berühmten Pier drängten sich die Menschen. Ganz plötzlich bemerkten die Sommerfrischler, daß ein großes Rahschiff auf sie zusegelte und rasch näherkam. Der Windjammer lief mit vollem Zeug, und die blendend weißen Segel blähten sich prachtvoll in der Sonne.

Immer näher kam die *Pitlochry*, lautlos, mit schäumender Bugwelle. Als sie nur noch einige Schiffslängen von der Pier entfernt war, begann Robert Miethe, sie herumzulegen. Auf seine Kommandos hin wurden das Ruder herumgeworfen, die Untersegel flink aufgegeit, der Besan herumgeholt, die Klüver lose gelassen und Rahen für den neuen Schlag gebraßt. Die Menschenmenge konnte die Kommandos hören und die Matrosen über die Decks rennen und Brassen und Schoten dichtholen sehen. Während die große Bark drehte, verlor sie Fahrt, und die Segel flatterten an den noch schwenkenden Rahen, dann bekam sie den Wind von der anderen Seite ein und nahm wieder Fahrt auf. Während sie drehte, blähte der Wind wieder ihre Segel, und die Zuschauer brachen in Hochrufe aus. Noch Jahre danach erinnerte sich Miethe mit Genugtuung dieser Glanzleistung: „Eine solche Gelegenheit bietet sich manchem nur einmal im Leben."

Aber Miethe konnte an seinem Lebensabend noch auf viele andere denkwürdige Begebenheiten zurückblicken, so auch die, bei der er jenen sechsten Sinn bewies, den man in keinem Buch und durch keinen

Lehrmeister erlernen konnte. Allen großen Kapitänen war er angeboren, und zusammen mit ihrer reichen Erfahrung bildete er den Kern ihrer überragenden seemännischen Fähigkeiten. Dieser Instinkt dafür, im richtigen Augenblick das Richtige zu tun und das Falsche zu unterlassen, half ihnen, Gefahren zu bestehen, die einem anderen Sterblichen mit Sicherheit zum Verhängnis geworden wären.

Man schrieb das Jahr 1909, und das Schiff hatte rasch den Ärmelkanal passiert und war dabei zeitweise 16 Knoten gelaufen. Aber vor der holländischen Küste geriet es in eine Flaute. Das Barometer fiel rapide, dann blieb es auf seinem niedrigen Stand. In der verdächtigen Stille fiel Miethe plötzlich auf, daß keine Seevögel in der Nähe waren – ein sicheres Zeichen für bevorstehendes Schlechtwetter.

Stundenlang regte sich nur hin und wieder ein leiser Windstoß, doch dann kam eine Brise auf. Die *Pitlochry* kam in Bewegung und nahm gute Fahrt auf. Als der kurze Dezembertag sich neigte und die Dunkelheit einfiel, verkleinerte Miethe die Segelfläche bis auf die Marssegel, das Focksegel und die kräftigsten Stagsegel, so daß die Bark für einen Sturm gut gerüstet war. Und der brach dann auch bald los: Eine heftige Bö erfaßte das Schiff und ließ Hagelschauer auf Segel und Deck herunterprasseln.

Die *Pitlochry* hatte fast schon die Elbemündung erreicht, wo sie üblicherweise den Lotsen an Bord genommen hätte. Aber kein Lotsenboot

Robert Miethe (rechts), der letzte in einer Reihe legendärer deutscher Windjammer-Kapitäne, die für die Firma Laeisz ungezählte Male den Kampf mit den Kap-Horn-Stürmen bestanden, bewirtet auf diesem alten Photo Agenten und Kapitänskollegen in seiner Kajüte an Bord seines Schiffes, der „Pitlochry", im chilenischen Hafen Tocopilla. Miethe gingen die großen Rahsegler über alles. Jahre später, als sie von den Meeren verschwunden waren, sagte er einmal: „Nicht ich habe die Segelschiffe verlassen. Sie haben mich verlassen."

ließ sich blicken. Da der Wind für eine Wende zu stürmisch war und zum Halsen der Raum nicht ausreichte, war es jetzt zu spät, auf die offene See zurückzukehren. Es blieb Miethe nichts anderes übrig, als zu versuchen, einen Ankerplatz zu erreichen, der so weit flußaufwärts lag, daß das Schiff den Sturm nicht in seiner ganzen Gewalt zu spüren bekam.

Der Kapitän wußte, daß die Elbemündung durch fünf Feuerschiffe markiert war, die mit den Nummern 1 bis 5 den Weg bis nach Hamburg wiesen. Er wußte auch, daß er guten Ankergrund in der Nähe einer Sandbank mit dem Namen Mittelrüg finden würde. Alle Mann der *Pitlochry* waren auf ihrem Posten: Miethe steuerte das Schiff, Besatzungsmitglieder standen an den Winden und Brassen, und der Erste Steuermann hielt sich mit dem Zimmermann, dem Segelmacher und dem Schmied auf der Back bereit, um die Anker zu werfen und das Spill zu bedienen. Die Anker hingen schon fertig zum Aussetzen an den Kranbalken am Bug: ein einziger kräftiger Schlag mit einem schweren Holzhammer auf ihre Sicherungsbolzen würde sie beide ins Wasser stürzen lassen.

Die Sicht war schlecht, doch konnte man jetzt immerhin einige Leuchtfeuer ausmachen. Schon war die *Pitlochry* auf der Höhe des ersten Feuerschiffs und jagte an ihm vorüber. Es schien unmöglich, ihre rasende Fahrt zu verlangsamen. Das Groß-Untermarssegel riß sich los und wurde vom Sturm fortgetragen. Die *Pitlochry* schnitt mit unverminderter Fahrt durchs Wasser. Sie passierte Elbe 2 und 3, während der Sturm immer heftiger wurde, und Miethe spürte, daß ihm nicht nur Hagelschloßen, sondern auch Sandkörnchen ins Gesicht stachen, ein sicheres Zeichen dafür, daß sich in der Nähe eine Untiefe oder eine Sandbank befand. Er war sicher, daß das Schiff, zumal auch Flut herrschte, mindestens 18 Knoten Fahrt lief.

Als Elbe 4 in Sicht kam und achteraus wieder verschwand, hatte Miethe keine andere Wahl mehr, als die Fahrt zu vermindern. Er ließ das Vor-Untermarssegel bergen; Besatzungsmitglieder enterten auf und rutschten auf den vereisten Fußpferden an der Rah entlang, um das Segel festzumachen. Die *Pitlochry* machte spürbar weniger Fahrt, und voraus tauchte Elbe 5 auf, gleichzeitig aber auch ein Gewirr anderer Lichter. Der Ankerplatz wimmelte offenbar von Fahrzeugen, zumeist großen Dampfern, die in der Nähe des Mittelrüg Schutz gesucht hatten. Miethe spähte mit zusammengekniffenen Augen in die Lichter und versuchte, eine Lücke zu entdecken. Der kritische Augenblick stand unmittelbar bevor. Miethe schrie seinem Rudergänger zu: „Hart Steuerbord!" Das Rad wirbelte herum, und die *Pitlochry* reagierte fügsam, drehte scheinbar fast auf der Stelle in den Wind. „Fallen Anker!" Der Steuermann und der Segelmacher schwangen ihre Holzhämmer, und die Anker platschten ins Wasser, die Ankerkette durch die Klüsen hinter sich herziehend. Die Ketten kamen zur Ruhe, strafften sich – und hielten. Die *Pitlochry* lag vor Anker.

Die ganze Nacht hatte die Besatzung damit zu tun, die letzten Segel zu bergen. Miethe ließ loten, und es zeigte sich, daß die *Pitlochry* nur einen Faden Wasser unter dem Kiel hatte. Am Morgen wurde man dann zur allgemeinen Überraschung gewahr, daß die Markierungsboje des Mittelrüg nur knapp 50 Meter achteraus war; rings um die *Pitlochry* ritten Dampfer den Sturm ab, einige mit laufender Schraube, um nicht abgetrieben zu werden. Die *Pitlochry* – oder besser gesagt ihr Kapitän – hatte den einzigen freien Ankerplatz gefunden.

Erst jetzt konnte ein Lotse an Bord des Windjammers kommen. „Mein Gott, Käpt'n, wie kommen Sie denn hierher? Und woher kommen Sie?" „Von Tocopilla", antwortete Robert Miethe. „Dreiundsechzig Tage."

Charakteristischerweise schrieb Robert Miethe den Verdienst an der Auffindung des Ankerplatzes ganz der *Pitlochry* zu. „Sie hat ihn gefunden", sagte er, „ich habe ihn nur erkannt. Und da lag es nun, mein gutes, treues Schiff, wohlbehalten von See heimgekehrt."

Jugenderinnerungen an Erlebnisse vor dem Mast

*Zufrieden schmunzelnd sitzt der Marinemaler
Anton Otto Fischer vor einem seiner Bilder, das
einen Seemann darstellt, der zu seinem Ärger
feststellen muß, daß er bestohlen wurde.*

Als 15jähriger Waisenjunge, der todunglücklich war, weil sein Onkel, bei dem er in Regensburg als Pflegekind lebte, ihn nicht leiden konnte, arbeitete Anton Otto Fischer als Druckerlehrling, als er 1898 im Fenster eines Reisebüros ein Plakat sah. „Auf dem Plakat war ein Segelschiff zu sehen, das mit vollen Segeln durchs Wasser glitt", schrieb er später, „und am blauen Himmel über der ultramarinblauen See trieben die Wolken im Wind." Fischer fand das Bild so verlockend, daß er seinen Onkel überredete, ihn zur See fahren zu lassen. Die nächsten fünf Jahre lernte er wie Tausende anderer junger Burschen das Leben vor dem Mast kennen, mit all seinen Strapazen und Unannehmlichkeiten, seinen Gefahren und Tragödien, aber auch seinem Kameradschaftsgeist und seinen kleinen Freuden.

Drei Jahre diente Fischer auf Ostseefrachtern. Dann musterte er auf einem Hochsee-Windjammer an, der *Gwydyr Castle*, einer britischen Bark, die um Kap Horn herum nach Panama segeln sollte. „Das war nun endlich das Schiff meiner Träume, und ich ging beschwingten Schrittes die Laufplanke hinauf und nach vorne zur Back." Fischer warf seinen Seesack auf eine Koje und richtete sich in dem engen Quartier vor dem Mast ein, das er nun zwei Jahre lang mit 14 Seeleuten teilen sollte.

Als das Schiff auf der Ausreise tagelang in den Kalmen lag, wurde die Stimmung unter der Besatzung immer gereizter, und es kam zu Schlägereien. Dafür begrüßte dann Kap Horn das Schiff mit mörderischem Wetter. „Zwei Monate Fegefeuer in einer wäßrigen Hölle", erzählte Fischer und fügte hinzu, daß der Proviant nachgerade ungenießbar wurde. „Wir zerstampften den Schiffszwieback und streuten ihn in unsere Becher mit heißem Tee oder Kaffee. Ungefähr nach einer Minute schwammen dann die Würmer oben und ließen sich abschöpfen."

Nach einigen Monaten wurde Fischer Vollmatrose. Im Jahre 1903 ging das Schiff in New York ins Dock, und Fischer musterte ab – um nie wieder auf einem Windjammer zu fahren. Er beschloß, sich als Kunstmaler zu versuchen, und brachte es mit der Zeit tatsächlich zum gefragten Illustrator, dessen Arbeiten in der *Saturday Evening Post* und anderen Blättern erschienen. Aber mit keinem seiner Werke hat er das Leben an Bord eines Windjammers plastischer geschildert als in einem 1947 unter dem Titel *Fo'c's'le Days* (Tage vor dem Mast) erschienenen Buch mit zahlreichen Reproduktionen seiner Gemälde. Einige davon sind hier mit Fischers eigenen Anmerkungen wiedergegeben.

Auf einem Bootsmannsstuhl unter dem
Bugspriet der „Gwydyr Castle" sitzend,
„verschönert" Fischer auf diesem Selbst-
porträt als junger Bursche boshaft die
Galionsfigur mit roter Farbe, als sein Schiff
1901 in den Äquatorialkalmen liegt. Der
Künstler erinnerte sich später, daß er „der
königlichen Dame Lippen und Wangen
rot geschminkt" habe – eine Verzierung,
die ihr zu seiner Freude eine gewisse Ähn-
lichkeit mit einem leichten Mädchen gab.

Mit dem Essen für die Offiziere in den
Händen kämpft sich der Schiffssteward im
Sturm über das von Brechern überspülte
Deck. Da er verdorbenes Pökelfleisch und
mit Würmern durchsetzten Schiffszwieback eingekauft hatte, konnte er nicht mit
dem Mitgefühl der Besatzung rechnen,
wenn er an Deck sein Leben riskierte.
,,Wenn wir ihn so sahen", schrieb Fischer,
,,wie er sich, in einer Hand die Schüs-
sel, in der anderen die Kanne, mit dem
Arm am Strecktau anklammerte,
empfanden wir nur Schadenfreude."

Erbost über das ungenießbare Fleisch, das
ihnen vorgesetzt wurde, beschweren sich
Besatzungsmitglieder beim Kapitän, der
sich widerwillig zu einer Geruchsprüfung
des Corpus delicti herbeiläßt. Das Fleisch,
schrieb der Maler, „sah aus wie ein Stück
Holz und hatte auch dieselbe Beschaf-
fenheit. Um das zu beweisen, zeigte
ich dem Kapitän das Schiffsmodell, das
ich aus einem Brocken geschnitzt hatte.‟

Auf Freiwache in der Back sehen Besatzungsmitglieder fasziniert zu, wie Fischer
einem Kameraden mit Tusche die Brust
tätowiert. „Nadeln hatten wir nicht, aber
ich fand eine spitze Stahlfeder, und während einer Hundwache tätowierte ich damit Fatty Ecklund einen Vollrigger auf die
Brust. Meine Meisterleistung vollbrachte
ich allerdings, als ich einem andern eine
nackte Huri auf den Bizeps tätowierte, die
dann, wenn er seine Muskeln spielen ließ,
eine Art Bauchtanz vollführte.“

Drei Seeleute spielen ihren Kameraden
auf, während die „Gwydyr Castle" 1901
vor Panama liegt und ihre Kohleladung
löscht. Der Kapitän, der sich die Löhne für
einheimische Arbeiter sparen wollte, ließ
die Mannschaft jeden Tag zwölf Stunden
ununterbrochen im Laderaum arbeiten.
„Jedes Pfund Kohle", schrieb Fischer,
„mußte von Hand gelöscht werden." Kein
Wunder, daß selbst ein bißchen Musikma-
chen im Logis eine willkommene „Ab-
wechslung in der Eintönigkeit unseres
Daseins war".

,,Ich stürzte mich auf Tim und schlug wie besinnungslos auf ihn ein. Auf einmal lag er auf den Decksplanken." So beschrieb Fischer seinen Faustkampf mit einem notorisch streitsüchtigen Matrosen, der Fischer so lange beleidigte, bis dieser handgreiflich wurde. Ein paar Tage später stürzte Fischers Widersacher von einer Rah in den Tod. ,,Mir ging das so nahe", schrieb Fischer. ,,Ich hätte alles dafür gegeben, wenn ich die Schlägerei mit ihm hätte ungeschehen machen können."

Der alte Segelmacher der „Gwydyr
Castle", der eines Nachts an Deck zu Tode
kam, als er stolperte und mit dem Kopf auf
einen Ringbolzen aufschlug, wird von seinen Kameraden ins Seemannsgrab hinab-
gelassen, während der Kapitän eine kurze
Ansprache hält. „Er war Schwede und
hatte im Sezessionskrieg in der amerikanischen Kriegsmarine gedient", schrieb Fischer. „Er war ein Seemann, wie man ihn
nur je auf den sieben Meeren findet".

Kapitel 3

Stolze Segler und Seelenverkäufer

Vor dem Hintergrund kahler Berge drängen sich um 1900 Windjammer im Hafen von Iquique, die darauf warten, Chilesalpeter an Bord zu nehmen.

m 28. Oktober 1905 ging der Windjammer *British Isles,* ein dreimastiges Vollschiff, das eben eine 139tägige Überfahrt von Wales beendet hatte, drei Meilen vor dem staubverkrusteten Hafen Pisagua, an der Westküste Chiles, vor Anker und setzte die Flagge zum Anfordern eines Lotsen. An Bord der *British Isles* befand sich auch der 15 Jahre alte Offiziersanwärter William H. Jones, der alles mit wachen Augen und regem Interesse in sich aufnahm und gerade die erste 10 000-Seemeilen-Etappe seiner ersten Seereise hinter sich hatte. Er sollte seinen Heimathafen – und seine Familie – nicht wiedersehen, ehe er nicht weitere 50 000 Seemeilen zurückgelegt, viermal den Stillen Ozean überquert hatte und so hoch aufgeschossen war, daß seine Eltern ihn beinahe nicht wiedererkannten. Vom Deck der *British Isles* konnte er jetzt gelbe Lehmhütten sehen, die sich an der halbmondförmigen Küste der Bucht aufreihten; hinter ihnen und jenseits eines unsichtbaren Gürtels von Kupferminen und Salpetergruben ragten im goldenen Licht der Morgensonne die schneebedeckten Gipfel der Anden kahl und baumlos in den azurblauen Himmel. Zwischen diesem malerischen Hintergrund und der *British Isles* dümpelten an die 20 Segelschiffe etwa eine halbe Seemeile vor der Küste auf der sachten Dünung des Pazifiks.

Nicht lange, und ein Lotsenboot erwiderte das Signal der *British Isles* und legte vom Ufer ab. Und dann, so vermerkte Jones mit Staunen, „legten auch von etwa zehn der ankernden Schiffe Boote ab und kamen wie in einem Wettrennen auf uns zugerudert, und die Riemen blitzten in der Sonne, während die aus Jungmannen bestehenden Besatzungen sich schwer ins Zeug legten, weil jedes Boot als erstes bei uns sein wollte".

Im Heck jedes Bootes saß in würdevoller Haltung ein Kapitän und trieb die Bootsgasten zur Eile an. Als sie die *British Isles* erreicht hatten, „kamen die Kapitäne an Bord, begrüßten unseren Alten wie einen längst verloren geglaubten Bruder, tranken ihm den letzten Whisky weg und gaben ihm gute Ratschläge, die er gar nicht beachtete". Was aber Jones an diesem denkwürdigen Tag am bemerkenswertesten fand, „war der Anblick von 30 anstelligen jungen Burschen, die über das Deck ausschwärmten, um unserer spärlichen Besatzung zur Hand zu gehen". Die Burschen – eben jene Jungmannen, die ihre Kapitäne herübergerudert hatten – machten sich auf der *British Isles* nützlich, geiten Segel auf und machten sie fest und halfen nach Kräften, den Neuankömmling sicher an seinen Liegeplatz zu bringen.

Es war kein Wunder, daß William Jones so viele Schiffe an der Westküste Südamerikas antraf, denn er machte seine erste Seereise in der großen Zeit der Windjammer. Die etwa 20 Windjammer, die im Hafen des abgelegenen kleinen Dorfes Pisagua vor Anker lagen, waren nur ein kleiner Teil der Flotte von mehreren hundert Schiffen in den Häfen längs der Küste – Tocopilla, Antofagasta und Iquique in Chile, Pisco, Callao und Lomas in Peru, Manta und Guayaquil in Ecuador. An der nordamerikanischen Westküste waren die Häfen von San Francisco und Vancouver ein einziger Wald von Masten, und Hunderte von Windjammern bevölkerten die übrigen großen Seehäfen der Welt: Hamburg, London, Liverpool, Cardiff, Antwerpen, Bordeaux, Dünkirchen, Hongkong, Schanghai, Rio de Janeiro, New York, Norfolk, Boston, Melbourne. Im Jahre 1905, als William Jones seine erste Seereise machte, führten eiserne und stählerne Windjammer die Flaggen von Großbritannien, den Vereinigten Staaten, Italien, Belgien, Frankreich, Deutschland und den skandinavischen Ländern – also beinahe jedes schiffahrttreibenden Landes der Welt. Allein bei der Londoner Versicherung Lloyd's waren über 3500 Segelschiffe gemeldet.

Offiziere, Matrosen und Jungmänner zusammengenommen, fuhren rund 150 000 Mann auf den Windjammern zur See. Rechnet man noch all die Schiffszimmerleute, Stauer, Agenten, Direktoren und sonstigen Angehörigen der Hafenbetriebe hinzu, so lebten wohl rund 500 000 Menschen von diesen großen, stolzen Schiffen. Manche Windjammer gehörten finanziell gesunden, leistungs- und wettbewerbsfähigen Firmen mit Sitz in den großen Hafenstädten, von denen aus die Schiffe mit festen Verträgen über die Lieferung einer Ladung und die Übernahme einer anderen für die Heimreise in See gingen. Andere Schiffe von weniger soliden Firmen oder Einzelunternehmern verkehrten nicht auf festen Linien, sondern trampten von Hafen zu Hafen und legten überall dort an, wo es gerade etwas zu laden gab. Kaufmann, Kapitän, Offiziersanwärter und Matrose – sie alle waren in einem Erwerbszweig beschäftigt, der im Jahre 1898 einen Umsatz von 25 Millionen Dollar erzielte. Es war ein Geschäft, das gleichermaßen auf Wettbewerb wie auf Zusammenarbeit beruhte, das gewinnträchtig, riskant, einsam, romantisch – und unwiderstehlich war.

Während bis in die ausgehenden achtziger Jahre des vorigen Jahrhunderts die Amerikaner und die Briten die Segelschiffahrt beherrscht hatten, mußten sie gegen Ende des Jahrhunderts diese führende Stellung an andere Nationen abgeben. Die Vereinigten Staaten nutzten jetzt die Möglichkeiten ihrer neuen transkontinentalen Eisenbahn, kümmerten sich um die Erschließung der riesigen Gebiete im Innern ihres Landes und vernachlässigten die Seefahrt. Auf der anderen Seite des Atlantiks konzentrierten sich die britischen Schiffseigner auf den Dampfantrieb; die meisten Rahschiffe, die in den hervorragenden britischen Werften vom Stapel liefen, wurden ins Ausland verkauft, vor allem nach Frankreich, Deutschland, Italien und Skandinavien. Vor allem in diesen Ländern waren die Reedereien beheimatet, die den Windjammern zu ihrem unvergänglichen Ruhm verhalfen.

Zwei dieser Firmen verdienen es, besonders hervorgehoben zu werden: die deutsche Reederei F. Laeisz, für die die großen Kapitäne Hilgendorf und Miethe segelten, und die französische Firma Antoine-Dominique Bordes et Fils. Sie zeichneten sich nicht so sehr durch ihre Größe aus. Um 1900 segelten rund 200 Schiffe unter französischer Flagge, aber nur etwa 40 davon gehörten Bordes; Laeisz war eine noch kleinere Reederei, mit einer Flotte von selten mehr als 16 Schiffen. Aber obwohl sie nie zu den größten gehörten, zeichneten sich beide Firmen besonders aus – die deutsche durch die ans Wunderbare grenzende Präzision und Zuverlässigkeit ihrer Operationen auf See und zu Lande, die französische durch ihren gallischen Elan und durch Schiffe, die ebenso schön wie schnell und seetüchtig waren. Und beide Firmen erwarben Ruhm und Reichtum durch ihr kluges und rechtzeitiges Einsteigen in die Salpeterfahrt zwischen Europa und Chile.

Salpeter gehörte so ungefähr zu den unangenehmsten Ladungen, die man sich damals vorstellen konnte. Er war ungesund, feuergefährlich und, pulverisiert und für die Verschiffung in Säcke abgepackt, sehr schwer. Aber zwischen 1890 und 1914 bedeutete er auch eine der gewinnträchtigsten Ladungen; die europäischen Landwirte verbrauchten jährlich 500 000 Tonnen Salpeter als Kunstdünger, und säbelrasselnde Politiker verlangten weitere Tausende von Tonnen zur Herstellung von Sprengstoffen. Europa hatte selbst nur geringe Natriumnitratvorkommen. Die einzige ergiebige Bezugsquelle lag Tausende von Seemeilen entfernt, in den Wüsten von Chile, einem Land, das so unfruchtbar und öde war, daß sogar die normalerweise zähen und anspruchslosen Mulis oft genug erschöpft zusammenbrachen, wenn sie mit Salpetersäcken beladen den 80 Kilometer weiten Treck von den Salpetergruben zu den wartenden Schiffen ohne ausreichende Versorgung mit Futter und Wasser bewältigen sollten.

Die Küste war so unwirtlich wie die landeinwärts gelegenen Berge. Sie wurde von Erdbeben und gelegentlichen Springfluten heimgesucht. Häufiger traten die nicht weniger bedrohlichen Nordwinde auf – jähe, sehr heftige Stürme, die oft mit Windgeschwindigkeiten von bis zu 150 Kilometern je Stunde hereinbrachen; sie konnten ein ankerndes Schiff losreißen oder ein unzureichend mit Ballast stabilisiertes Schiff kentern lassen und damit einen überfüllten Ankerplatz in ein heilloses Durcheinander hilflos treibender Schiffe verwandeln. Hinzu kamen noch die Gefahren der Brüllenden Vierziger und der Gewässer um Kap Horn, die jedes Schiff passieren mußte, um nach Chile und wieder in die Heimat zurückzugelangen.

Um solchen Gefahren zu begegnen, brauchte man solide, seetüchtige Schiffe, und um auf dem hartumkämpften Markt Erfolg zu haben, bedurfte es einer straffen Organisation. Von ihren Stammhäusern in Hamburg und Paris aus achteten die Firmen Laeisz und Bordes auf beides.

Die Firma Laeisz wurde 1825 von dem Patriarchen Ferdinand B. Laeisz gegründet, einem klugen Unternehmer, der mit dem Verkauf von Seidenhüten in Hamburg begann und sich schon bald einen neuen Markt in Südamerika erschloß, wohin immer mehr Deutsche auswanderten. Später weitete er dann seinen Handel auch auf andere Güter aus. Als 1852 sein damals 24 Jahre alter Sohn in das väterliche Unternehmen eintrat, hatte es sich zu einem allgemeinen Exportgeschäft entwickelt – und schon bald danach begann man, die Ausfuhrgüter mit eigenen Schiffen in alle Welt zu verfrachten. Vater und Sohn investierten zunächst recht zurückhaltend in diesen neuen Geschäftszweig, indem sie 1856 den 22 Jahre alten hölzernen Schoner *Sophie und Friedericke* kauften. Aber noch im selben Jahr trafen sie eine Entscheidung von größerer Tragweite: Sie ließen sich nach eigenen Angaben eine 43 Meter lange Bark bauen. Das Schiff sollte Carls junger Frau zu Ehren auf den Namen „Sophie" getauft werden.

Sophie, Tochter eines wohlhabenden Hamburger Schiffsmaklers, wurde wegen ihres üppig gelockten Haars mit dem Kosenamen „Pudel" gerufen. In einem liebevollen Scherz nannten deshalb Vater und Sohn ihr neues Schiff *Pudel*, und das sollte durch Zufall oder Absicht der Beginn einer der Familie Laeisz vorbehaltenen Variante des seemännischen Brauches werden, allen Schiffen einer Reederei irgendwie verwandte Namen zu geben. Sir William Garthwaite beispielsweise, der Besitzer der britischen Firma Marine Navigation, taufte seine Schiffe auf Namen, die mit derselben Silbe wie sein eigener Name anfingen – zum Beispiel *Garthforce, Garthgarry, Garthneill, Garthsnaid* und *Garthwray*. Die Alaska Packers' Association *(S. 149)* nannte all ihre Schiffe „stars" (Sterne): *Star of Bengal, Star of India, Star of Greenland, Star of Italy*. Bei der Familie Laeisz sollte seit dem Stapellauf der *Pudel* der Anfangsbuchstabe P das gemeinsame Erkennungszeichen werden. Als die Firma eine Bark namens *Flottbek* erwarb, wurde diese in *Professor* umgetauft; ein anderes Schiff, *Aminta*, erhielt den Namen *Pluto*. Mit der Zeit bürgerte sich für die Schiffe der Reederei Laeisz die Bezeichnung „P-Liner" ein, und als die Firma sich einen Ruf für Schnelligkeit erwarb, wurden daraus die „Flying P-Liner".

Innerhalb eines Jahrzehnts wuchs die Laeisz-Flotte auf sechs Schiffe an, und 1870 waren es bereits 16. Von da an änderte sich zwar die Zahl der Schiffe nicht mehr wesentlich, doch die Tonnage nahm erheblich zu. Die 16 Schiffe des Jahres 1870 hatten insgesamt eine Tonnage von 6700. Zwei Jahrzehnte später war die Anzahl der Schiffe auf 15 gesunken – die Tonnage jedoch auf 18 245 gestiegen. Fortan nahm die Tonnage laufend zu, auf 30 229 im Jahre 1900 und 39 485 im Jahre 1910. Der Hauptgrund für diese gewaltige Kapazitätsausweitung lag natürlich in der Einführung der riesigen, stählernen Windjammer seit Mitte der achtziger Jahre.

Diese Schiffe waren nicht nur groß, sie waren auch technisch auf dem neuesten Stand und bestens ausgerüstet. Sie führten verbesserte Ladewinden und stärkere dampfgetriebene Hilfsmaschinen, die einen Teil der Schwerarbeit beim Be- und Entladen der Schiffe überflüssig machten.

Bei Laeisz legte man Wert darauf, gute Schiffe auch mit guten Besatzungen auszustatten. Carl Laeisz' Anweisungen an seine Kapitäne, die er 1892

Man sieht es dem gütig lächelnden Ferdinand B. Laeisz nicht an, daß er ein kühler Rechner und genialer Geschäftsmann war. Er gründete die Hamburger Reederei, die über vier Generationen unter seinem Namen Windjammer um die Welt segeln ließ. Bis 1880 hatten ihn seine Flying P-Liner zu einem schwerreichen Mann gemacht. Er ließ Hamburg großzügig an seinem Wohlstand teilhaben, indem er für die Armen mietfreie Wohnhäuser und für die Reichen ein aufwendiges Opernhaus baute.

Mit der Flagge der Freien und Hansestadt Hamburg an der Besangaffel liegt die Bark „Pudel" – der erste von Ferdinand Laeisz' Flying P-Linern – auf diesem Gemälde aus dem Jahre 1858 im städtischen Schwimmdock auf der Elbe. Das Schwimmdock, mit dem man ein Schiff aus dem Wasser heben konnte, war eine neue Errungenschaft Hamburgs; da man das Schiff nicht mehr kielzuholen brauchte, um die beiden Rumpfseiten zu säubern, verringerte sich die Liegezeit des Schiffes um die Hälfte.

eigenhändig niederschrieb, begannen mit einer Feststellung, die einen indirekten Befehl beinhaltete: „Meine Schiffe können und sollen schnelle Überfahrten machen." Im Anschluß an Anweisungen für sorgfältigste Pflege und Instandhaltung seiner Schiffe schrieb er: „Nächst dem navigatorischen Geschick lege ich größten Wert auf Sparsamkeit." Verschwendung irgendwelcher Art wurde nicht geduldet: Segel, Masten, Spieren, Tauwerk und alles andere, was bei der Rückkehr nach Hamburg beschädigt war, mußte nach Möglichkeit instand gesetzt werden. Wo sich aber die Ersatzbeschaffung nicht umgehen ließ, mußten die neuen Gegenstände im Inland bei vertrauenswürdigen deutschen Herstellern gekauft werden, damit die sparsame Firmenleitung ein wachsames Auge auf die Preise haben konnte.

Aber auch die Kapitäne der Firma Laeisz mußten strengen Anforderungen genügen. „Meine Kapitäne dürfen nie unter Alkoholeinfluß stehen", schrieb Carl Laeisz in seinen Anweisungen, „jede gegenteilige Information, die mir zu Ohren kommt, zieht die sofortige Entlassung nach sich." Im Hamburger Stammhaus wurde ein vertrauliches „Kapitänsbuch" unter Schloß und Riegel verwahrt, in dem freimütige Urteile über die einzelnen Schiffsführer vermerkt waren – knappe Belobigungen wie „hervorragender Seemann", „Spitzenklasse", „zur Beförderung vorgesehen" oder auch weniger günstige Urteile wie „aggressiv", „Agitator" oder sogar „unbrauchbar". Es ist anzunehmen, daß ein als unbrauchbar eingestufter Mann keinen Vertrag für eine zweite Reise erhielt.

Die Besatzungen wurden ebenfalls sorgfältig ausgesucht und streng überwacht. Ein Seemann, der sich etwa einem Befehl widersetzt hatte oder auf Wache eingeschlafen war, mußte damit rechnen, daß sein Vergehen und die dafür festgesetzte Strafe (bei der es sich um eine empfindliche Geldstrafe handeln konnte, die ihm von seiner Heuer abgezogen wurde) ins Logbuch eingetragen und ihm vor Zeugen vorgelesen wurde, die anschließend den Eintrag durch ihre Unterschrift beglaubigten. Der Betreffende wußte auch, daß der Inhalt des Logbuchs zur Laeisz-Zentrale in Hamburg übermittelt wurde und daß die Geschäftsleitung bei wiederholten Vergehen seine Entlassung im nächsten Hafen anordnen konnte. Mit einem Wort, es herrschte in der Firma eine Disziplin, die zwar streng, aber durchaus gerecht und niemals willkürlich oder grausam war.

Soviel Sorgfalt und unternehmerisches Fingerspitzengefühl zahlte sich schließlich auch aus – in Form seemännischer Bestleistungen der außerordentlich tüchtigen Offiziere und Besatzungen und in Form eines in die Millionen gehenden Gewinns, dessen überwiegender Teil mit der Salpeterfahrt erwirtschaftet wurde. Vater und Sohn Laeisz hatten den entscheidenden Beschluß, sich auf Salpeter zu spezialisieren, im Jahre 1867 gefaßt, gerade zu der Zeit, als die europäischen Landwirte und Fabrikanten einen unerschöpflichen Bedarf an dieser Chemikalie zu entwickeln begannen. Als die Firma Laeisz sich daraufhin ganz auf die Salpeterfahrt konzentrierte, zog auch in die heißen, verschlafenen chilenischen Hafenstädte etwas von der Gründlichkeit und Tüchtigkeit ein, die für die gesamte Tätigkeit dieser Reederei so charakteristisch war.

Im allgemeinen galten zwei Monate als gute Umschlagszeit in einem chilenischen Hafen, öfter wurden aber drei Monate daraus. Doch den auf Eile bedachten deutschen Kaufleuten war der Schlendrian in den chilenischen Häfen ein Dorn im Auge. Als erstes stellten sie genaue Pläne für Ankunft und Auslaufen auf, wobei sie die Seezeit nicht den Launen ihrer Kapitäne überließen. Um weiterhin die Einhaltung dieser Pläne sicherzustellen, stationierten sie in den Häfen Pisagua, Iquique, Tocopilla und Taltal ständige Agenten, die dafür zu sorgen hatten, daß die Interessen der Firma Laeisz gewahrt wurden – notfalls auch dadurch, daß sie sich die Hafenbeamten mit Kisten vorzüglichen Hamburger Bieres gewogen machten.

Die Laeisz-Agenten mußten sich unter anderem darum kümmern, daß stets genügend Leichter zur Verfügung standen – jene flachgehenden Lastschiffe, die in Häfen ohne Kaianlagen die Ladung zum und vom Schiff transportierten. Sobald das Schiff vor Anker gegangen war, begannen die Besatzungen der P-Liner damit, die Ladeluken zu öffnen, das Ladegeschirr betriebsbereit zu machen und die Winden auf ihre Funktion hin zu prüfen. Prompt erschienen darauf die ersten Leichter längsseits. Die Ladung aus Europa wurde gelöscht und der Salpeter eingenommen. Nach einer Woche oder zehn Tagen, wenn der Umschlag fast beendet war, wurde das Schiff bereits wieder klar zum Auslaufen gemacht; die Besatzung setzte die Marssegel und manövrierte das Schiff langsam aus der Reede heraus, während noch die letzten Salpetersäcke von dem längsseits vertäuten Leichter übernommen wurden. Da die Laeisz-Schiffe auf diese Weise sofort die gesamten Leichter eines Hafens mit Beschlag belegten, kaum daß sie eingelaufen waren, mußten Konkurrenten sich oft damit abfinden, daß sie tagelang nicht bedient wurden, während die Deutschen ihre Ladung löschten, die neue Ladung an Bord nahmen und wieder verschwanden.

Einen weiteren Vorteil sicherten sich die Deutschen dadurch, daß sie einen Weg fanden, das Verstauen der Salpetersäcke in den Laderäumen so zu beschleunigen, daß es im günstigsten Fall nur noch ein Achtel der üblichen Zeit in Anspruch nahm. Das Stauen der Ladung war eine Aufgabe, die erstaunlich viel Erfahrung und Geschick erforderte. Der pulverisierte Salpeter verfestigte sich, wenn er länger stand, wodurch die schreckliche

Nachdem in einem Nordsturm, der am
2. Juni 1903 die chilenische Küste heim-
suchte, seine Festmacheleinen gebrochen
waren, treibt der britische Windjammer
„Foyledale" im Hafen von Valparaiso
hilflos inmitten seiner über Bord gerutsch-
ten Holzladung. Ein Stück weiter liegt ein
anderes Schiff schräg auf den Steinen, und
am Ufer drängen sich die Neugierigen.
Die Gewalt des Sturmes, in dem noch
30 weitere Schiffe verlorengingen und
90 Menschen – darunter Frau und Tochter
des Kapitäns der „Foyledale" sowie sechs
Mann ihrer Besatzung – ums Leben kamen, ist sogar auf diesem alten, unbehol-
fen retuschierten Photo zu erkennen.

Gefahr eines Übergehens der Ladung praktisch ausgeschlossen wurde. Aber
die Säcke – von denen jeder rund zwei Zentner wog – mußten für die
Verschiffung kunstreich gestaut werden; wenn man sie nur irgendwie in
den Laderaum warf, konnte die Trimmlage eines durchaus seetüchtigen
Schiffes so beeinflußt werden, daß es sich in eine unstabile Hulk
verwandelte, die sich bei einem Sturm nicht wieder aufrichtete. Deshalb
wurden die Säcke in säuberlichen Pyramiden in der Schiffsmitte gestapelt,
so daß sich das Hauptgewicht in der Längsachse des Schiffes befand.

Der chilenische Stauer, der diese Pyramide bauen mußte, lief mit einem
Sack auf den Schultern durch den Laderaum, bis er genau die richtige Stelle
erreicht hatte. Dort warf er mit einer ruckartigen Bewegung den Sack ab, und
zwar so, daß dieser sofort genau an der richtigen Stelle lag und um keinen
Zentimeter mehr versetzt zu werden brauchte. Wenn das Schiff seinen
Bestimmungshafen erreicht hatte, mußte man die Pyramiden mit Spitzhak-
ken aufbrechen, weil der Salpeter unterwegs hart geworden war.

In den 30 Jahren ihrer Zusammenarbeit mit den europäischen Salpeter-
kaufleuten wachten die chilenischen Stauer über die Wahrung ihres
Privilegs und bestanden darauf, daß jeweils nur einer von ihnen ein ganzes
Schiff belud. Das war alles gut für die gemütlichere Gangart der alten Zeiten,
als der Salpeter noch nicht so gefragt war und die Segelschiffe sich Zeit
lassen konnten. Aber von 1895 an konnte schon ein mittelgroßer Windjammer über 30 000 Sack aufnehmen – eine Ladung, für deren Unterbringung im
Laderaum ein einzelner Stauer fast einen Monat brauchte.

Die Firma Laeisz änderte nichts an der grundlegenden Technik – die war
bewährt und narrensicher. Aber mit beharrlichem Zureden – und zweifellos
auch zahlreichen gut plazierten Kisten Bier – gelang es ihren Agenten, die

Stauer zur Aufgabe ihres Grundsatzes „ein Mann pro Schiff" zu bewegen, so daß nun jeweils sechs bis acht Mann ein Schiff beluden. Mindestens zwei von ihnen stapelten nun in jedem Laderaum die Säcke, und alle Laderäume wurden gleichzeitig bedient. Durch diese eine, scheinbar geringfügige Änderung wurde der Salpeterhandel revolutioniert. Man maß die Liegezeit in den Salpeterhäfen – zumindest bei den P-Linern – schon bald nach Tagen anstatt nach Wochen oder Monaten. Die stets auf Eile drängenden Kapitäne von Laeisz kehrten dann auf dem schnellsten Wege heim nach Hamburg – um bald darauf abermals zur gleichen Rundreise auszulaufen.

Mit vielen ihrer Überfahrten stellten sie neue Rekorde auf. Im Jahre 1895 ließ sich Laeisz den ersten Fünfmaster bauen, die wundervolle Bark *Potosi* mit einem meisterhaft konstruierten Rumpf, der zur Aufnahme des ungeheuren Gewichts von 6000 Tonnen Salpeter in Laderäumen mit einer Kapazität von rund 4000 Bruttoregistertonnen eigens verstärkt war, einem 65 Meter hohen Großmast und schweren Rahen, an denen übergroße Segel mit einer Gesamtfläche von über 5000 Quadratmetern gesetzt werden konnten. Gleich von Beginn ihrer Jungfernfahrt an, unter dem berühmten Kapitän Hilgendorf, machte die *Potosi* durch ihre Schnelligkeit von sich reden. Sie beendete die Überfahrt nach Chile in der erstaunlich kurzen Zeit von 66 Tagen; der bis dahin gültige Rekord hatte bei 74 Tagen gelegen, und die Durchschnittszeit betrug damals rund 80 Tage.

Unter Hilgendorf und seinen Nachfolgern brachte die *Potosi* hervorragende Überfahrten ein. Im Jahre 1900 erzielte sie auf einer Rekord-Überfahrt von 55 Tagen nach Valparaiso ein Etmal von nicht weniger als 378 Seemeilen – legte also innerhalb von 24 Stunden eine Strecke von ungefähr 700 Kilometern zurück. Einmal lief sie elf Tage mit einer durchschnittlichen Fahrt von 11,2 Knoten – eine Leistung, die nur ganz wenige andere Segelschiffe je erreichten.

Nicht alle Überfahrten eines Schiffes konnten gleich schnell sein, denn das Wetter ließ sich nie vorhersehen, aber die Windjammer von Laeisz liefen mit bemerkenswerter Gleichmäßigkeit. Während die meisten vergleichbaren Schiffe innerhalb von zwei Jahren nur drei Rundreisen nach Chile schafften, brachten es die P-Liner auf vier.

Hinzu kam, daß die P-Liner erstaunlich selten Havarie oder Schiffbruch erlitten. In diesem Gewerbe, das so oft mit Gefahr und Katastrophen in Verbindung gebracht wird, gerieten die Laeisz-Schiffe, die äußerst stabil gebaut waren und bestens bemannt und instand gehalten wurden, kaum einmal in ernstliche Schwierigkeiten. Kurioserweise bestand eine der größten Gefahren für die Laeisz-Schiffe – und andere Schnellsegler – in der notorischen Unfähigkeit von Dampferkapitänen, die wahre Geschwindigkeit der Windjammer richtig zu schätzen. Die Dampferkapitäne nahmen stets an, diese großen Segler liefen die für Segelschiffe üblichen sechs Knoten, während sie in Wirklichkeit 12 bis 14 Knoten machten. Eine solche Fehleinschätzung führte oft zu Kollisionen, und eine vielbefahrene Wasserstraße wie der Ärmelkanal konnte zuzeiten gefährlicher sein als Kap Horn.

Dies alles wurde einem anderen berühmten Giganten der Firma Laeisz, der *Preußen,* zum Verhängnis. Sie war ein Fünfmastvollschiff – der einzige Fünfmaster mit Rahsegeln an allen Masten – und ein Schiff, dessen Beschreibung voll von Superlativen ist *(S. 77–80).* Möglicherweise war sie auch der schnellste Windjammer; sie lief zwar nie ein Rennen gegen ein anderes Schiff, aber sie segelte einmal in der Rekordzeit von 57 Tagen vom Ärmelkanal nach Iquique.

Doch die *Preußen* sollte nur acht Jahre laufen, von 1902 bis 1910. Welch großer Gefahr die schnellen Windjammer im Ärmelkanal ausgesetzt waren, wurde aller Welt auf tragische Weise vor Augen geführt, als die *Preußen* 1910 mit einem Dampfer zusammenstieß, der ihre Geschwindigkeit falsch eingeschätzt hatte. Sie verlor das Vorgeschirr, und der Vortopp brach über

Die mächtige „Preußen", Königin der See

Im Jahre 1902 lief auf der Werft von Joh. C. Tecklenborg in Geestemünde das größte und modernste Segelschiff vom Stapel, das jemals gebaut wurde – ein Fünfmastvollschiff, das die Firma Laeisz in Auftrag gegeben hatte und das der Prototyp für eine neue Generation von Superseglern werden sollte.

Es war die mächtige *Preußen (unten),* die schon bald in aller Welt als „Königin der Meere" bekannt wurde. Mit ihrem gewaltigen Deplacement von 11 150 tons wurde sie von der Londoner Versicherung Lloyd's in die größte Schiffsklasse eingeordnet. Ihr gigantischer Rumpf maß vom Bug zum Heck 132 Meter, sie war 16,4 Meter breit, und ihre Bordwand war vom Kiel bis zum obersten Deck fast 10 Meter hoch. Doch trotz dieser gewaltigen Ausmaße war sie das Musterbeispiel eines wirtschaftlichen Schiffes. Die *Cutty Sark,* der berühmteste der älteren Teeklipper, konnte bei einer Besatzung von 35 Mann 1330 tons Ladung befördern, die Preußen mit 45 Mann fast 8000 tons und damit sechsmal soviel.

Hinzu kam, daß sie, wie so viele Windjammer, für ihre Größe erstaunlich schnell war. Mit maximal 48 Segeln an und zwischen ihren fünf Stahlmasten – deren höchster vom Fuß bis zum Flaggenknopf 68 Meter maß – hatte die *Preußen* eine Segelfläche von 5560 Quadratmetern. Bei steifer Brise übten diese Segel eine Vortriebskraft aus, die über 6000 PS entsprach und das Schiff eine Geschwindigkeit von 17 Knoten erreichen ließ. Einmal, an einem Tag des Jahres 1903 im Südatlantik, erreichte die *Preußen* ein Etmal von 368 Seemeilen, was einer Durchschnittsfahrt von fast 15,3 Knoten entspricht. Selbst ihre

normale Fahrt, je nach Windstärke sechs bis acht Knoten, wurde auch von den meisten Trampdampfern der damaligen Zeit nicht übertroffen.

Die *Preußen* sollte das einzige Fünfmastvollschiff bleiben, das je gebaut wurde. Die Weiterentwicklung des Dampfantriebs im ersten Jahrzehnt unseres Jahrhunderts sowie ein drastischer Anstieg der Baukosten machten solch riesige Rahschiffe zu einer riskanten Investition. Doch die *Preußen* selbst hätte gut und gerne jahrzehntelang ihren Dienst versehen und Gewinne abwerfen können, wäre ihr nicht acht Jahre nach ihrem Stapellauf ein fatales Unglück widerfahren.

An einem nebligen Abend im November 1910, als die *Preußen* mit einer Ladung Klaviere für Chile an Bord mit guter Fahrt den Ärmelkanal passierte, rammte sie einen kleinen britischen Dampfer, der ihre Geschwindigkeit unterschätzt und gegen alle Vorschriften der Seestraßenordnung versucht hatte, vor ihrem Bug vorbeizulaufen. Das Unglück geschah vor der englischen Küste, und der riesige deutsche Windjammer, der am Bug stark beschädigt war, versuchte sofort, angesichts eines aufkommenden Sturmes einen sicheren Hafen anzulaufen. Aber das Unglück nahm seinen Lauf. Da das Vorgeschirr der *Preußen* abgerissen war, konnte sie nicht gegen den Wind aufkreuzen, und tags darauf um 4 Uhr 30 nachmittags wurde sie unweit der Klippen von Dover auf den Strand getrieben, wo der Sturm ihr dann den Rest gab.

Während die *Preußen* wie die ältesten Seeschiffe den Wind als Hauptantriebskraft nutzte, entsprach sie in Konstruktion

PREUSSEN

und Ausstattung den neuesten Errungenschaften der Schiffbautechnik. Zum Brassen ihrer Rahen – von denen drei über 30 Meter lang waren – hatte sie an Deck beim Groß-, Kreuz- und Achtermast (dem sogenannten Laeiszmast) die neuen, von Jarvis entwickelten, von Hand bewegten Braßwinden. Ihr stehendes Gut mit einer Länge von insgesamt 10 860 Metern bestand aus besten westfälischen Stahltrossen, und 30 670 Meter laufendes Gut mit nicht weniger als 1260 Blöcken wurden zum Bedienen der Segel gebraucht.

Zwei mit Kohle beheizte Dampfkessel, deren Dampf zur Ersparnis von Kesselspeisewasser kondensiert und zurückgeleitet werden konnte, waren in einem Kesselhaus am Fockmast untergebracht. Mit dem Dampf wurden Pumpen angetrieben, die in der Stunde 65 Kubikmeter Wasser aus der Bilge pumpen konnten; dieselben Dampfmaschinen dienten auch zum Betätigen der Lade- und Fallwinden. Das Ruder der *Preußen* war so riesig, daß für besondere Fälle eine Rudermaschine installiert

war – die jedoch nach Aussage der Besatzung so gut wie nie in Betrieb genommen wurde.

Die *Preußen* hatte mittschiffs beim Kreuzmast ein Brückendeck, in dem Kapitän und Besatzung untergebracht waren und das außerdem als Wellenbrecher gegen überkommende Seen fungierte. Von der Brücke aus führten Laufbrücken nach vorn und achtern, so daß auch bei gröbstem Wetter Back und Poop für die Besatzung zugänglich waren.

Vom Hauptdeck führten Luken zu drei riesigen, der Ladung vorbehaltenen Decks hinunter: dem Unterdeck, dem Orlopdeck und dem Laderaum. Fünf offene Querschotten – wasserdichte Schotten wären beim Laden hinderlich gewesen – stützten unter den Masten den Rumpf, trugen so zu dessen Stabilität bei und absorbierten einen Teil der Zugbelastung durch die Wanten. Ein Doppelboden mit Zellen versteifte den Rumpf und verringerte die Gefahr einer Katastrophe, falls das Schiff leckschlagen sollte.

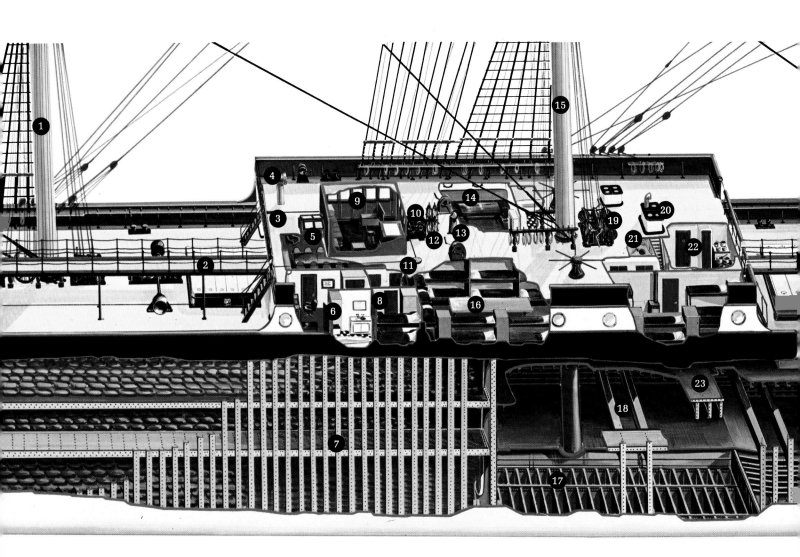

1. ACHTERMAST (LAEISZMAST)	15. KREUZMAST	29. GROSSMAST
2. LAUFBRÜCKE	16. MANNSCHAFTSLOGIS	30. LADEBAUM
3. BRÜCKENDECK	17. WASSERBALLASTTANKS	31. DAMPFWINDE
4. LÜFTER	18. ZWISCHENDECKSTRÄGER	32. GROSSLUKE
5. KAPITÄNSMESSE	19. JARVIS-BRASSWINDE	33. GANGSPILL
6. KAPITÄNSKAJÜTE	20. LUKE MIT LÜFTER	34. TANK FÜR DESTILLIERTES WASSER
7. SPANTEN	21. SEGELLAST	35. BRENNSTOFFVORRAT
8. OFFIZIERSKAMMER	22. KOMBÜSE	36. DAMPFMASCHINENPUMPE
9. KARTENHAUS	23. UNTERDECK	37. DECKSSTÜTZEN
10. RUDERMASCHINE	24. UNTERDECKSLUKE	38. QUERSCHOTT
11. KABEL ZUM RUDERQUADRANTEN	25. DOPPELBODEN MIT ZELLEN	39. DAMPFKESSEL
12. RUDERRAD	26. FRISCHWASSERTANKS	40. SCHORNSTEIN
13. KOMPASSHAUS	27. ERSATZSPIERE	41. FOCKMAST
14. OFFIZIERSMESSE	28. LENZPUMPE	42. POLLER

Der auf der obigen Zeichnung grau schattierte Bereich entspricht dem Abschnitt der „Preußen", der auf dieser Doppelseite dargestellt ist. Dazu gehören das Brückendeck sowie Fock-, Groß-, Kreuz- und Achtermast. Der fünfte Mast, der Besanmast, ist nicht mit abgebildet.

Mit vollen Segeln auf hoher See bot die *Preußen* einen majestätischen Anblick, doch ein Querschnitt durch ihren Rumpf unmittelbar vor dem Brückendeck zeigt eine ausgesprochen plumpe, lastkahnähnliche Form, die für die Aufnahme einer möglichst großen Ladung berechnet war. Wenn die Ladung – wie gewöhnlich – aus Chilesalpeter in Säcken bestand, wurden diese pyramidenförmig gestapelt, so daß der dem Gewicht entgegenwirkende Form- oder Deplacementsschwerpunkt des Schiffes weiter von der Mittschiffsebene entfernt angreifen konnte, damit das für die Stabilität entscheidende Metazentrum viel höher lag, als wenn man den Salpeter in den Laderäumen von Wand zu Wand verstaut hätte.

Die Außenhaut der *Preußen* bestand aus einander überlappenden Stahlplatten, die mit Nieten aneinander und an den Spanten des Rumpfes befestigt waren. Aus ähnlichen Platten bestanden auch die Decks, doch hatte das Oberdeck außerdem noch eine hölzerne Beplankung.

1. KREUZMAST

2. KARTENHAUS

3. MANSCHAFTSLOGIS

4. KOMBÜSE

5. OFFIZIERSKAMMERN

6. UNTERDECK

7. ORLOPDECK

8. LADERAUM

9. DECKSSTÜTZEN

10. STAHLPLATTEN

11. WASSERBALLASTTANKS

12. DOPPELBODEN MIT ZELLEN

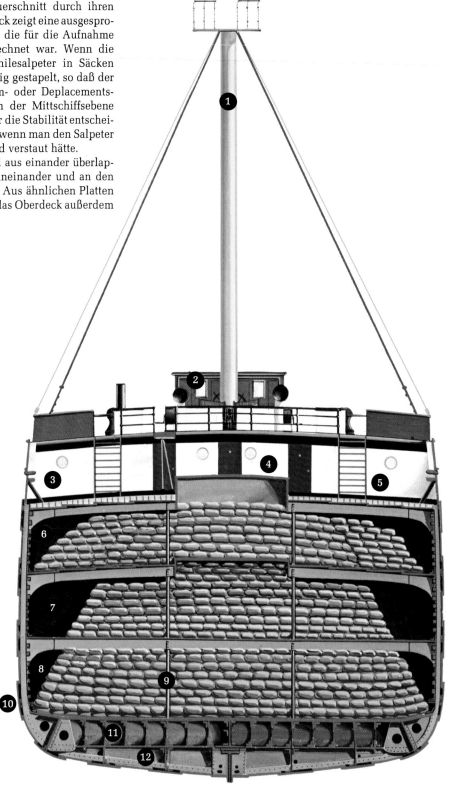

der Untermarsrah. Im aufkommenden Sturm wurde sie manövrierunfähig und lief schließlich auf eine Klippe östlich von Dover auf, wo sie dann später entzweibrach. Noch monatelang lag die *Preußen* als gespenstisches Wrack unter dem Leuchtturm von South Foreland.

Dank ihrer hervorragenden Segel- und See-Eigenschaften hatten die Laeisz-Schiffe in der Salpeterfahrt nur einen einzigen Konkurrenten unter ihresgleichen: die französische Firma Antoine-Dominique Bordes et Fils, ebenfalls ein Familienbetrieb.

Antoine, Sohn eines Landarztes, hatte sich schon als Junge in Schiffe und das Meer verliebt; mit 19 Jahren fuhr er zum erstenmal zur See, auf einer Reise nach Chile, und im Jahre 1867, im Alter von 51 Jahren, stieg er zum Chef seiner eigenen, zehn Segelschiffe umfassenden Flotte auf. Zwei Jahre später wurde der Suezkanal eröffnet, so daß die Dampfer nicht mehr Afrika zu umrunden brauchten und bald die Schiffahrt auf dem Mittelmeer beherrschten. Bordes ließ sich nicht abschrecken, investierte sein gesamtes schwerverdientes Kapital in 14 eiserne Barken, die er bei britischen Werften in Auftrag gab – und schickte sie westwärts nach Chile.

Bordes trat etwa zur selben Zeit in die Salpeterfahrt ein wie die Firma Laeisz. Aber die Salpeterlager waren scheinbar unerschöpflich, und der ständig wachsende Markt bot Platz für beide Firmen. In den chilenischen Häfen arbeitete Bordes weitgehend mit den gleichen Praktiken wie Laeisz und nahm eigene Lastkähne und Stauer unter Vertrag. Für andere Phasen der Überfahrten hatte er außerdem auch noch eigene Ideen. Unterwegs nach Chile, liefen mehrere Bordes-Schiffe zuerst Rio de Janeiro an, an der Ostküste von Südamerika, und löschten dort ihre Ladungen, die aus walisischer Kohle für die nagelneue brasilianische Eisenbahn bestanden. Da sie nun für den gefährlichen Rest der Überfahrt, die Umrundung von Kap Horn, keine Ladung hatten, lösten die Bordes-Schiffe das Ballastproblem dadurch, daß sie in eigens dafür konstruierte Behälter rund 1500 Tonnen Meerwasser pumpten und dann erst die Reise bis in die chilenischen Salpeterhäfen fortsetzten. Dort angekommen, genügte eine Drehung an einem Rad, und das Wasser wurde automatisch wieder ins Meer gespült.

Die Bordes-Schiffe waren nicht nur außerordentlich zweckmäßige Fahrzeuge, sondern auch ausgesprochen elegante und schöne Schiffe, und in mancher Hinsicht hatte es den Anschein, als seien sie ebenso für das Wohlbefinden von Offizieren und Mannschaft wie zur Beförderung von Fracht konstruiert und ausgerüstet worden. Selbstverständlich mußte es auf französischen Schiffen auch eine angemessene französische Küche geben, also zweimal am Tag Fleisch oder Fisch und dazu eine angemessene Ration Wein; für eine Reise nach Chile nahm beispielsweise ein 3000-Tonnen-Windjammer 15 Tonnen Wein für die 24köpfige Besatzung an Bord. Die Schiffe waren komfortabel: Sie hatten lange, geräumige Mannschaftsräume und lange Poops mit großen Kartenhäusern. Zudem waren sie in einer Farbenzusammenstellung gestrichen, die ihren graziösen Konturen angemessen war: hellgrau der Rumpf – ein so charakteristischer Farbton, daß er als „Französisch-Grau" bekannt wurde –, weiße Masten und Rahen und schwarzweiße aufgemalte Geschützpforten, ein Überbleibsel aus jenen Tagen, als die Piraten noch die Meere unsicher machten und es jedem Segelschiff nur nutzen konnte, sich als Kriegsschiff zu verkleiden. Nur wenige Schiffe konnten es an Schönheit mit diesen französischen Seglern aufnehmen. Offiziersanwärter William Jones, der die *Rhône* von Bordes in Iquique vor Anker liegen sah, als er an Bord der unscheinbaren *British Isles* einlief, fühlte sich zu folgender Schilderung gedrängt: „Neidlose Bewunderung erregte in uns der Anblick so schöner Schiffe, die wahrhaft zum Ruhm der Segelschiffahrt beitrugen und die Hoffnung nährten, es möchten auch künftig immer größere und bessere Segler gebaut werden."

Aber die Schönheit war nicht ihr einziger Vorzug. Bordes' Windjammer wurden von vorzüglichen Besatzungen geführt, die den besten deutschen Besatzungen in nichts nachstanden. Die Firma profitierte wie alle französischen Windjammer-Reedereien vom lebhaften Interesse der französischen Regierung, die der Meinung war, eine leistungsfähige Handelsmarine mit Segelschiffen und Dampfern sei für eine mächtige Nation ebenso unerläßlich wie eine starke Kriegsmarine. Auf Weisung der Regierung wurden französische Schiffe ausschließlich mit Franzosen bemannt, bis hinab zum einfachsten Schiffsjungen, was dazu führte, daß an Bord ein bemerkenswerter *esprit de corps* herrschte. Außerdem war vorgeschrieben, daß sich die Seeleute im Bedarfsfall als Reservisten der Kriegsmarine zur Verfügung stellen mußten – wofür sich der Staat mit einer Pension erkenntlich zeigte. Ein Angehöriger der Handelsmarine, der mindestens 25 Dienstjahre auf Handelsschiffen nachweisen konnte, erhielt im Alter von 50 Jahren ein staatliches Ruhegeld von jährlich 600 Franc.

Der französische Staat förderte aber auch auf andere, noch wirkungsvollere Weise seine Handelsmarine. Im Jahre 1881 begann die Regierung, der an einer Belebung der Ausfuhr lag, sowohl Schiffbau wie Schiffahrt zu subventionieren. Für ihre Überfahrten erhielt jede Reederei eine Prämie von einem Franc, 70 Centime je Bruttoregistertonne und je 1000 zurückgelegte Seemeilen – gleichgültig, ob das Schiff mit oder ohne Ladung lief. Das bedeutete, daß ein 3000-Tonnen-Schiff wie die *Jacqueline,* die die 13 000-Meilen-Überfahrt von Frankreich nach Australien und zurück machte, dafür eine staatliche Subvention von über 70 000 Franc erhielt. Es bedeutete auch, daß eine französische Bark weite Strecken in Ballast zurücklegen konnte und daß sie auch noch an wenig lukrativen Gütern wie beispielsweise Bohnen, Reis oder Hanfsamen verdiente. Gewinnträchtige Ladungen wie Salpeter, Kohle und Erdöl in Fässern waren natürlich für die französischen Reedereien noch profitabler als für ihre Konkurrenten.

Dank der staatlichen Unterstützung und eigener Tüchtigkeit florierte die Firma Bordes, und die Zahl ihrer Schiffe wuchs. Im Jahre 1882, als Antoines Söhne Adolphe, Alexandre und Antonin schon im väterlichen Geschäft mitarbeiteten, besaß die Firma Bordes 41 Windjammer. Sieben davon waren Riesensegler. Als Pionier unter ihnen galt die *France,* eine große stählerne Fünfmastbark von 6200 Tonnen, 1890 eigens für die Salpeterfahrt in einer britischen Werft erbaut. Sie hatte als erstes Schiff vier Dampfwinschen an jeder Ladeluke, wodurch es möglich war, innerhalb von elf Tagen 5000 Tonnen Kohle zu löschen und 5500 Tonnen Salpeter einzunehmen. Ihr einziger Schönheitsfehler lag darin, sich bei hohem Seegang plötzlich schwer überzulegen und sich nur ganz allmählich wieder aufzurichten. Aber sie richtete sich immer wieder auf und leistete ihren Eignern elf Jahre lang treue Dienste im Salpetertransport, so daß sie zu einer ernstzunehmenden Rivalin selbst für die besten Laeisz-Schiffe wurde.

Tatsächlich entwickelte sich auch beträchtliche Rivalität zwischen den beiden Firmen, und die Besatzungen ihrer Schiffe versuchten auf jeder Überfahrt – halb im Scherz, halb im Ernst –, die Rekorde des Konkurrenten zu unterbieten. Im Jahre 1896 lieferten sich die *France* und die *Potosi* von Laeisz ein Rennen, bei dem beide Schiffe praktisch gleich gut abschnitten. Die *France* beendete die Ausreise nach Iquique in 74 Tagen, die *Potosi* brauchte dafür 75 Tage; die Heimreise bewältigte die *France* in 71 und die *Potosi* in 69 Tagen. Die Firmenleitungen von Bordes und Laeisz, die von Paris und Hamburg aus die Rennen verfolgten, ermunterten ihre Kapitäne zu solchen Wettbewerben und zahlten ihnen Siegesprämien.

Nur wenige andere Firmen hatten bei solchen Rennen eine Chance. Einmal, als Kapitän Louis-François Bourgain von der Bordes-Bark *Hélène* in einem Café in Iquique saß, kam ein deutscher Kapitän, der nicht für Laeisz arbeitete, herein und erkundigte sich bei Bourgain, ob die *Hélène* tags darauf

Der entschlossen dreinblickende Antoine Dominique Bordes gründete 1867 die berühmteste französische Windjammer-Reederei. Von 1890 bis 1920 führten insgesamt 127 Windjammer stolz die Flagge mit seinen Initialen A. B.

auslaufen solle. Als Bourgain bejahte, wollte der Deutsche 500 Piaster darauf wetten, daß er vor der *Hélène* Hamburg erreichen werde. Bourgain lehnte hochmütig ab: „Der Kapitän der *Hélène* ist sich seines Sieges so sicher, daß es die reine Beutelschneiderei wäre, eine solche Wette anzunehmen." Wie nicht anders zu erwarten, war er dann tatsächlich 48 Stunden vor seinem Herausforderer in Hamburg.

Aber so glänzende Geschäfte die Firmen Laeisz und Bordes in dieser Epoche auch machen mochten, lag doch schon ein dunkler Schatten über der Segelschiffahrt, konnten doch die Dampfer einen immer größeren Anteil am Überseetransport für sich verbuchen. Im Jahre 1866 gab es ein rundes Dutzend Dampfschiffahrtsgesellschaften, die sich in der Überseeschiffahrt betätigten; bis 1890 hatte sich ihre Zahl annähernd verdoppelt, und sie beförderten 70 Prozent des gesamten Frachtaufkommens.

Daneben gab es auch noch eine ganze Reihe anderer Firmen, die noch am Segelschiff festhielten, und bei vielen von ihnen handelte es sich um Besitzer von Trampschiffen, Unternehmer mit so schwachem finanziellen Rückhalt, daß ihre Schiffe in notorisch heruntergekommenem Zustand, ihre Kapitäne oft ihrer Aufgabe kaum gewachsen waren und die Besatzungen dementsprechend schlecht behandelt wurden. Kummer und Strapazen waren das traurige Los derjenigen, die dazu verdammt waren, auf solchen Seelenverkäufern, wie sie genannt wurden, zu dienen.

Auf Schiffen, wo an allem gespart wurde, konnte die „Pfennigfuchserei" alle erdenklichen Formen annehmen. Ein Zweiter Steuermann, der sich 1910 zum Dienst auf dem britischen Windjammer *Terpsichore* meldete, erzählte später, daß er an Bord kam, als die Offiziere gerade mit dem Kapitän und dessen Frau beim Tee saßen. Nachdem man ihn ebenfalls zu Tisch gebeten hatte, nahm er sich eine Scheibe Zwieback und schickte sich an, sie mit Butter zu bestreichen. Da fuhr die Kapitänsgattin mit der scharfen Anweisung dazwischen: „Drehen Sie den Zwieback um!" Der Mann verstand erst nach einer Weile, daß er im Begriff gewesen war, den Zwieback auf der rauhen Schnittseite zu bestreichen. Die andere Seite hatte eine glatte Kruste und nahm deshalb nicht soviel Butter an. Er tat, wie ihm geheißen – aber das Schiff mußte ohne ihn auslaufen.

Ernstere Folgen zog die Sparsamkeit nach sich, die 1908 während einer Überfahrt von Portland, Oregon, nach Liverpool auf dem britischen Windjammer *Wavertree* herrschte. Die Eigner hatten dem Schiff nur Proviant für dreieinhalb Monate mitgegeben – obwohl sie genau wußten, daß die Überfahrt fast sechs Monate dauern würde. Als das an Bord befindliche Büchsenfleisch aufgebraucht war, mußten alle Mann – die Offiziere inbegriffen – von drei Stück Zwieback am Tag leben. Dann war auch der Zwieback alle, und die Besatzung ging dazu über, sich Weizen zu kochen – das Schiff hatte Getreide geladen. Schließlich ging auch der ebenfalls knapp bemessene Kohlenvorrat zum Beheizen des Kombüsenherdes zur Neige, und es blieb nichts anderes übrig, als sämtliche entbehrlichen Holzgegenstände an Bord, darunter auch eine Ersatzspiere, als Brennholz zu verheizen. Nachdem wochenlang Weizengrütze die einzige Nahrung an Bord gewesen war, bekamen viele Besatzungsmitglieder Skorbut, und der Kapitän mußte die Wachen abschaffen – so daß zum Elend der durch Hunger und Krankheit geschwächten Besatzung nun auch noch hinzukam, daß die Sicherheit vernachlässigt wurde. Erst drei Tagesreisen von Liverpool entfernt kam Entsatz in Gestalt eines Fischkutters, der der *Wavertree* einen Teil seines Fanges verkaufte. Selten hat eine Schiffsbesatzung mit solchem Appetit Fisch gegessen. „Wir hatten an dem Tag zwei Fischmahlzeiten und eine tags darauf zum Frühstück", erinnerte sich einer von ihnen.

Eine schäbige oder schlecht geführte Firma zog natürlich auch Kapitäne gleichen Kalibers an, die entsprechend schlecht bezahlt wurden und sich oft

Unter der französischen Trikolore, der A. B.-Flagge der Firma Bordes und einer blauweißen Flagge, dem „Blauen Peter", die anzeigt, daß es bald auslaufen wird, liegt das 3500-Tonnen-Schiff „Hélène" in Nantes vor Anker, während ein Seemann sich von seiner Braut verabschiedet. Die Bordes-Schiffe waren so schlank und graziös, daß ein Seemann, der zum erstenmal eines von ihnen auf hoher See sah, sich zu der Bemerkung veranlaßt sah: „Man konnte kaum glauben, daß sich hinter einem so anmutigen Äußeren Laderäume voller Kohle verbargen."

als ein Verhängnis erwiesen – sowohl für die Eigner, in deren Diensten sie standen, als auch für ihre bedauernswerten Besatzungen. Viele dieser Kapitäne sahen in Betrügereien und Schikanen ihre einzige Zuflucht. Sie fälschten Bücher, führten Ausgaben doppelt auf, nahmen Bestechungsgelder von Lieferanten an und belasteten das Konto ihres Schiffes manchmal mit den Kosten dringend notwendiger Reparaturen, die indes überhaupt nicht ausgeführt wurden. Und wie der Kapitän, so die Mannschaft. Die Offiziere, die Matrosen, die Offiziersanwärter, sie alle stahlen und betrogen, wann immer sich eine Gelegenheit dazu fand.

Kohleladungen eigneten sich für Betrügereien besonders gut, vor allem in chilenischen Häfen. Der Trick bestand darin, daß man den chilenischen Ladungsanschreiber übertölpelte, der das Löschen der Ladung zu beaufsichtigen hatte. Das konnte dadurch geschehen, daß ein Offiziersanwärter, der dem Schreiber „half", beim Wiegen der Säcke heimlich den Fuß auf die Waage stellte. Oder man lud den Schreiber ein, für einen gemütlichen Umtrunk oder eine kurze Siesta an Bord zu kommen, und überließ die Kontrolle derweil dem Steuermann. Wenn das in den Papieren angegebene Gesamtgewicht gelöscht war, erzählte ein Beobachter, „befanden sich seltsamerweise noch 50 oder mehr Tonnen Kohle im Laderaum. Waren womöglich die Gewichte in unserem Ladehafen nicht richtig geeicht gewesen? Wer konnte das wissen?" Die im Laderaum verbliebene Kohle wurde dann später von den Leuten verkauft, die das Betrugsmanöver verabredet hatten, ohne daß der Käufer irgendwelche Fragen stellte.

Noch raffinierter war ein Gaunertrick, von dem der Offiziersanwärter William Jones zufällig erfuhr, als sein Vollschiff *British Isles* von Chile nach Australien weitersegelte. Als er eines Abends im Hafen von Newcastle an Deck stand, beobachtete er, wie der Steuermann eines benachbarten Schiffes sorgfältig eine lange Festmacheleine an Deck aufschoß. Da das eine ungewöhnliche Beschäftigung für einen Steuermann war, wurde Jones neugierig. Als der Steuermann das Tau zu einer Rolle ausgelegt hatte, legte er das Ende über die Reling und ließ es bis dicht übers Wasser herabhängen. Anschließend ging er von Bord und ruderte ans Ufer.

Jones stand immer noch an Deck, als ungefähr eine Stunde später zwei Mann so unauffällig wie möglich mit einem Motorboot bei dem Schiff längsseits gingen. Es war schon so dunkel, daß Jones nicht zu erkennen vermochte, ob einer von beiden der Steuermann war. Wie auch immer, einer der Männer packte das lose herabhängende Tau, während der andere das Boot steuerte. Das über 160 Meter lange, kostbare Tau wickelte sich glatt ab und wurde von dem Boot ans Ufer geschleppt, wo die beiden es dann dem Kapitän eines anderen Schiffes oder womöglich sogar wieder an das Schiff, von dem sie es gestohlen hatten, verkaufen würden. Wie Jones später erfuhr, waren solche Diebstähle in fast allen Häfen gang und gäbe.

Ein Windjammer, der die britische Handelsflagge gesetzt hat, wird von zwei Raddampfern in den Hafen von Dünkirchen geschleppt, den Heimathafen der Bordes-Windjammer, von denen einer am Kai festgemacht hat. Um die Jahrhundertwende, als diese Aufnahme gemacht wurde, hatte die Firma Bordes ihren Hauptsitz in den blühenden Seehafen Dünkirchen am Ärmelkanal verlegt, um sich dadurch eine bessere Ausgangsbasis für die Verteilung der Salpeterladungen an die Landwirte im nördlichen Europa zu schaffen.

Diebische Offiziere schädigten nur ihre Schiffseigner. Solche jedoch, die dem Alkohol verfallen waren, stellten eine Gefahr für Schiff und Mannschaft dar und schikanierten ihre Leute, die ihnen monatelang ausgeliefert waren, oft auf unerträgliche Weise. Die unglaubliche Geschichte einer Weltumsegelung durch die britische Bark *Penrhyn Castle* wurde Jahre danach von Claude Woollard erzählt, der auf diesem Schiff als Zweiter Steuermann gedient hatte. Er schämte sich so für seinen Kapitän, daß er dessen Namen nicht ein einziges Mal erwähnte.

Das Schiff war kaum von Melbourne, Australien, nach Callao, Peru, mit einer Getreideladung an Bord in See gegangen, als der Kapitän und der Erste Steuermann zu trinken anfingen. In der zweiten Nacht auf See geriet das Schiff in einen furchtbaren Sturm. Die Bark, die mehr oder minder führerlos auf der tobenden See trieb, verlor fast ihre gesamten Segel. Dann ging die Ladung über, und sie bekam schwere Schlagseite. Die unteren Rahen tauchten ins Wasser ein, und schwere Sturzseen überspülten das Deck. Der in seinem Rausch vor Angst fast besinnungslose Kapitän verlor nun endgültig den Kopf. Er forderte die Besatzung auf, sich mit ihm in der Segelkoje zu verkriechen, und dort gab er an alle Whisky aus.

Nur durch die Besonnenheit und die zähe Ausdauer des Zweiten Steuermanns Woollard sowie dreier Offiziersanwärter wurde das Schiff gerettet. Diese vier weigerten sich, mit dem Kapitän mitzugehen, banden sich an Ruder und Takelage an und blieben die ganze Nacht an Deck. Den immer wieder überkommenden schweren Brechern trotzend, durchnäßt und frierend, gelang es ihnen, das überliegende, verkrüppelte Schiff einigermaßen mit dem Bug gegen Wind und See zu halten. Mitten in der Nacht tauchte der sinnlos betrunkene Kapitän an Deck auf und kam torkelnd ans Ruder, verlor jedoch das Gleichgewicht, schlitterte an der leeseitigen Reling entlang und zog sich fluchend wieder unter Deck zurück.

Bei Tagesanbruch ließ der Sturm nach, und einer der Offiziersanwärter ging unter Deck, um dem Kapitän zu melden, das Schlimmste sei überstanden. Aber der Kapitän lag der Länge nach auf einem Sofa im Salon. Er schlief seinen Vollrausch aus, desgleichen der Erste Steuermann und die übrige Besatzung. Erst am Spätnachmittag kamen sie allmählich wieder zu sich. Die nächsten zwei Tage überwachte der Kapitän das mühsame Neuverstauen der Ladung – und kehrte dann zur Flasche zurück, genau wie der Erste Steuermann und die Mannschaft. Abermals sah Woollard sich gezwungen, die Aufgaben von Kapitän und Steuermann gleichzeitig wahrzunehmen, und zwar nicht nur auf See, sondern auch dann, als das Schiff den Hafen erreicht hatte.

Vier Monate lag die *Penrhyn Castle* vor einer heißen, unwirtlichen peruanischen Insel, um eine Ladung Guano an Bord zu nehmen. Es verging kaum ein Tag, an dem sich die Offiziere und die Mehrheit der Besatzungsmitglieder nicht vollaufen ließen. Einmal wurde der Kapitän in seinem Rausch tobsüchtig und wollte über Bord springen; er entging nur deshalb dem Ertrinken, weil einige Matrosen ihn geistesgegenwärtig zurückrissen und unter einem Haufen nasser Jacken festhielten, bis er sich beruhigt hatte.

Fast täglich gab es böse Schlägereien. Ein Matrose, der bei einer Prügelei auf der Back den kürzeren gezogen hatte, wurde an Händen und Füßen gefesselt und mit dem Kopf nach unten hoch in die Takelage geheißt. Dort mußte er den ganzen Nachmittag in der tropischen Hitze hängen. Kein Offizier kam ihm zu Hilfe. Es war bei den Offizieren verpönt, sich in solche Auseinandersetzungen innerhalb der Besatzung einzumischen, es sei denn, daß ein Menschenleben auf dem Spiel stand. Deshalb hielt Woollard sich heraus, und der Erste Steuermann, betrunken wie immer, brachte den Nachmittag damit zu, alle Notsignalraketen abzufeuern, die an Bord waren. Kurz darauf brach er zusammen und mußte mit Delirium tremens in ein Hospital an Land gebracht werden.

Ein Yankee, der sich mit den Dampfern anlegte

„Meine Familie ist seit 1823 im Segelschiffbau tätig, und ich schmeichle mir, von diesem Geschäft soviel zu verstehen wie nur sonst irgendeiner in unserem Land." Dies erklärte der in Maine ansässige Schiffbauer Arthur Sewall im Jahre 1894, als er seine *Dirigo* von Stapel ließ, das erste stählerne Rahschiff, das in den Vereinigten Staaten erbaut wurde.

Für den bärbeißigen Sewall war es ein unerträglicher Gedanke, daß im Ausland erbaute Segelschiffe sich den Löwenanteil der amerikanischen Segelfracht sicherten. Zu einer Zeit, als die meisten amerikanischen Werften Dampfer zu bauen begannen, nahm deshalb die Firma A. Sewall & Co. als einziges amerikanisches Schiffbauunternehmen den Kampf gegen die großen stählernen Rahschiffe aus Europa auf.

Zum Entwurf und Bau der *Dirigo* machte Sewall erhebliche Anleihen bei den Briten; er holte sich Pläne, einen Aufseher und sogar die stählernen Schiffbauplatten aus England. Das nächste Sewall-Schiff, die 1898 von Stapel gelaufene *Erskine M. Phelps,* war jedoch schon ein Yankee vom Bugspriet bis zum Achtersteven.

Bis zu Sewalls Tod im Jahre 1900 hatte seine Werft schon sechs stählerne Windjammer gebaut, und in den nächsten Jahren baute sie drei weitere, die mit Getreide, Erdöl und Kohle aus Amerika sowie Zucker aus der amerikanischen Besitzung Hawaii Häfen der ganzen Welt anliefen. Im Jahre 1905 erwogen Sewalls Sohn und Neffe sogar den Bau einer riesigen stählernen Fünfmastbark als Rivalin für die deutschen Salpeterschiffe *Potosi* und *Preußen.*

Dieser Fünfmaster wurde dann aber doch nicht gebaut; in den folgenden Jahrzehnten wurden die Windjammer durch die Konkurrenz der Dampfer immer härter bedrängt, und das bekam auch Sewall zu spüren. Die Firma litt auch zunehmend unter dem Mangel an erfahrenen Seeleuten. „Kein Mensch will heute mehr auf einen Rahsegler", klagte der Kapitän der *Edward Sewall,* die im Februar 1916 in Norfolk, Virginia, gestrandet war. Bis zum Jahresende hatte dann Sewall die letzten seiner Segelschiffe abgestoßen.

Der als „Seefürst" bekannte Schiffbauer Arthur Sewall hatte Ambitionen, die noch über den erfolgreichen Einsatz seiner Windjammer hinausgingen; im Jahre 1896 ging er als Kandidat für die Vizepräsidentschaft mit William Jennings Bryan in den Wahlkampf, den sie jedoch verloren.

Die flaggengeschmückte „Edward Sewall" läuft unter Rauchentwicklung am 3. Oktober 1899 am Kennebec River in Maine von Stapel. Als hervorragender Schlechtwettersegler machte die Viermastbark mehrere gute Reisen unter der Sewall-Flagge. Eine Überfahrt von Honolulu nach Philadelphia, rund 14 000 Seemeilen, beendete sie beispielsweise in nur 107 Tagen.

Trotz dieser unbeschreiblichen Mißstände an Bord wurde der Guano schließlich doch noch eingenommen. Der Kapitän, der einen Ersatzmann für den im Krankenhaus liegenden Steuermann brauchte, hatte soviel Vernunft – oder Glück –, einen ausgezeichneten ehemaligen Kapitän namens Owens anzuheuern, der es verstand, für Disziplin an Bord zu sorgen. Unter seiner festen Hand änderte sich die Stimmung an Bord von einem Tag auf den anderen. Mit Owens als eigentlichem Kapitän segelte die *Penrhyn Castle* nach Antwerpen, wo der Kapitän sofort entlassen wurde.

Ein Kapitän, der bösartig war, konnte noch schlimmer sein als ein Trunkenbold. Zu diesem Typ gehörte T. E. L. Tindale, ein grausamer und launischer Mann, der von 1904 bis 1906 die britische Viermastbark *Inverness-shire* auf einer Weltumsegelung kommandierte, die unter einem denkbar schlechten Stern stand.

Keiner entging seiner boshaften Wut. Als das Schiff nach dem Verlassen Londons erst ein paar Wochen auf See war, setzte er in einem Anfall übler Laune seinen Zweiten Steuermann ab. Sein nächstes Opfer war der Dritte Steuermann, den er in Eisen legen ließ. In Valparaiso, wo das Schiff anlegte, um seine Ladung Kohle zu löschen, legten die Offiziersanwärter beim Kapitän formellen Protest ein, weil sie überarbeitet seien; Tindale reagierte, indem er sie anwies, ihre Quartiere bei den Offizieren im Achterschiff zu räumen und ins Vorschiff zu ziehen, wo die einfachen Matrosen ihre Hängematten aufhängten. Die Offiziersanwärter machten geltend, daß dies einen eindeutigen Verstoß gegen ihre Anstellungsbedingungen darstelle; Tindale antwortete darauf, indem er sie auf Wasser und Brot setzte und ihnen außerdem befahl, beim Löschen der 4000 Tonnen Kohle mit anzufassen. Als das Schiff schließlich in Iquique anlegte, um eine Ladung Salpeter einzunehmen, verweigerten zwölf Besatzungsmitglieder mit der Begründung die Arbeit, daß das Essen zu schlecht sei. Er ließ sie in Ketten legen. Als die *Inverness-shire* endlich wieder ihren Heimathafen erreichte, waren nach

Rostend und von der strapaziösen Kap-Horn-Umseglung gezeichnet, liegen hier zwei Windjammer – die „Rochambeau" (Mitte), 173 Tage von London, und die „William P. Frye" (ganz rechts), 139 Tage von Baltimore – im Jahre 1908 inmitten von Fähren und Dampfern am belebten Howard-Street-Kai von San Francisco. Hunderte von Windjammern löschten jedes Jahr in San Francisco ihre Ladung; es war Anfang unseres Jahrhunderts der drittgrößte Hafen der Welt, gemessen an der Zahl der dort abgefertigten Schiffe.

und nach 87 Besatzungsmitglieder ausgewechselt worden – und die an Bord befindliche Mannschaft verweigerte die Arbeit. Nun endlich wurde Kapitän Tindale von den Schiffseignern entlassen.

Leider traf man solche Fälle rücksichtsloser Mißwirtschaft nicht selten, denn die Segelschiffahrt war ein hartes, gefährliches Handwerk, das in den Männern entweder die besten oder die schlechtesten Eigenschaften zum Vorschein brachte. Auf der amerikanischen Bark *Commodore T. H. Allen* wurde 1809 ein Matrose, der dem herrschsüchtigen Dritten Steuermann widersprach, mit solcher Wucht an die Reling geschleudert, daß er sich die Schulter verrenkte. Als er sich beim Kapitän beschweren wollte, wurde er eingesperrt; die einzige Behandlung für seine Schulter bestand in einer Dosis Salz. Ein sadistischer französischer Kapitän, der in Nantes unter dem Beinamen *Oiseau Noir* (Schwarzer Vogel) bekannt war, wurde einmal derart wütend über seinen eigenen 18jährigen Sohn, der auf seinem Schiff Dienst tat, daß er in eine Ladeluke hinabstieg und den jungen Mann mit voller Wucht gegen den Kopf trat. Auf den Schiffen einer Hamburger Firma mußten junge Seeleute bei bitterer Kälte ihre Hemden ausziehen, um zu beweisen, wie abgehärtet sie waren. Ein junger Däne, der auf der deutschen Bark *Osterbeck* zum erstenmal den Äquator überquerte, nahm an der üblichen Äquatortaufe *(S. 55)* teil, die dann jedoch in eine Folterzeremonie ausartete. Der junge Mann wurde mehrmals kielgeholt, also unter dem Kiel des Schiffes hindurchgezogen. Diese barbarische Quälerei endete oft mit dem Tod des Betreffenden.

Seeleute, die solche Mißhandlungen erdulden mußten, hatten nur wenig Hoffnung auf Erlösung, nicht einmal dann, wenn das Schiff im Hafen lag, denn die amerikanischen Gesetze begünstigten die Offiziere, ohne Rücksicht darauf, wer wirklich im Recht war. In San Francisco, einem für Korruption berüchtigten Hafen, übersahen die Behörden, die von den Schiffahrtsunternehmen geschmiert wurden, geflissentlich die verbrecherischen Handlungen von Kapitänen sogar dann, wenn einmal ein Seemann den Mut besaß, Anklage zu erheben. Aber gerade deshalb konnte es nicht ausbleiben, daß San Francisco Schauplatz einiger der frühesten gelungenen Versuche wurde, die rechtliche Stellung der Seeleute zu verbessern.

Zu verdanken war dies vorwiegend den Bemühungen einer noch in den Kinderschuhen steckenden Gewerkschaft, der 1891 gegründeten Sailors' Union of the Pacific. Diese Gewerkschaft brachte schon bald ein Mitteilungsblatt heraus, in dem ein junger schottischer Windjammer-Seemann namens Walter Macarthur in einer Artikelserie über mehrere Fälle von Brutalität an Bord berichtete, die zwar vor Gericht kamen, aber durchweg mit Freisprüchen für die Schuldigen endeten. Unter anderem enthüllte Macarthur, daß der Erste Steuermann des Vollriggers *Henry B. Hyde,* der beschuldigt wurde, einem Matrosen mit einem Belegnagel das Handgelenk gebrochen zu haben, mit dem Hinweis freigesprochen wurde, es habe sich dabei um eine „berechtigte Züchtigung" gehandelt; daß der über zwei Zentner schwere Zweite Steuermann der Bark *Tam O'Shanter* aus den gleichen Gründen straffrei blieb, als er vor Gericht stand, weil er einem Mann aus Hand und Arm Stücke herausgebissen und einen anderen aus der Takelage hinuntergestoßen hatte; daß ein gewisser Kapitän Nickels von der *May Flint,* der unter der Anklage stand, einen Matrosen mit einem „Gebetbuch" – einem Stein von der Größe einer Bibel, der zum Scheuern der Decksplanken benutzt wurde – geschlagen zu haben, ebenfalls freigesprochen wurde; daß das Verfahren gegen Kapitän Azecheus Allen von der Bark *Benjamin F. Packard,* der seinem Ersten Steuermann und dem Schiffszimmermann befohlen hatte, einen in Eisen geschlossenen Matrosen zu mißhandeln, trotz der Zeugenaussagen mehrerer Besatzungsmitglieder „wegen Mangels an Beweisen" eingestellt wurde.

Macarthurs Berichte, die in Tageszeitungen nachgedruckt wurden, erschütterten nicht nur die Öffentlichkeit, sondern auch zahlreiche Schiffseigner. Dennoch ließ entsprechende Abhilfe auf sich warten. Erst 1915, rund 15 Jahre nach den ersten vergeblichen Versuchen der Sailors' Union, verabschiedete der amerikanische Kongreß ein Gesetz, das die Kapitäne für ihre Handlungen an Bord und die Schiffseigner für das Verhalten ihrer Kapitäne verantwortlich machte. Beide konnten von nun an für grausame Behandlung der Seeleute mit Geldstrafen belegt werden. Das Gesetz galt natürlich nicht nur für Windjammer, sondern für Seeschiffe aller Art. Aber es waren die erschreckenden Vorgänge auf manchen Segelschiffen, die den Anstoß zu dieser gesetzlichen Regelung gaben, und es waren Windjammer-Seeleute, die schließlich die Reform durchsetzten.

In den Tagen der Rechtlosigkeit hatten die unglücklichen Besatzungen von Seelenverkäufern, gleich welcher Nationalität, nur zwei Möglichkeiten, ihre Haut zu retten. Die eine war die Desertion – und damit mußte man warten, bis das Schiff einen Hafen anlief. Die andere war die Meuterei.

Meutereien wurden nur sehr selten versucht. Schon für einfache Insubordination konnte man eingesperrt werden. Und wenn ein Seemann einen Kapitän oder einen Steuermann umbrachte, war ihm, ohne Rücksicht darauf, unter welchen Umständen die Tat geschehen war, der Galgen sicher. Trotzdem blieb die Meuterei in der rauhen Welt der Windjammer eine stets gegenwärtige Bedrohung.

Die Kapitäne wußten das – und ergriffen Vorsichtsmaßnahmen zu ihrer eigenen Sicherheit. So besagte beispielsweise die Vorschrift, daß jeder Mann, der sich an Bord zum Dienst meldete, keinerlei Waffen tragen durfte, ausgenommen ein Messer, das für die Arbeit an Bord unentbehrlich war. Die Kapitäne vermieden es nach Möglichkeit, mit einem Besatzungsmitglied von zweifelhaftem Betragen allein zu bleiben, und für alle Fälle hatten sie, ebenso wie die Steuerleute, stets einen Revolver griffbereit.

Eben diese Vorsichtsmaßnahme konnte ihnen aber auch zum Verhängnis werden, wie es einmal an Bord des britischen Windjammers *Leicester Castle* geschah, der mit einer Getreideladung und zwei Unruhestiftern an Bord von San Francisco nach Queenstown in Irland unterwegs war. Was diese Männer zum Losschlagen veranlaßte, ist nicht überliefert, aber man kann sich unschwer vorstellen, daß der Schiffsführer, Kapitän R. D. Peattie, ein harter Bursche war, wie es die meisten Windjammerkapitäne sein mußten, und daß seine Seeleute schlecht ernährt, überarbeitet, unterbezahlt und aus zahllosen anderen Gründen unzufrieden waren.

Aber wie auch immer, in der Nacht des 2. September 1902 wurde Kapitän Peattie in seiner Kajüte von einem Matrosen namens Sears geweckt, der ihm berichtete, ein Mann sei aus der Takelage gefallen. Als Peattie sich anschickte, die Kajüte durch die backbordseitige Tür zu verlassen, um sich der Sache anzunehmen, stellte sich Sears ihm in den Weg, und gleichzeitig kam ein Komplize namens Hobbs durch die Steuerbordtür in die Kajüte und rief: „Es ist soweit, Kapitän!" Peattie drehte sich nach der Stimme um, und Hobbs schoß ihn mit einem Revolver, den er dem Zweiten Steuermann entwendet hatte, in die Brust. Trotz seiner Verletzung wollte sich Peattie auf Hobbs stürzen, doch dieser schoß noch einmal und traf ihn in den Arm.

Unterdessen hatten die Schüsse die übrige Besatzung aufgeschreckt, und der erste, der den Schauplatz des Verbrechens betrat, war der Zweite Steuermann. Hobbs feuerte und verletzte ihn tödlich. Als nächste tauchten zwei Matrosen auf, worauf Hobbs und Sears die Nerven verloren und flüchteten. Schließlich erschien der Erste Steuermann und übernahm das Kommando. Er rief alle Mann nach achtern und bat sie, bei der Suche nach Hobbs und Sears zu helfen. Kurz nach Mitternacht sah einer ein behelfsmäßiges Floß mit drei Mann an Bord – Hobbs, Sears und ein dritter Seemann – am Schiff vorbeitreiben. Wahrscheinlich waren die drei von Bord gesprungen, weil ihnen die Aussicht auf die Schrecken und die Einsamkeit des weiten Ozeans noch erträglicher schien als die auf den Strick des Henkers. Am Morgen war das Floß verschwunden, und die drei Meuterer wurden nie mehr gesehen. Was Kapitän Peattie betraf, so erholte sich dieser unverwüstliche Seebär rasch von seinen Verletzungen und war schon nach ein paar Tagen wieder auf der Poop. Die Moral von der Geschichte war, daß ein einzelner Unzufriedener oder auch mehrere Meuterer so gut wie nie eine Chance gegen ihre Offiziere hatten, wenn diese auf die Unterstützung loyaler Besatzungsmitglieder zählen konnten.

Aber selbst angesichts einer geschlossen meuternden Mannschaft konnte die Rebellion unterdrückt oder zumindest neutralisiert werden, wenn nur der Kapitän genügend Standhaftigkeit bewies. So geschehen auf dem britischen Schiff *Monkbarns,* das im Ersten Weltkrieg mit einer Weizenladung für die US-Streitkräfte nach New York unterwegs war. Drei aufreibende Monate lang hielt der 76 Jahre alte Kapitän J. Donaldson eine widerspenstige Besatzung in Schach, während das Schiff die 10 600 Seemeilen von Melbourne, Australien, um Kap Horn herum nach der Ostküste Südamerikas zurücklegte und dabei Gewässer durchlief, die von deutschen U-Booten unsicher gemacht wurden.

Die Mannschaft, ein zusammengewürfelter und von Anfang an unzufriedener Haufen, regte sich vor allem über das Essen auf, das wegen der kriegsbedingten Versorgungslücken natürlich schwerer beschafft werden konnte als sonst. Die Leute beklagten sich nicht ganz zu Unrecht, die Kartoffeln seien schwarz und die Erbsen hart wie Kieselsteine. Aber solche Kost war auf Windjammern eher die Regel und keinesfalls eine Entschuldigung dafür, daß eines Tages sechs Seeleute die Poop stürmten und Kapitän Donaldson im Kartenhaus in ihre Gewalt brachten. Sie warfen ihn auf den Tisch, erklärten, daß sie ab sofort die Arbeit verweigerten, und drohten, ihn mit ihren Messern zu massakrieren, falls das Essen nicht besser würde.

Bei diesem Stand der Dinge kamen die Steuerleute der *Monkbarns* herbeigeeilt, um Donaldson zu retten. Der Kapitän ließ sich nun darauf ein, den Angreifern vernünftig zuzureden. Es lag auf der Hand, daß er kein besseres Essen beschaffen konnte, solange sich das Schiff auf See befand. Aber genauso unmöglich war es, den 1700-Tonnen-Windjammer zum Bestimmungshafen zu bringen, wenn zwei Drittel der Mannschaft in Ketten gelegt wurden. Mit dem Versprechen, den nächsten erreichbaren Hafen anzulaufen und sich dort um besseres Essen zu bemühen, gelang es dem Kapitän schließlich, die Männer zur Rückkehr an die Arbeit zu bewegen.

Die Meuterer fügten sich murrend. Im Laufe der nächsten Wochen kam es zwar nicht mehr zu Handgreiflichkeiten, aber die Leute versahen ihre Arbeit immer nachlässiger, obwohl sie wußten, daß sie damit das Schiff und ihr eigenes Leben aufs Spiel setzten. Eines frühen Morgens um zwei Uhr tauchte beispielsweise ein Eisberg aus der Dunkelheit auf, der einen raschen Kurswechsel erforderlich machte. Die Meuterer führten widerwillig den Befehl zum Brassen der Rahen aus und drängten dann zu den Rettungsbooten. Nur weil die Offiziere sie mit vorgehaltenen Pistolen aufforderten, die

Kostbares Holz vom Pugetsund

Schneebedeckte Rahschiffe und Schoner liegen im Winter 1905 in Port Blakely, Washington, um Holz zu laden.

Finger von den Booten zu lassen, blieben sie an Deck, während das Schiff um Haaresbreite einem Zusammenstoß entging.

Als Kap Horn umrundet war, traf das Schiff wärmeres Wetter und gute Winde längs der Küste von Südamerika. Deshalb mußten die Masten zum leichteren Heißen und Niederholen der Rahen eingefettet werden. Aber inzwischen hatte die Disziplin an Bord einen solchen Tiefpunkt erreicht, daß die Offiziere diese unangenehme Arbeit selbst verrichten mußten.

Endlich, als Rio de Janeiro in Sicht kam, konnte Kapitän Donaldson ein Notsignal setzen. Als das Schiff in den Hafen einlief, war ein Kommando von einem britischen Wachschiff zur Stelle.

Donaldsons einsamer Heroismus trug ihm gemischte Reaktionen von seiten der Behörden ein. Seine Kritiker wiesen darauf hin, daß er die Übeltäter nach dem ersten Vorfall hätte in Ketten legen müssen. Seine Anhänger betonten dagegen, was für eine außerordentliche Leistung es gewesen sei, Blutvergießen zu vermeiden und das Schiff wie auch die Ladung sicher durch die gefährlichen Gewässer um Kap Horn zu bringen. Die Debatte lief dann darauf hinaus, daß er rehabilitiert – und erneut mit der

---

„So dicht wie das Haar am Nackenfell eines Hundes" – so schilderten die ersten Siedler im Pazifischen Nordwesten die gewaltigen Wälder von Douglasfichten, die den Pugetsund im Staat Washington säumten. Anfangs schmähten sie das gebirgige, unbebaubare Waldland als „grüne Wüste". Doch alsbald hatten sie erkannt, welcher Reichtum in den jungfräulichen Wäldern steckte, die dort so nahe an den schiffbaren Gewässern des Pugetsundes standen. Innerhalb weniger Jahrzehnte entwickelte sich das Gebiet zu einem Zentrum der Holzgewinnung, von dem aus Nutzholz in alle Welt verschifft wurde.

Für Windjammer war das ein idealer Erwerbszweig. Verglichen mit einigen der ungeschützten Reeden an den Küsten von Peru, Chile und Australien, wo die Windjammer Guano, Salpeter, Kohle und Weizen an Bord nahmen, war der Pugetsund ein stiller Zufluchtsort, an dem man ungestört die Ladung aufnehmen konnte. Man erreichte den Sund durch die geschützte Straße von Juan de Fuca, und der Sund selbst barg Hunderte guter Ankergründe und Plätze für Anlegestellen.

In den neunziger Jahren drängten sich in den Häfen von Seattle, Port Blakely und Tacoma, wo sieben Tage in der Woche rund um die Uhr Holz verladen wurde, die Segelschiffe schon in Dreier- und Viererreihen an den Kais. In Port

Townsend, so errinnerte sich ein Seemann, wurde das Seemannsheim „zu einem regelrechten Völkerbundpalast", in dessen einem Gemeinschaftsraum sich Seeleute aus aller Herren Länder versammelten.

Um die Jahrhundertwende verließen jährlich über eine Million Festmeter Holz die Sägewerke am Pugetsund nach Bestimmungshäfen von Schanghai bis Hamburg. Die Qualität des Holzes reichte von Eisenbahnschwellen geringer Güte bis hin zu Bündeln auserlesener Decksplanken (zwölf Zoll breit und absolut astrein).

Trotz der gewaltigen Nachfrage im Osten der Vereinigten Staaten wurde bis Ende der neunziger Jahre nur wenig Holz an die Atlantikküste geliefert. Da es um Kap Horn herum nach New York oder Philadelphia annähernd 14 000 Seemeilen waren, brauchte ein Windjammer für die Hin- und Rückreise fast ein Jahr und war damit unrentabel.

Im Jahre 1893 stellte dann die Eisenbahngesellschaft Great Northern Railroad ihre transkontinentale Verbindung nach Seattle fertig. Die Sägewerke lieferten von da an ihr Holz zunehmend bei der Eisenbahn auf, und im Jahre 1906 überwog der Landtransport bereits den per Segelschiff, obwohl man noch bis in die ausgehenden zwanziger Jahre die Masten der Holzfrachter auf dem Pugetsund zählen konnte.

Besatzungsmitglieder der Viermastbark „Lynton" in Port Blakely beladen ihr Schiff über hölzerne Rampen mit Bretterbündeln. „Port Blakely war ein Hafen, den Seeleute von Antwerpen bis Sydney kannten", erinnerte sich ein Seemann.

Monkbarns auf eine Reise geschickt wurde. Donaldson zog sich schließlich in Melbourne in den wohlverdienten Ruhestand zurück und erreichte das biblische Alter von 90 Jahren.

Die fünf Rädelsführer der Meuterei jedoch entgingen ihrer Strafe nicht; man stellte sie, wie zu erwarten, vor ein Kriegsgericht des britischen Konsulats in Rio und brachte sie dann nach England. Dort wurden sie in Handschellen vom Schiff geholt und verschwanden unverzüglich im Gefängnis. So endete die Meuterei auf der *Monkbarns* – die letzte, die sich auf einem britischen Segelschiff ereignete.

So selten Meutereien vorkamen, so häufig war Desertion. Seeleute, die unter brutalen Kapitänen gefahren waren, zögerten nicht, das Schiff in dem Augenblick zu verlassen, da es im Hafen angelegt hatte. Manche Matrosen desertierten auch einfach deshalb, weil das „Abspringen" sozusagen in der Natur des Seemanns lag. Die *British Isles,* auf der William Jones an jenem Tag des Jahres 1905 in Pisagua angekommen war, war ein gut geführtes Schiff. Aber Jones hatte kaum begonnen, beim Löschen der Ladung mit Hand anzulegen, als er auch schon über eine Grundtatsache des Lebens auf See aufgeklärt wurde. „Am dritten Tag fehlten bei Arbeitsanfang drei Vollmatrosen", schrieb Jones. „An den folgenden Tagen desertierten noch weitere Leute, ohne sich auch nur ihre Heuer auszahlen zu lassen. Zuletzt befanden sich nur noch zwei Mann im Vorschiff – von ursprünglich 20."

Die Desertion war auf Schiffen so gut wie jeder Nationalität gang und gäbe. Nur die besten deutschen Reedereien – wie beispielsweise Laeisz – und die hochsubventionierten französischen Schiffe mit ihren stark motivierten Besatzungen blieben von diesem Problem weitgehend verschont.

Für manche Seeleute boten viele belebte Häfen Aussicht auf eine gute Beschäftigung an Land. Als Holzfäller in der Gegend von Portland, Oregon, oder als Landarbeiter im Hinterland von Melbourne konnte man beispielsweise fast 40 Dollar im Monat verdienen, zu einer Zeit, als die durchschnittliche Heuer auf britischen Schiffen etwa bei 14 Dollar lag. Aber die meisten desertierenden Seeleute heuerten unverzüglich auf einem anderen Schiff an. In allen Hafenstädten der Welt gab es Kneipen und Herbergen, die nicht nur Gastlichkeit boten, sondern auch als Rekrutierungsbüros für die meisten der im Hafen liegenden Schiffe dienten. In traditionsreichen europäischen Häfen wie Hamburg, Rotterdam und Liverpool handelte es sich dabei überwiegend um ordentlich geführte, respektable Etablissements. Aber in wüsten, wilden Hafenstädten wie San Francisco oder Melbourne kamen auf jeden ehrlichen Herbergsvater Dutzende, deren Werber – Berufskriminelle, die genauso gewissenlos waren wie die Preßpatrouillen vergangener Zeiten – die Anlegestellen unsicher machten, die Männer zur Desertion verführten und so manchen Seemann gewaltsam für ein anderes Schiff „schanghaiten".

So unverfroren und brutal gingen diese Werber vor, daß sie oft schon über das Deck eines einlaufenden Schiffes ausschwärmten, bevor es auch nur Anker geworfen hatte. John Mason, der an Bord eines britischen Windjammers als Offiziersanwärter diente, hat die Ankunft seines Schiffes, der *Marlborough Hill,* in San Francisco beschrieben.

„Wir sahen die Boote vom Ufer ablegen, als wir noch längst nicht unseren Ankerplatz erreicht hatten", schrieb er. „Das waren die Werber, die auf Menschenfang aus waren. Wir sahen, wie die Steuerleute und die Offiziersanwärter sich alle Mühe gaben, sie abzuwimmeln, aber wenn sie an einer Stelle zurückgedrängt wurden, kletterten sie in einem anderen Teil des Schiffes scharenweise an Bord. Während die Kette durch die Ankerklüse rasselte, flogen schon Seesäcke über Bord in die Boote der Werber, und noch bevor das Schiff richtig vor Anker lag, saßen alle seine Matrosen bereits fröhlich in den aufs Ufer zuhaltenden Booten; wir sahen, wie sie in den Booten die Whiskyflaschen herumgehen ließen. Bis die Männer an Land

Die Gefahren, denen Seeleute ausgesetzt waren, die betrügerischen Wirten von Seemannsheimen und anderen zwielichtigen Typen im Hafen in die Hände fielen, schildern diese Illustrationen zu einem 1873 erschienenen Artikel mit dem Titel „Jack Ashore" (Jan Maat an Land) in Harper's New Monthly Magazine. *Auf der oberen Zeichnung wird Jan Maat mit handgreiflichen Argumenten überredet, einem Werber und dessen Komplicen in ein Seemannsheim zu folgen. Dort gibt er dann eine Runde nach der anderen für „ein paar abstoßende Weiber" aus, bis seine Zeche so hoch ist, daß er sofort wieder auf einem Schiff anheuern muß, um seine Schulden bezahlen zu können.*

waren, würden sie sinnlos betrunken sein, und noch bevor der nächste Morgen anbrach, sich an Bord eines auslaufenden Schiffes wiederfinden – um ihre Heuer für die letzten drei Monate erleichtert."

Die Werber begannen damit, daß sie den einkommenden Seeleuten gegen eine Gebühr eine gute Stelle auf einem anderen Schiff versprachen – was die Männer nur allzu gern glaubten, wenn sie gerade auf einem Seelenverkäufer angekommen waren. Wenn Überredungskunst und in Strömen fließender Whisky nichts ausrichteten, scheuten die Werber auch nicht vor den niederträchtigsten Druckmitteln zurück, verabreichten sie den Seeleuten notfalls auch Drogen und Schläge, nur um dem Kapitän eines anderen Schiffes eine Besatzung liefern zu können.

Ein einzelner Seemann, der sich weigerte, sein Schiff zu verlassen, war den Werbern oft hilflos ausgeliefert. Einer ganzen Gruppe entschlossener und loyaler Seeleute gelang es dagegen meistens, die Menschenhändler in die Flucht zu schlagen. Ein Offiziersanwärter, der an Bord des britischen Windjammers *Blackbraes* war, als dieser um die Jahrhundertwende in San Francisco einlief, erinnerte sich später, wie ihn ein älterer Kamerad bat, ihm sein Messer zu borgen. „Es war ein besonderes Messer, mit einer verriegelbaren, 20 Zentimeter langen Klinge. Als ich ihn fragte, wofür er es denn brauche, sagte er mir, es sei zu erwarten, daß in der Nacht die Herbergsväter mit ihren Schlägern an Bord kämen und die Besatzung die Absicht habe, sie zurückzuschlagen. Ich gab ihm das Messer und wünschte ihm alles Gute. Wir Offiziersanwärter sollten uns aus der Sache heraushalten und verbrachten deshalb die Nacht an einem sicheren Ort an Land. Als er mir tags darauf das Messer wiedergab, waren Flecken dran. Er sagte mir, es habe ihm gute Dienste geleistet, die Kopfgeldjäger zurückzuschlagen."

Aber wenn die einkommenden Kapitäne allen Grund hatten, sich die Werber vom Leibe zu halten, mußten die auslaufenden oft wohl oder übel gemeinsame Sache mit ihnen machen. Da sie aufgrund von Desertion und anderen widrigen Umständen ein leeres Schiff hatten, mußten sie sich an die Werber wenden, um eine neue Besatzung zu bekommen. Und so konnten diese doppelt kassieren. Zum einen erleichterten sie die Seeleute, die sie anwarben oder schanghaiten und beraubten, um einen bis drei Monatslöhne, und zum anderen ließen sie sich, wenn sie ihre Beute, komplett ausgerüstet mit Ölzeug, Seestiefeln und Strohsack, auf dem neuen Schiff ablieferten, von dem verzweifelten Kapitän ansehnliche Kopfgelder auszahlen. Der Betrag schwankte je nach Angebot und Nachfrage. Anfang des 20. Jahrhunderts reichte die Skala von 50 Dollar pro Kopf in Pisagua, wo es für die Seeleute an Land wenig Verlockungen gab, bis 120 Dollar in Portland, wo die Holzfällercamps winkten.

Sobald der Kapitän das Kopfgeld für die Leute bezahlt hatte, mußte er selbst zusehen, daß er seine neue Besatzung behielt – und wehe dem Schiffer, der es dabei an Wachsamkeit fehlen ließ. William Jones erinnerte sich, daß die neue Besatzung, die sein Kapitän am Vorabend der Abreise von Pisagua übernommen hatte, vom Steuermann bewacht wurde, während die Offiziersanwärter das Schiff klar zum Auslaufen machen mußten. John Mason erklärte den Grund dafür. „Es war gar nicht ungewöhnlich", schrieb er, „daß ein Werber am Vormittag die neuen Leute an Bord brachte, sie dann in der Nacht heimlich wieder vom Schiff holte, sie auf ein anderes Schiff verfrachtete und dort abermals 60 Dollar Kopfgeld pro Mann einstrich."

So lukrativ war dieses Gewerbe, daß ein berüchtigter Werber, Larry Sullivan, ein ehemaliger Preisboxer, in Portland innerhalb von drei Jahren 80 000 Dollar damit verdiente – damals ein riesiges Vermögen. Mit diesem Grundkapital baute sich Sullivan ein prachtvolles Haus im feinsten Viertel der Stadt, und als Bergbaumakler brachte er es zum Millionär. Aber zur Genugtuung zahlloser Seeleute übernahm er sich schließlich, ging bankrott und starb als armer Mann, einsam und verlassen.

Rüsten für den Kampf ums Überleben

Schweres Wetter war der ständige Begleiter des Windjammers. Sogar das heitere Mittelmeer konnte sich in eine tobende See verwandeln, wenn der heiße Schirokko von Süden wehte, und im Golf von Biscaya verschwand so manches Schiff spurlos. Doch auf den südlichen Ozeanen, über die die Handelsrouten der Windjammer führten, war grobes Wetter noch häufiger anzutreffen und schlimmer als auf der Nordhalbkugel. Fast ständig in Aufruhr waren die Gewässer vor Südaustralien und dem Kap der Guten Hoffnung sowie in den „Brüllenden Vierzigern" vor der südamerikanischen Küste. Vor Kap Horn machten heulende Stürme, schwere Brecher und dichte Regen-, Hagel- und Schneeschauer den Windjammern mehr zu schaffen als in irgendeiner anderen Gegend der Erde.

Ein kluger Windjammer-Kapitän ließ niemals in seiner Wachsamkeit nach. Die Grundregel für jeden, der diesen entfesselten Naturgewalten mit heiler Haut entkommen wollte, war, „sich rechtzeitig auf den Kampf vorzubereiten", wie es ein Kapitän einmal ausdrückte. Beim ersten Anzeichen für auf-kommenden Sturm wurde die Besatzung in die Masten geschickt, um die Schönwettersegel gegen festere Sturmsegel auszuwechseln. Wenn das Barometer zu fallen begann, wurden die Segel festgemacht, die Takelage instandgesetzt, Fußpferde erneuert und Strecktaue über Deck gespannt. „Von der Sorgfalt, mit der eine einzige Leine befestigt wird", meinte ein Kapitän, „kann das Leben der Besatzung und die Sicherheit des ganzen Schiffes abhängen."

In seinen auf diesen Seiten reproduzierten ausführlichen Radierungen hat der Marinemaler Arthur Briscoe die sorgsamen Vorbereitungen und den darauffolgenden Kampf mit den Elementen geschildert. Die in den zwanziger und dreißiger Jahren entstandenen Illustrationen machen anschaulich, wie hart die Mannschaft sich einsetzen mußte – eine Bestätigung für die Aussage eines Seemannes, auf einem großen Schiff bei schwerem Wetter spüre man „eine unwiderstehliche Kraft, die gewöhnliche Sterbliche dazu treibt, über sich selbst hinauszuwachsen und das schier Unmögliche zu vollbringen".

In der heißen Tropensonne überprüft ein Seemann in Erwartung stürmischer Tage ein Tau. Die Mannschaft achtete besonders auf den Zustand der Fußpferde unter den Rahen. „Sie müssen so stark sein", sagte ein Kapitän, „daß sie auch dann nicht brechen, wenn 30 Mann darauf schaukeln."

Um das Deck wasserdicht zu machen, treiben Seeleute mit Holzhämmern und Kalfateisen teergetränkte Tauwerkfasern, sogenanntes Kalfaterwerg, in die Fugen zwischen den Planken. Anschließend gießen sie die Fugen mit flüssigem Teer aus. Außer den Decksplanken wurden auch die Lukendeckel abgedichtet.

In der Stille vor dem Sturm haben die 30 Meter über Deck balancierenden Matrosen keine Mühe, ein neues Bramsegel anzuschlagen. Wenn mit sehr schwerem Wetter zu rechnen war, wurden geflickte Segel – die bei ruhigem Wetter durchaus noch zu gebrauchen waren – gegen Sturmsegel aus schwerem Tuch ausgewechselt, das so hart war, daß es bei englischen Seeleuten allgemein „Nonnenwäsche" hieß.

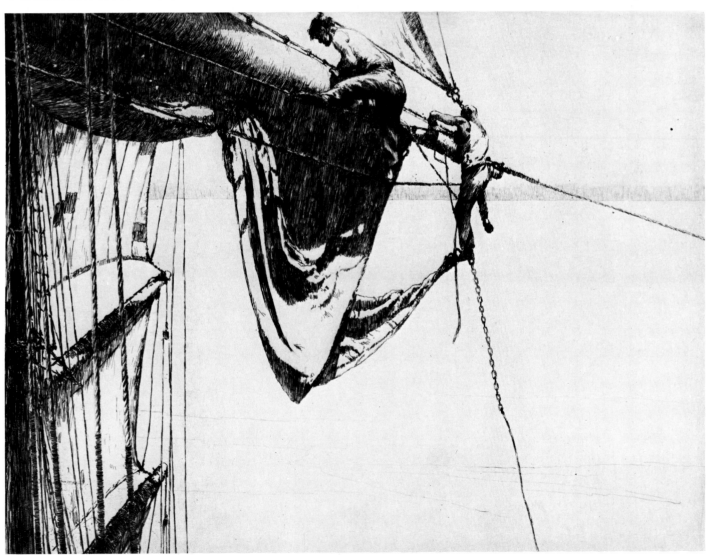

Während die See sich immer höher auf-
bäumt, bezieht der Kapitän Posten an der
Luvreling, um sein Können und seine
Erfahrung gegen die brutale Gewalt der
Elemente ins Feld zu führen. Auf dem
Windjammer „Arethusa" blieb der Kapi-
tän einmal in einem Sturm 36 Stunden auf
seinem Posten, was einen Jungmann
zu der Bemerkung veranlaßte, der
Kapitän könne offenbar „unbegrenzte
Zeit ohne Essen und Schlaf auskommen".

Mit Sextanten ermitteln ein Kapitän und
sein Steuermann den Winkel der Sonne,
um vor einem aufkommenden Sturm noch
einmal möglichst genau den Schiffsort zu
bestimmen. Bei schwerem Wetter mußte
ein Kapitän oft wochenlang ohne Stern-
ortung auskommen; an der Südspitze
Südamerikas, so berichtete ein Seemann,
hätten sogar „vier von fünf Schiffen Fury
Island umsegelt, ohne daß ihre Kapitäne
gewußt hätten, daß sie bereits das Gebiet
von Kap Horn erreicht hatten".

An den Strecktauen, die in weiser Voraussicht über Deck gespannt worden sind, hält sich die vom Sturm schon arg gezauste Mannschaft fest, während Sturzseen auf das rollende Deck hereinbrechen. Neben den Strecktauen wurden oft auch Netze über den Schanzkleidern angebracht, in denen die Männer wie Fische hängenblieben, wenn sie doch einmal von einem Brecher überrascht wurden.

Die Besatzung bemüht sich, ein Rettungsboot zu sichern, das von den überkommenden Brechern losgerissen wurde. Aber nicht nur Decksausrüstungen und Boote wurden festgezurrt: bei besonders starkem Sturm mußten sich die Seeleute manchmal für die Dauer einer ganzen Woche an der Reling oder einem Mast festbinden, um ihren schweren Dienst zu versehen.

Mit dem Bauch an der Rah und den
Fußsohlen auf dem Fußpferd versuchen
drei Matrosen, ein Marssegel zu bergen,
das sich aus den Zeisingen losgerissen hat.
Ein vom Sturm zerfetztes Segel war
manchmal noch zu retten, wenn es gelang,
es rechtzeitig mit Tauen festzumachen.
Aber allzu oft war alle Mühe vergeblich,
und die Leute mußten nach den Worten
eines Seemannes „zusehen, wie die Lein-
wandfetzen leewärts davonflogen und im
Sprühnebel von Gischt verschwanden".

Knietief im strudelnden Wasser stehend
und bis auf die Haut durchnäßt, betätigen
drei Besatzungsmitglieder an Deck unter
großer Anstrengung die Lenzpumpe. Mit
einer guten Pumpe ließ sich bis zu einer
Tonne Wasser pro Minute aus dem Schiff
pumpen. Bei sehr schwerem Wetter, wenn
ständig Sturzseen an Deck kamen, mußten
die Lenzpumpen ständig in Betrieb sein.

Die Segel – bis auf das Groß-Untermarssegel – geborgen, reitet ein Windjammer beigedreht einen schweren Sturm ab.

Kapitel 4

Kap Horn – wo die wilden Stürme tobten

Nur einen Klüver und ein Toppsegel hat der Sturm dem französischen Windjammer „Jean" gelassen auf diesem Gemälde aus dem Jahre 1908.

In unendlicher Prozession marschieren sie von Westen einher, die gläsernen, graublauen Berge. Von ihren Kronen wehen flatternde Mähnen blendenden Gischtes, den der Sturm in Fetzen weithin treibt. Tief und schwarzgrau hängen die Wolken geballt. Ein gleichmäßiges Tosen erfüllt die Luft, das die Ohren wie mit Sand zu verstopfen scheint. Verständlich machen kann man sich nur, wenn man dem anderen mit voller Kraft ins Ohr schreit. Wenn die Böen einfallen, dann muß man den Kopf abwenden, um überhaupt atmen zu können. Der übergroße Druck der rasend bewegten Luft preßt sich durch Mund und Nase in den Körper, will die Lungen aufblasen, bis sie nicht mehr imstande sind, auszuatmen. Zeitweilig gehen Regen und Hagelschauer nieder, ein seltsames, durchdringendes Zischen und Singen mischt sich dann in das Tosen des Sturmes.''

Diese Beschreibung stammt von Hermann Piening, Kapitän der deutschen Viermastbark *Peking* in den zwanziger Jahren. Sie schildert die Bedingungen, denen sich Menschen und Schiffe bei der Umrundung von Kap Horn an der Südspitze Südamerikas regelmäßig aussetzten – für jeden Seemann und jedes Schiff war diese Gegend voller Schrecken. In den fünfziger und sechziger Jahren des vorigen Jahrhunderts hatten die Klipper schwere Schäden davongetragen, während sie auf ihren Überfahrten zur amerikanischen Westküste mit Goldsuchern an Bord Kap Horn umrundeten, und viele waren in Stürmen gesunken. Aber die Klipper hatten es immer noch einfacher gehabt als die Windjammer.

Sicher, die stählernen Windjammer besaßen eine viel größere Stabilität als die Klipper mit ihren Holzrümpfen. Doch ihre aus einzelnen Platten bestehenden Rümpfe waren völliger als die der schlanken, kleinen Klipper und wurden deshalb von den Seen heftiger herumgestoßen; schwer befrachtet mit ihren gewaltigen Ladungen, stampften die Windjammer schwerfällig durchs Wasser, anstatt elegant die Wogen zu zerteilen. Von Haus aus schwieriger zu segeln als die behenden Klipper, mußten die Windjammer auch teuer dafür bezahlen, daß ihre Besatzungen wesentlich kleiner waren; die 20 bis 30 Mann, die sich an Bord befanden, konnten bei einem Wetterumschwung die Segel nicht so rasch bedienen wie die aus 50 bis 60 Mann bestehenden Besatzungen der früheren Klipper.

Kap Horn mit einem Windjammer zu umrunden bedeutete ein seelisch wie körperlich gleichermaßen aufreibendes Erlebnis. Ein australischer Seemann namens Ken Attiwill, der die Reise im Jahre 1929 machte, beschrieb diese Gewässer voller Abscheu als ,,tückische, stürmische, schreckliche Gegend – kalt, gottverlassen und unvorstellbar öde''. Schon in den Namen einiger hervorstechender Landmarken und Örtlichkeiten kommt die Unwirtlichkeit dieses Gebiets zum Ausdruck: Desolate Bay (Trostlose Bucht), Deceit Island (Trügerische Insel), Mistaken Cape (Verwechseltes Kap), Fury Harbor (Wut-Hafen), Hately Bay (Grollende Bucht), Dislocation Harbor (Verteiler-Hafen). Und der große Kapitän Robert Miethe von der Firma Laeisz meinte einmal: ,,Kap Horn ist ein Ort, wo der Teufel soviel Unheil angerichtet hat, wie er nur konnte.''

Dabei ist diese Ausgeburt der Hölle nichts weiter als eine winzige Insel, nicht länger als acht Kilometer, der verwitternde letzte Ausläufer der großen Gebirgskette der Anden, bevor sie in die Tiefen des Südmeers hinabtaucht. Südlich der Magellanstraße zerbröckelt die eisige, nebelverhangene Inselgruppe Feuerland in verlorene Inseln, die über eine Entfernung von rund 180 Seemeilen immer kleiner und kleiner werden, bis sie schließlich nur noch Pünktchen auf den Seekarten darstellen. Das letzte dieser Pünktchen bezeichnet Kap Horn, ein abweichendes, steilflankiges, vulkanisches Hindernis zwischen dem Atlantik und dem Pazifik. Es liegt auf 55°59′ südlicher Breite, 67°16′ westlicher Länge und ist die äußerste Spitze des amerikanischen Doppelkontinents.

Diese öde, triste Landmarke wurde zum erstenmal im Jahre 1616 von einem rundlichen holländischen Kapitän namens Willem Schouten aus Hoorn in Holland gesichtet, der nach einer Möglichkeit suchte, auf einem anderen Weg als durch die gewundene Magellanstraße oder auf der zeitraubenden Route um das Kap der Guten Hoffnung in den Pazifik vorzustoßen. Auf südlichem und westlichem Kurs segelte Schouten mit seiner nur 360 Tonnen großen *Unity* als erster durch die 12,5 Seemeilen lange Meerenge zwischen Feuerland und einer großen Insel nordöstlich von seiner Spitze. Schouten taufte die Insel „Staaten-Eiland", nach den „Generalstaaten", der damaligen Regierung seines Vaterlands, und nannte den Korridor „Straße von Le Maire", nach einem mürrischen alten Amsterdamer Kaufmann namens Isaac Le Maire, der die Expedition überwiegend finanziert hatte. Als er die Meerenge hinter sich hatte, traf Schouten auf „mächtige Seen, die vor dem Wind anrollten", Grüße vom Kap Horn, das noch viele Meilen südwestlich lag, aber bald vor dem Steuerbordbug der *Unity* auftauchte.

Als er die abweisenden Klippen inmitten des Schaumes der hohen See anstarrte, erkannte Schouten auf einmal, wo er sich befand. „Das ist der letzte Punkt zwischen den Ozeanen", sagte er, und in aufwallender Begeisterung beschloß er, die Insel nach seiner kleinen holländischen Heimatstadt zu benennen. „Kap Hoorn!" rief er. „Kap Hoorn!"

Über drei Jahrhunderte lang folgten Männer auf Segelschiffen Schoutens Route und fanden sie schrecklich. Die Meerenge von Le Maire, von Osten her eine Abkürzung zum Kap Horn (für Schiffer, die das Risiko auf sich nehmen wollten), war an sich schon eine schwere Prüfung, wie Kapitän Piening von der *Peking* in späterer Zeit recht beredt zu schildern wußte: „Dieser gewaltige Schwall des Wassers, den hier Gigantenkräfte durch das Tor zwischen Feuerland und der Insel pressen, dieses Drängen von Millionen und Abermillionen von Tonnen Wassers ruft scharfe Stauungen hervor und das, was der Seemann eine ‚Stromkabbelung' nennt. Wie gesagt, segelt man nur mit günstigem Wind in die Straße ein, und dieser nördliche Wind treibt auch selbstredend seinen Seegang vor sich her. In der Enge entbrennt nun ein Kampf zwischen dem nordwärts strebenden Strom und dem entgegenlaufenden Seegang, der zeitweilig etwas Unheimliches an sich hat. Die See ist stark bewegt. Doch das ist kein Seegang, hinrollend und wandernd, wie man Seegang zu sehen gewöhnt ist. Diese Wellen schnellen sich senkrecht empor, wie von einer unsichtbaren Kraft emporgeschleudert, und fallen an derselben Stelle wieder zusammen. Grimmige Schiffstopper, die nirgendwo hingehen, außer hundertprozentig gegen mich." Und Piening fragte sich: „Was habe ich hier verloren?"

Doch trotz all ihrer Fährnisse war die Meerenge von Le Maire nur das Vorspiel zu Kap Horn selbst, wo aufgrund von zwei ungewöhnlichen geographischen Besonderheiten kolossale Kräfte aufeinanderprallten: die riesige, ungebrochene Weite des Ozeans im Westen und die Enge der Drake-Straße, die Südamerika von der Antarktis im Süden trennt. Auf der Südhalbkugel unterhalb des 40. Breitengrads wehen die Winde vorherrschend aus West und nehmen an Stärke zu, während sie den Indischen Ozean und den Pazifik überqueren, so daß gewaltige Dünungen entstehen, die gegen die ausgedehnte, unüberwindliche Barriere der Küste zu Füßen der Anden anstürmen. Da die Anden ihren Kontinent weiter nach Süden vorschieben als jede andere große bewohnte Landmasse, müssen sich die auflaufenden Winde und Wellen durch die enge Öffnung zwischen Südamerika und der Antarktis zwängen; Kap-Böen mit Windgeschwindigkeiten von bis zu 160 Kilometern je Stunde waren bei den Windjammer-Besatzungen als Schrauben des Kap Horn berüchtigt, und die Wellen türmten sich manchmal zu Höhen von bis zu 18 Metern auf. Zu allem Übel konnte der Wind, der im Durchschnitt an fünf von sieben Tagen aus West wehte,

Die Irrfahrt des Kapitän Quick

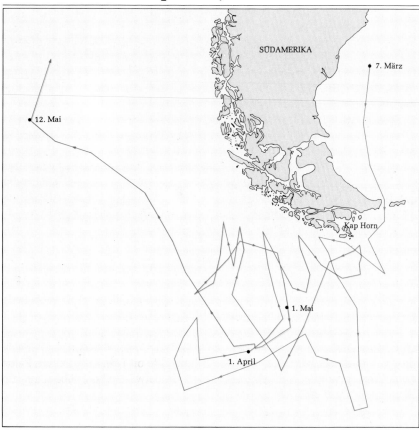

Den qualvollen Verlauf einer der erbittertsten Kraftproben zwischen einem Segelschiff und dem berüchtigten Kap Horn erkennt man an der nebenstehenden Karte vom Zickzackkurs des amerikanischen Windjammers ,,Edward Sewall" unter Kapitän Quick. Die Passage, die im Frühjahr 1914 stattfand, dauerte 67 Tage. Quick wurde zweimal vom Sturm auf Positionen zurückgetrieben, die er schon Wochen zuvor passiert hatte; am Schluß hatte er dann statt der üblichen 1300 Seemeilen über 5000 Seemeilen zurückgelegt.

urplötzlich umspringen und mit der gleichen Stärke aus der entgegengesetzten Himmelsrichtung kommen.

In ihren Anweisungen für ihre Kapitäne beschrieb die französische Segelschiff-Reederei A. D. Bordes die Gefahren von Kap Horn mit Worten, die gerade durch ihre lakonische Kürze so eindringlich wirkten: ,,Es herrscht fast immer sehr schlechtes Wetter, sogar im Sommer. Der Wind weht fast beständig aus West, und obwohl die Stürme im Sommer nicht so lange dauern wie im Winter, sind sie im Sommer häufiger und stärker. Andererseits sind im Winter der Wind unbeständiger, die Kälte schlimmer und die Tage kürzer – es ist höchstens von neun bis drei Uhr hell –, und Nebel und Schnee kommen noch hinzu. Kurz, nirgendwo ist die Seefahrt schwieriger als in diesen Gewässern."

Obwohl Kap Horn selbst nur ein Pünktchen auf der Landkarte ist, erstrecken sich die Seeräume, die von seinen chaotischen Wetterverhältnissen beherrscht werden, mehrere hundert Seemeilen nach Ost und West und bis hinunter zum südlichen Polarkreis. Die Strecke von 50° südlicher Breite um Kap Horn herum und dann auf der anderen Seite wieder hinauf bis zum 50. Breitengrad – womit der herkömmlicherweise als Kap-Horn-Gebiet bezeichnete Seeraum abgegrenzt ist – beträgt nur etwa 900 Seemeilen, aber mit dem erforderlichen Wenden, Halsen und sonstigen Kursänderungen legten die Windjammer in aller Regel über 1300 Seemeilen zurück. In östlicher Richtung war die Kap-Umrundung im allgemeinen eine Angelegenheit von wenig mehr als einer Woche. Aber von Ost nach West brauchten die besten Windjammer vom 50. Breitengrad im Atlantik bis zum 50. Breitengrad im Pazifik zwei bis drei Wochen.

Damit verglichen, erschien der offizielle Rekord für diese Strecke, nämlich fünf Tage und 14 Stunden, aufgestellt 1938, kurz vor dem Ende der Windjammer-Ära, von Kapitän Adolf Hauth mit der Laeisz-Bark *Priwall,* als eine schier unglaubliche Leistung. Hauth selbst gab bereitwillig zu, „daß wir natürlich Glück hatten. Es hatte diesmal den Anschein, als sei die *Priwall* entschlossen, Kap Horn so schnell hinter sich zu bringen, als wollte sie nie mehr dahin zurückkehren."

Es gab natürlich eine zumindest theoretisch „richtige" Taktik für die Umrundung von Kap Horn in westlicher Richtung; sie bestand darin, daß man gegen die heftigen Westwinde nach Südwest segelte, dabei versuchte, möglichst viel Weg nach Westen gutzumachen, und diesen Kurs so lange hielt, bis man auf Steuerbordbug gehen und einen nordwestlichen oder nördlichen Kurs steuern konnte. Es bestand auch die Chance, daß der Wind, wenn das Schiff weit genug nach Süden gelangte, auf Ost drehte und man dann mit guter Fahrt westwärts vorankam, bis man auf die tropischen Passate des Stillen Ozeans traf. Die Kap-Horn-Winde drehten im Uhrzeigersinn um ein Tiefdruckgebiet. Wenn also die Winde auf der Nordseite von Westen kamen, konnte man damit rechnen, daß sie auf der Südseite die entgegengesetzte Richtung hatten.

Allzu oft drehte der Wind jedoch auch nicht, manchmal tage- oder sogar wochenlang, und dann war guter Rat teuer, mochte die Besatzung auch noch so hartnäckig versuchen, so dicht wie möglich an den Wind zu gehen. Ununterbrochen heulte der Wind aus West oder Nordwest, und ein Schiff, das sich in dieser widrigen Lage befand, machte oft überhaupt keine Fahrt nach Westen, sondern wurde unerbittlich südostwärts abgetrieben, auf die Eisberge der Antarktis zu.

Die vom antarktischen Eisschelf abgelösten Eisberge stellten eine besonders bedrohliche Gefahr für die Windjammer dar. Manche waren unvorstellbar groß, größer als jede andere bewegte Masse auf der Erde. Der größte, der je verzeichnet wurde, war ein 1860 gesichtetes hakenförmiges Ungetüm mit einem rund 100 und einem rund 60 Kilometer langen Arm. Aber von solchen einzeln auftretenden schwimmenden Eisinseln drohte nicht die eigentliche Gefahr; viel schlimmer waren die endlosen Felder kleinerer Eisberge, die sich in unvorhersehbarer Weise lösten und zusammenwachsen konnten, so daß ein Windjammer ganz plötzlich eingeschlossen war. Manchmal dauerte es dann Tage, bis das Schiff wieder freikam – wenn es überhaupt einen Ausweg fand. Männer der französischen Bark *Emilie Calline* berichteten 1904 von einem unglaublichen Anblick: einem Eisberg, auf dem ein verlassenes Rahschiff ruhte, und zwar gänzlich über Wasser. Die *Emilie Calline* kam nicht nahe genug heran, um den Namen des Schiffes oder sonstige Einzelheiten auszumachen. Wie es in diese Lage gekommen war, welches Schicksal ihre Besatzung erlitten hatte und was später geschehen war, konnte nie geklärt werden. Im Jahre 1906 war die britische *Monkbarns* 63 Tage im Packeis eingeschlossen; als es dann endlich wärmer wurde, kam sie wieder frei. Aber die Belagerung hatte ihren Kapitän das Leben gekostet, und viele Besatzungsmitglieder waren halb erfroren.

Um dem Treibeis auszuweichen, möglichst rasch nach Westen voranzukommen und das Kap zu umrunden, mußte ein Kapitän auf die leisesten Regungen des Windes achten. Und wenn eine Änderung eintrat, war er gezwungen, sie auszunutzen, gleichgültig, wie sehr ihm das tagelange Martyrium schon zugesetzt haben mochte. Als die erfolgreichsten Kap-Horn-Kapitäne galten diejenigen, die so viele Segel setzten, wie das Schiff zu tragen vermochte, denn nur dann konnten sie jede vorteilhafte Winddrehung sofort ausnutzen und nach Westen vorankommen.

Geschichten über die Unverwüstlichkeit der Windjammer gibt es zuhauf. 1905 wurde das Rahschiff *Deudraeth Castle* der R. Thomas and Sons Company in einem Kap-Horn-Sturm so schwer beschädigt, daß der Kapitän beschloß, es aufzugeben. Er und seine Besatzung wurden von einem anderen Windjammer an Bord genommen, der sich zufällig in der Nähe befand, aber ehe der Kapitän von Bord der *Deudraeth Castle* ging, ließ er noch alle Lukendeckel öffnen, damit das Schiff nicht als schwimmende Bedrohung für andere Schiffe auf den Wellen trieb. Trotzdem wurde die *Deudraeth Castle* ein halbes Jahr später von einem anderen Windjammer gesichtet; sie war also doch nicht untergegangen. Ein Boot wurde zu Wasser gelassen, und die Männer stellten fest, daß der Rumpf der *Deudraeth Castle* unbeschädigt und die Laderäume nur zum Teil mit Wasser gefüllt waren. Da sie es versäumten, das Schiff zu versenken, weiß niemand genau, ob die *Deudraeth Castle* nicht bis zum heutigen Tage noch irgendwo in der wüsten Leere des Ozeans als Geisterschiff treibt.

Ein noch erstaunlicheres Beispiel für die unglaubliche Stabilität der Windjammer lieferte das Vollschiff *Dynomene* unter Kapitän W. S. Proctor 1907 auf der Ausreise von North Shields in England nach San Francisco mit einer Ladung Roheisen, Ziegel und Koks. Die *Dynomene* hatte bereits Kap Horn umrundet und wartete auf eine Drehung des Windes, die ihr erlauben

Eine gefährliche Sandbank an der Pazifikküste

Ein geographischer Name, dessen Erwähnung wohl in Logis jedes Schiffes zu lebhaften Diskussionen Anlaß gab, war die „Columbia River Bar", eine Sandbank vor der Mündung des Columbia River, an dessen Unterlauf die Getreidekais von Portland, Oregon, lagen. Denn an dieser vom Fluß angeschwemmten Sandbank scheiterten um die Jahrhundertwende zahlreiche Windjammer der „Weizenfahrt". „Es ist zweifelhaft, ob jemals ein Schiff gerettet werden konnte, das auf dieser äußeren Sandbank aufgelaufen war", hieß es warnend in den Segelanweisungen des *Pacific Coast Pilot* aus dem Jahre 1889.

Für ein Segelschiff war der Versuch, an dieser Sandbank vorbeizukommen, stets mit einem Risiko verbunden, außer es begab sich ins Schlepptau eines starken Dampfschleppers mit einem erfahrenen Lotsen an Bord.

Wenn sich auch noch das Wetter verschlechterte, entstand durch das Aufeinanderprallen der westlichen Dünung des Pazifiks und der gewaltigen Süßwassermassen des Columbia vor der Sandbank eine unüberwindliche Brandung. In den stürmischen Wintermonaten lagen oft Dutzende von Windjammern wochenlang vor der Sandbank und warteten auf besseres Wetter oder das Eintreffen eines Schleppers.

So viele sparsame Kapitäne versuchten, auf eigene Faust an der Sandbank

vorbeizukommen, daß Anfang der achtziger Jahre der sichere Transport der Frachten kaum noch gewährleistet war. Die Bürger von Portland riefen daraufhin nach Sicherheitsvorkehrungen. Bis 1885 hatte man dann mit dem Bau der ersten 300 Meter einer steinernen Mole begonnen, die insgesamt elf Kilometer lang werden und die Gezeitenströmungen auf die Sandbank lenken sollte, so daß diese eine tiefe, gerade Fahrrinne ausspülen würden.

Aber auch dadurch wurde die gefährliche Einfahrt nicht ganz entschärft. Ein typischer Fall war das Schicksal der Bark *Peter Iredale*. Am Morgen des 25. Oktober 1906 wurde sie durch einen steifen Südwestwind unversehens auf den Sand getrieben. Einem Augenzeugenbericht zufolge fand sich „der verwirrte Kapitän mit seinem Schiff auf einmal mitten in einer tosenden Brandung wieder". Gegen Mittag stand fest, daß die *Peter Iredale* völlig verlorengehen würde – eines der 96 Schiffe allein in diesem einen Jahr.

Nur ein kurzes Stück des Schlepptaus (ganz rechts) ist auf diesem Photo zu erkennen, das den französischen Weizensegler „Colonel de Villebois Mareuil" beim Passieren der gefährlichen Columbia River Bar im Jahre 1912 zeigt. Dieses Photo wurde durchs Fenster des Schleppers aufgenommen.

würde, auf Nordkurs zu gehen, als sie von orkanartigen Stürmen mit Geschwindigkeiten von über 120 Stundenkilometern erfaßt wurde. Da das Barometer schon seit Stunden fiel, war der Kapitän vorgewarnt und hatte die Segelfläche erheblich verkleinert. Als jedoch der Sturm dann über das Schiff herfiel, rissen kurz nacheinander mit lautem Knall sämtliche Untermarssegel. Mehrere Brassen, Schotketten und andere Teile der Takelage wurden fortgerissen, und ein Stengestagsegel ging verloren. Von oben kommende Ketten aus der Takelage zerschmetterten in der Nacht einem Matrosen die Hand, und eine Sturzsee fegte über die Back, riß zwei Mann nach achtern und fügte ihnen dabei mehrere Knochenbrüche zu.

Während die verbliebene Mannschaft sich abmühte, die Schäden zu beheben, schlugen die metallenen Rahen funkensprühend an die ebenfalls metallenen Masten. In der Nacht brach die Vorstenge und zerschmetterte herabstürzend ein Rettungsboot. Eine der Rahen durchschlug das Deckshaus auf der Back und fiel bis in den Wohnraum. Wie durch ein Wunder kam niemand von der Mannschaft zu Schaden. Die übrigen Rahen schwangen mit dem Schlingern des Schiffes wie wildgeworden durch die Luft und

drohten weiteres Unheil anzurichten. Als nächstes stürzten die Großmars-
und die Großbramstenge mitsamt ihren Rahen und allem sonstigen
Takelwerk von oben herab. Gegen Morgen war die *Dynomene* verwüstet,
und fast ihre gesamte Vorderschiffstakelage lag in heillosem Durcheinander
an Deck oder hing über die Bordwände herab.

Am nächsten Tag ließ der Sturm nach. Der Kapitän ließ beidrehen, und
alle Mann gingen daran, mit Stemmeisen, Sägen, Vorschlaghämmern und
sonstigem Werkzeug, das sich auftreiben ließ, den Trümmerhaufen zu
beseitigen. Notsegel wurden gesetzt, um ein Querschlagen des Schiffes zu
verhindern. Mitten in der Arbeit wurde Kapitän Proctor schwer verletzt, als
ein schweres Teil der Takelage sich löste und ihn am Rücken traf. Aber er
weigerte sich standhaft, unter Deck zu gehen; wenn die *Dynomene* gerettet
werden sollte, war kein Mann zu entbehren.

Als die verkrüppelte *Dynomene* Kurs auf die Falklandinseln nahm, um
dort repariert zu werden, wurde das Wetter abermals schlechter. Schon bald
erzitterte das Schiff erneut unter orkanartigen Sturmböen. Ein Mann kam
von oben und ging über Bord. So ohrenbetäubend waren das Getöse des
Sturmes und das Flattern der zerfetzten Segel, daß niemand etwas hörte, als
die Kreuzbramstenge brach und über Bord fiel – obwohl die Männer wie
gebannt zusahen. Jetzt waren sämtliche Stengen verlorengegangen, und das
Schiff mußte mit den bloßen Maststümpfen weitersegeln. Ein gewaltiger
Brecher riß das Bugspriet weg, ein anderer fegte ein massives Proviantfaß
aus Teakholz und Schiefer über Bord, das fast eine Tonne wog.

Erneut mußte die *Dynomene* beidrehen und das Deck von den Trümmern
geräumt werden. Mehrere Luken waren aufgerissen worden, und Wasser
drang in den Laderaum. Dann brach erneut ein furchtbarer Sturm über das
Schiff herein, trieb es beinahe auf die Ildefonso-Inseln, die westlich von Kap
Horn aus dem Wasser ragen. Eine ungeheure See riß die übrigen Rettungsboote sowie die Laufbrücke mit sich fort, die die Poop mit den Deckshäusern
verband; kurz darauf wurde das Ruder zertrümmert, und das Kompaßhaus
ging mitsamt dem Steuerkompaß verloren.

Gegen das schlechte Wetter bei Kap Horn durch ihr Ölzeug geschützt, lächeln Besatzungsmitglieder der „Grace Harwar" etwas gezwungen in die Kamera. Die Aufnahme entstand im Jahre 1929 auf einer Weizenfahrt von Australien nach England. Die harte Arbeit im Verein mit Wind und Wetter ließen die Gesichter der Seeleute vorzeitig altern; von den abgebildeten Männern waren nur der Schiffszimmermann (dritter von links) und der Erste Offizier (ganz rechts) über zwanzig.

Irgendwie gelang es der Besatzung, neue Segel zu setzen. Ein Kompaß wurde in einem Loch befestigt, das in den Deckel der Seekiste des Proviantmeisters gestemmt worden war. Beleuchtet wurde er mit einer an einem Besenstiel befestigten Sturmlaterne. Das Schiff nahm wieder Fahrt auf, in östliche Richtung. Zwei Wochen später, nachdem es wegen ungünstiger Winde die Falklandinseln nicht hatte anlaufen können, erreichte es die Mündung des Rio de la Plata und wurde in den Hafen von Montevideo geschleppt. Dort bekam die tapfere, aber arg mitgenommene *Dynomene* neue Masten und eine neue Takelage, und das durchlöcherte Deck wurde ausgebessert. Nach 13 Wochen ging sie wieder in See, mit einem neuen Kapitän und neuer Besatzung, aber derselben Ladung Roheisen, Ziegel und Koks. Diesmal umrundete sie Kap Horn ohne ernstere Zwischenfälle, und nach 92 Tagen erreichte sie San Francisco – fast 11 Monate nach der Abreise in England.

Gegen die stürmischen Winde westwärts Fahrt zu machen galt allgemein als die größte Leistung einer Horn-Umsegelung. Aber das Kap hielt für jeden irgendeine böse Überraschung bereit. So schwebten ostgehende Schiffe stets in der Gefahr, von achterlichen Seen überspült zu werden, wenn sie vor dem stürmischen Westwind liefen.

Rex Clements, der im ersten Jahrzehnt unseres Jahrhunderts auf der *Arethusa* fuhr, hat das Überkommen einer solchen See in der Nähe von Kap Horn beschrieben. „Wir machten nur geringe Fahrt", berichtete er, „wenn auch nicht deshalb, weil wir den Wind von vorne einbekommen hätten. Die heftigen Stürme standen vielmehr die ganze Zeit beständig vier Strich achteraus. Das Hauptdeck war ein einziger brodelnder Strudel, denn es jagte eine Sturzsee nach der anderen darüber hin, so daß es lebensgefährlich war, sich auch nur ein paar Schritte hinauszuwagen." Die Mannschaft, durchnäßt und ausgepumpt von der Anstrengung, das Schiff unter Kontrolle zu halten, hatte sich auf dem Poopdeck versammelt, und jeder fragte sich beklommen, ob die *Arethusa* dem Toben der Elemente wohl standhalten werde. Wie die Männer so beisammen standen, baute sich achteraus plötzlich ein enormer Brecher auf, größer als alle bisherigen. Bis jetzt hatte die Bark die größeren Seen immer noch abgeritten, indem sie im letzten Moment ihr Heck anhob, so daß die Woge nicht überkam, sondern unter ihr durchlief. Doch diesmal türmte sich der Brecher, schaumgekrönt und steil aufragend wie eine Wand, im Näherkommen immer höher auf, bis er dicht hinter der Heckreling stand.

„Alle Mann festhalten!" schrie der Kapitän, und jeder umklammerte einen Teil der Takelage oder der Decksausrüstung, der stabil genug erschien, ihn zu halten. Mit donnerndem Krachen stürzte die ungeheure schwarze Wasserwand auf sie herab. Das Wasser reichte den Männern bis zum Hals, doch irgendwie gelang es allen, sich festzuhalten – wenn auch Clements sich erinnerte, daß er dabei das Gefühl hatte, die Arme würden ihm ausgerissen. Der Brecher lief weiter von achtern über das Deck und begrub das übrige Schiff unter sich. Nur das Deckshaus der Back schaute noch heraus, eine Insel im Ozean. Alle übrigen Teile der *Arethusa* waren unter Wasser. „Mein Gott", schrie der Bootsmann, „sie ist weg!"

Aber da kannte er die *Arethusa* schlecht. „Ein paar Sekunden waren wir wie betäubt", erinnerte sich Clements. „Noch so ein weißlippiges Monster rollte von achtern auf, aber ehe es uns erreicht hatte, schien es, als sammelte die alte Bark alle Kräfte für eine gewaltige Anstrengung. Sie zitterte und tauchte mühsam empor, schüttelte das Wasser von ihrem Hauptdeck ab und hob ihren überfluteten Bug. Als der Brecher sich auf uns stürzte, hob sich ihr Heck, und die Wassermassen rauschten vorbei und nahmen die Bark, aus deren Speigatts sich wahre Katarakte ergossen, auf die Schultern." Die *Arethusa* hatte überlebt – aber sie war nicht ungeschoren davongekommen.

Im weißen Gischt einer abfließenden Sturzsee arbeiten Besatzungsmitglieder der Viermastbark „Parma" (links) bei Kap Horn auf einer Überfahrt von Australien im Jahre 1932 an einer Winde an Backbordseite. Auf der Rückreise mußte die „Parma" erneut gegen schweren Seegang ankämpfen; das Bild oben zeigt das von Brechern überspülte Deck, auf dem sich ein einziger Matrose an einer Handleiste festhält. Photograph war der Seemann und Chronist Alan Villiers.

Der Brecher hatte das Ruderhaus weggerissen, das Kompaßhaus zerschlagen, das Oberlicht der Kajüte zerschmettert und den Raum darunter überflutet und dabei mit Glassplittern übersät. Alles, was auf dem Poopdeck nicht niet- und nagelfest gewesen war, war zertrümmert oder fortgespült worden. Die Laufbrücke über dem Hauptdeck war völlig zerstört, und ein Rettungsboot, das ursprünglich zwei Meter über dem Hauptdeck gehangen hatte, war eingeschlagen.

„Alle Mann waren noch da, aber fast jeder hatte etwas abgekommen. Mehrere Männer bluteten; der Zweite Steuermann mußte John Neilsen stützen, der kreidebleich und halb ohnmächtig war. Der alte Steuermann lag unter der Kreuzmast-Takelage und konnte nicht aufstehen, weil sein Fuß sich in einem Knäuel von Tauen verfangen hatte. Der Proviantmeister, der sich unten in der Kajüte befand, wäre um ein Haar ertrunken. Das Kap hatte uns eine rauhe Taufe verabreicht. Wir hätten nie näher am Sinken sein können als in dem Moment, als dieser Brecher uns erwischte."

Die Stürme am Kap Horn waren vor allem dafür berüchtigt, daß sie tagelang ohne Unterlaß tobten, dann für kurze Zeit einschliefen – um bald darauf erneut zuzuschlagen. Wohl kaum ein Reisebericht könnte das besser belegen als die Geschichte vom Martyrium der *British Isles,* jenes Schiffes, auf dem der Offiziersanwärter William H. Jones 1905 beim Einlaufen in den chilenischen Hafen Pisagua die Begrüßungszeremonie der Windjammer miterlebt hatte. Und man kann sich vorstellen, daß er diese großzügigen Freundschaftsbeweise und Hilfsangebote der Kapitäne der in dem Hafen ankernden Schiffe zu schätzen wußte. Denn seinem später niedergeschriebenen Bericht zufolge hatte die *British Isles* 71 Tage lang gekämpft, um Kap Horn zu umrunden, und in dieser Zeit eine „ordentliche Abreibung" erhalten und beinahe unvorstellbare Strapazen durchgemacht.

Die *British Isles* war ein stählernes, dreimastiges Vollschiff, 1884 erbaut und somit im Jahre 1905 schon recht betagt. Sie war das größte Schiff ihres Typs, das jemals in der Werft von John Reid in Schottland von Stapel lief. Sie hatte einen Raumgehalt von 2530 Bruttoregistertonnen, war 94 Meter lang und hatte eine 32 Meter lange Großrah mit einem Segel, dessen Größe auch der tüchtigsten Besatzung Schwierigkeiten machte. „Es war", meinte Jones, „so groß wie eine Kirchenmauer." Die *British Isles* konnte vor dem Wind laufend sehr gute Fahrt machen, war jedoch am Wind eher langsam. Und das erwies sich als ein ganz entscheidender Nachteil, wenn sie gegen die heulenden Westwinde am Kap Horn ankämpfen mußte.

Auf dieser Reise – unter Kapitän James Platt Barker – beförderte sie rund 3600 Tonnen Kohle von Port Talbot in Wales nach Pisagua in Chile. Barkers 20 Mann Besatzung waren bunt zusammengewürfelt. Ihr Alter reichte von 15 bis in die Fünfziger, und es waren 13 Nationalitäten vertreten. Noch ehe die *British Isles* Port Talbot verließ, waren sieben Mitglieder der Besatzung weggelaufen und hatten ersetzt werden müssen.

Das Schiff lief am 11. Juni aus und traf bei der Atlantik-Überquerung sowie bei der Reise an der südamerikanischen Küste entlang gutes Wetter an, so daß es schon am 8. April Kap Horn erreichte. Selbst das Kap umrundete es noch bei relativ gutem Wetter, und der Kapitän machte sich schon Hoffnungen auf eine leichte Überfahrt. Aber kaum hatte er das Inselriff hinter sich gelassen, da fielen Luftdruck und Temperatur drastisch – in dieser Gegend eine Warnung, die man gar nicht ernst genug nehmen konnte. Die Segel waren aufgegeit und festgemacht, als der Sturm losbrach. Der junge William Jones sah das heraufziehende Unwetter als „eine helle weiße Linie", die „die langen öligen Wasserhügel" aufwühlte. Die Bö, ein typischer Kap-Horn-Sturm von Orkanstärke, überfiel die *British Isles* mit Schnee, Hagel und Wind, so daß sie schon bald so schwer überlag, daß die Leebordwand unter Wasser war. Gischt fror an der Takelage fest. Barker versuchte, die *British Isles* halbwegs auf einem südwestlichen Kurs zu halten, aber die Abdrift war so groß, daß das Kielwasser einen Winkel von 60° mit der Schiffsachse bildete und das Schiff bis Mittag des folgenden Tages wieder östlich von Kap Horn stand.

Schließlich sah Barker sich gezwungen, beizudrehen, nur die allernotwendigsten Sturmsegel stehen zu lassen und das Ruder so festzubinden, daß das Schiff mehr oder weniger mit dem Kopf gegen Wind und See gehalten wurde. Unter diesen Umständen wurde die *British Isles* unerbittlich südwärts abgetrieben, dem antarktischen Winter entgegen.

Als der Sturm Tag für Tag mit unverminderter Heftigkeit weitertobte, bedeckten Vorschiff und Halbdeck eine viele Zentimeter hohe Schicht eisigen Wassers, das mit jeder Schlingerbewegung des Schiffes hin und her schwappte. Bei der Arbeit an Deck waren die Männer in kurzer Zeit durchnäßt, und das Wasser stand ihnen in den Stiefeln; in den Masten rissen sie sich an der gefrorenen, eisverkrusteten Takelage die Hände blutig. Die meisten von ihnen bekamen durch das ständige Scheuern des nassen, salzigen Ölzeugs Furunkel an Hals und Handgelenken.

Die Essenrationen wurden herabgesetzt, ebenso die tägliche Zuteilung von Trinkwasser – das mittlerweile brackig geworden war, da die Pumpe für die Süßwassertanks hinter dem Großmast im Freien stand und so dem über das Hauptdeck strömenden Salzwasser ausgesetzt war. Auf den Deckshäusern lag der Schnee zwanzig Zentimeter hoch. Erschöpfung, Hunger und Durst waren jetzt das tägliche Brot der Besatzung. „Das Heulen und Pfeifen des Windes", schrieb Jones, „das Krachen der Seen und das bedenkliche Schlingern des Schiffes, wenn es die Flanken der Wasserberge hinabglitt, dies alles sagte uns, daß die nächste Wache genauso sein würde wie die vorangegangenen." Am sechsten Tag des Sturmes wurde ein Seemann, als er sich über die Rah lehnte, um einen Beschlagzeising aufzufangen, den ein Kamerad ihm hochwarf, von einem plötzlichen Windstoß erfaßt, bekam das Übergewicht und fiel zwölf Meter tief ins Wasser. Bei dem hohen Seegang war gar nicht daran zu denken, irgend etwas zu seiner Rettung zu unternehmen. Kurz darauf erlitt ein anderer Matrose, den eine überkommende Sturzsee erfaßte, eine tiefe Kopfwunde und mußte unter Deck gebracht werden, wo der Kapitän ihn verband, so gut es ging. Aber auch dieser Mann war nun ausgefallen. Andere Besatzungsmitglieder wurden durch Erfrierungen außer Gefecht gesetzt, und das Mannschaftslogis verwandelte sich in ein Schiffslazarett voll stöhnender Seeleute.

Das Schiff trieb weiter mit dem Kopf gegen den Wind. Nach fast 30 Tagen war es auf 65° südlicher Breite angelangt, nur noch etwa 95 Seemeilen vom südlichen Polarkreis entfernt. Ein zusammengeschobener Brei aus kleinen Eisstücken schrammte an seinen Bordwänden entlang, wodurch „ein eigenartiges und beunruhigendes grollendes Geräusch" entstand. Das zehrte an den Nerven der Männer, und ihre Unzufriedenheit wurde noch vom Ersten Steuermann geschürt, einem tüchtigen, doch mürrischen Mann namens Richard Evans. Er besaß ein Kapitänspatent, hatte aber nie ein Kommando übertragen bekommen. Verärgert darüber, unter Barker dienen zu müssen, der rund 20 Jahre jünger war als er selbst, fing Evans an, abfällig über das Schiff zu sprechen und seine Befürchtung zu äußern, daß es womöglich die Kap-Umrundung überhaupt nicht schaffen werde. Einmal verlangte eine von Evans aufgestachelte Abordnung der Besatzung von Barker Auskunft darüber, warum er nicht in den sicheren Hafen von Port Stanley auf den Falklandinseln zurückgekehrt sei, der in zwei- bis dreitägiger Fahrt vor dem Wind zu erreichen gewesen wäre. Der Kapitän reagierte damit, daß er den Leuten einen Revolver unter die Nase hielt und schrie: „Welcher verdammte Narr auf diesem Schiff glaubt denn, er wüßte besser als ich, welchen Kurs wir steuern müssen?"

Evans war nicht dabei, aber der Kapitän wußte, daß er der Rädelsführer war. Er stürmte zu Evans' Kammer und schleifte Evans in die Messe, wo die ganze Mannschaft versammelt war. „Wollen Sie", brüllte er ihn an, „daß ich Sie wegen versuchter Meuterei ins Logbuch eintrage?" Der kreidebleiche Evans gab klein bei, und von da an hatte Barker keine Schwierigkeiten mehr mit der Mannschaft – wohl aber mit den Elementen.

Am 32. Tag der Mühsal der *British Isles* waren erste Anzeichen eines Nachlassens des Sturmes zu bemerken, und Barker kam zu dem Schluß, es könnte vielleicht möglich sein, zu halsen und mit Backbordhalsen einen nördlichen Kurs zu steuern, fort vom antarktischen Eis. Ein paar neue Segel wurden angeschlagen und die Schoten angeholt; die Besatzung brach in Hurrarufe aus, während die *British Isles* langsam drehte. Aber die Begeisterung hielt nicht lange an. Bald fiel das Barometer erneut, der Wind frischte auf, und das Schiff geriet abermals in eine Serie orkanartiger Böen.

Auf dem Höhepunkt des Sturmes brach die Großbramstenge und kam mit all ihren Rahen und dem sonstigen Takelwerk von oben. Der Ausguck auf dem Vorschiff wurde von einer See mitgerissen und verschwand auf Nimmerwiedersehen. Die beiden Rettungsboote des Schiffes gingen verloren, der Hauptlukendeckel war gebrochen und der Bezug zerrissen. Die Backbordseite des Vorschiffs war eingedrückt, und Wasser ergoß sich in die Kojen der mit Erfrierungen darniederliegenden Männer, die darauf in

*Von einem Kap-Horn-Sturm ihres Groß-
mastes und der Stengen ihres Besanmastes
beraubt, liegt das 2100-Tonnen-Schiff
,,Wavertree" verlassen in Port Stanley auf
den Falklandinseln vor Anker. Die abge-
brochenen Masten hatten große Löcher in
das Deck geschlagen, die Pumpen und
beide Rettungsboote des Schiffes zertrümmert. Es gelang der Besatzung, das Schiff
flott zu halten bis zu den Falklandinseln.*

*Mit Trümmern übersät war das Deck der
entmasteten ,,Wavertree", die hier darauf
wartet, nach Südamerika geschleppt zu
werden, nachdem eine Instandsetzung für
unrentabel befunden worden war. In Südamerika wurde sie zu unrühmlichem
Dienst als Baggerhulk herangezogen.
Im Jahre 1968 aber wurde die ,,Wavertree"
für das New Yorker South Street Seaport
Museum angekauft und restauriert.*

verzweifeltes Fluchen und Jammern ausbrachen. „Auf dem Poopdeck konnte man sich nur fortbewegen", erinnerte sich Jones, „indem man auf allen vieren kroch. Ich habe in den fünfzig Jahren, die ich seit damals zur See gefahren bin, nie wieder einen solchen Sturm erlebt, und hoffe, daß mir ein solches Unwetter auch künftig erspart bleibt, sei es auf See oder an Land."

Nun, da sein Schiff ein halbes Wrack und die Zahl seiner einsatzfähigen Besatzungsmitglieder auf sechs Matrosen und vier Offiziersanwärter zusammengeschmolzen war, gelangte Barker zu der Überzeugung, daß es an der Zeit sei, den Kampf aufzugeben. Er würde doch einen rettenden Hafen anlaufen müssen. Er befahl seinem Ersten Steuermann, die Rahen vierkant zu brassen und Kurs auf Port Stanley zu nehmen. Evans nahm den Befehl, wie Jones sich erinnerte, mit einem schwachen Lächeln entgegen.

Es wurden noch weitere Segel gesetzt, und die British Isles gelangte in nordöstlicher Richtung bis nach Staaten-Eiland, das der Meerenge von Le Maire vorgelagert ist. Dort, in Lee der Insel, legte Barker eine Ruhepause ein. Die British Isles befand sich in Gesellschaft von rund 20 Windjammern, die gleich ihr Zuflucht vor dem Sturm gesucht hatten. Tausende von Albatrossen flogen zwischen den ankernden Schiffen umher oder ließen sich auf dem Wasser nieder, weiße Punkte, so weit das Auge reichte.

Drei Tage lang lag die British Isles in Lee von Staaten-Eiland. Dann rauschte ein stolzer deutscher Viermaster, ein P-Liner der Reederei Laeisz, durch die jämmerliche Flotte und erregte Bewunderung und Neid bei allen, die ihn sahen. Ob es der Anblick dieses Schiffes oder die Tatsache war, daß der Wind auf Ost gedreht hatte, irgend etwas bewog Barker jedenfalls, seine Pläne zu ändern: Er würde doch nicht aufgeben. Er würde nicht die Falklandinseln anlaufen. Er würde erneut Kurs nach Westen nehmen und noch einmal versuchen, Kap Horn zu bezwingen.

Es war inzwischen Mitte September geworden, also Frühling auf der Südhalbkugel, eine Jahreszeit, in der man eine Milderung des Wetters erwarten konnte. Aber statt dessen schwoll der Wind erneut auf Sturmstärke an, und das Schiff hatte schon bald wieder mit einer schweren See zu kämpfen. Während die British Isles so schwer schlingerte, daß ihre Masten Bögen von 60° beschrieben, mußte die Besatzung wieder in die Takelage, um steifgefrorene Segel festzumachen, auf den vereisten Fußpferden balancierend und, wie Jones anmerkte, „grunzend und fluchend und stöhnend, während wir in der Finsternis schufteten". Nach drei Stunden harter Arbeit hatten sie endlich das Großsegel geborgen und wandten sich nun dem nicht weniger schwierigen Focksegel zu. Einem Matrosen wurden zwischen Fußpferd und Rah die Finger zerquetscht. Vor Schmerz zuckte er zusammen, bekam dabei das Übergewicht und stürzte ins Wasser und damit in den sicheren Tod.

Der Sturm hielt drei Tage lang an und legte sich dann; der Wind drehte auf Südost, so daß die British Isles nun endgültig Kap Horn umrunden konnte – 52 Tage, nachdem sie es zum erstenmal umfahren hatte. Aber es galt, noch eine Krise zu meistern. In einer der ersten Böen war ein Matrose in die Speigatten gestürzt, wo ihm ein hin- und herschlagender Speigattdeckel ein Bein zerquetscht hatte. Mittlerweile hatte er Wundbrand bekommen, so daß zur Rettung seines Lebens nichts anderes übrig blieb, als das Bein abzunehmen. Barker traf alle Vorbereitungen, um die Amputation auf einer Back im Steuerbordlogis vorzunehmen – wo sich jetzt das Quartier der gesamten Mannschaft befand.

Die Szene war niederschmetternd: ein nur trüb erhellter Raum, voller Rauch von einem kleinen Holzöfchen, erfüllt vom Gestank des brandigen Beines und schwankend von den Schlingerbewegungen des Schiffes in der immer noch hochgehenden See. Im knöcheltiefen Wasser stehend, nahm Barker Küchenmesser und Knochensäge zur Hand, klemmte die Adern ab, schnitt das kranke Fleisch weg, sägte den Knochen durch, brannte die ganze

Wunde mit einem rotglühenden Schürhaken aus und verband sie. Der verstümmelte Matrose mußte noch viele Tage lang furchtbare Schmerzen aushalten, aber er blieb am Leben. Desgleichen die vom Pech verfolgte *British Isles*. Mit Mühe erreichte sie nach 139 Tagen auf See endlich Pisagua. Sie hatte insgesamt sechs Mann verloren – die drei, die über Bord gegangen waren, und weitere drei, die später ihren Verletzungen erlagen. Das war, so meinte William Jones, „ein hoher Preis für die Beförderung von 3600 Tonnen schwarzer Diamanten nach Pisagua".

Niemand hat je zusammengerechnet, wie viele Windjammer am Kap Horn geblieben sind und wie viele Männer dort ihr Leben lassen mußten. Die erstere Zahl dürfte aber in die Hunderte gehen, die letztere in die Tausende. Kap Horn konnte blitzschnell töten, mit einer einzigen mörderischen See, oder auch ganz allmählich, indem es die Schiffe verkrüppelte, so daß die Besatzungen gezwungen waren, sich in den kleinen Rettungsbooten auf den weiten Ozean hinauszuwagen. Diejenigen, die einen Schiffbruch bei Kap Horn überlebten – und das waren nicht viele –, setzten dem menschlichen Lebenswillen ein bleibendes Denkmal, denn ihre Chancen waren denkbar gering. Im Juli 1912 geriet der britische Windjammer *Criccieth Castle* auf einer Überfahrt von Peru nach Antwerpen mit einer Ladung Guano an Bord bei Kap Horn in Seenot. Das Schiff wurde von einer achterlichen See erfaßt, die den Ruderpfosten zertrümmerte; die Beschädigung des Achtersteven führte dazu, daß sich ein Stück Stahlbeplankung löste und durch das so entstandene Leck Wasser eindrang. Das Ruder war abgerissen. Die Pumpen des Schiffes verstopften sich mit Guano und fielen aus; der pulverförmige Vogeldung bildete mit Wasser eine klebrige, stinkende Masse. Da er wußte, daß sein Schiff manövrierunfähig war und bald sinken würde, gab Kapitän Robert Thomas den Befehl, die *Criccieth Castle* zu verlassen.

Unter großen Schwierigkeiten wurden zwei Boote zu Wasser gelassen. Dabei schlug das größere von beiden gegen seine Bootsschwinge, wodurch die Planken beschädigt wurden. Das Boot wurde trotzdem für seetüchtig befunden und nahm den Kapitän, dessen Frau und vierjährigen Sohn sowie weitere 14 Mann auf. In das kleinere Boot gingen der Erste Steuermann und sechs Matrosen. Die beiden Boote legten von der schlingernden *Criccieth Castle* ab und nahmen Kurs nach Nordost, in der Hoffnung, die 160 Seemeilen entfernten Falklandinseln zu erreichen. Aber alsbald frischte der Wind auf und steigerte sich zum Orkan. Die Nacht brach herein, und die beiden Boote wurden gnadenlos herumgeworfen. Das kleinere Boot verschwand und wurde nie wieder gesehen. Das Boot des Kapitäns war allein. Schnee, mit Hagel vermischt, fiel vom Himmel, und im Boot stand das Wasser. Es war bitter kalt: im Juli ist auf der Südhalbkugel Winter.

Am Morgen schöpften die Schiffbrüchigen Hoffnung, als eine Viermastbark nur etwa eine Meile entfernt auftauchte. Sie heißten eine Decke, winkten mit Kleidungsstücken und schrien aus Leibeskräften. Aber die Bark segelte weiter und war bald verschwunden.

Enttäuscht und voller Verzweiflung, erschöpft von der Anstrengung und starr vor Kälte, überließen sich die meisten Bootsinsassen einer dumpfen Betäubung. Manche bekamen Halluzinationen, behaupteten steif und fest, sie sähen Häuser, die Gesichter ihrer Bootskameraden hätten sich auf das Doppelte vergrößert, oder sie seien wieder auf dem Schiff. Nur Kapitän Thomas blieb bei Vernunft und steuerte das Boot, damit es nicht vollschlug. Am Abend dieses Tages erfroren drei Mann. Ihre Leichen wurden über Bord geworfen – aber erst, nachdem man ihnen ihr Ölzeug ausgezogen und Frau und Sohn des Kapitäns darin eingehüllt hatte, die am Boden des Bootes in dem schwappenden, eisigen Wasser lagen.

Der Proviant bestand aus zwei Fäßchen Wasser, einem ausreichenden Vorrat an Brot und einer Kiste Büchsenfleisch. Aber schon am nächsten Tag stellte sich heraus, daß das Salzwasser das Brot verdorben hatte. Das Trinkwasser ging schon zur Neige, und das Büchsenfleisch war über Bord geworfen worden, um das mit Wasser gefüllte, tiefgehende Boot zu leichtern. Da ihre Hände geschwollen und voller Frostbeulen waren, mußten die Überlebenden das Gefäß, mit dem sie das Wasser aus dem Boot schöpften, mit den Handgelenken halten. An diesem Tag ging Kapitän Thomas über Bord. Einer der Männer konnte gerade noch die Ruderpinne packen, um ein Querschlagen des Bootes zu verhindern, und der Kapitän versuchte, mit schlegelnden Armen zum Boot zurückzuschwimmen. Er schaffte es auch und klammerte sich ans Dollbord an. Aber er war zu sehr geschwächt, um sich ins Boot zu ziehen, und eine Zeitlang brachte keiner der Insassen die Kraft auf, ihm zu helfen. Erst auf das flehentliche Bitten von Mrs. Thomas hin rafften die Männer sich schließlich doch auf und zerrten den Kapitän ins Boot, indem sie sich mit Zähnen und Händen in seine Kleider krallten. Im Verlauf dieses Tages starben zwei weitere Insassen und wurden über den Bootsrand ins Wasser gelassen.

Zwei weitere Tage vergingen, und besseres Wetter wechselte ab mit neuen orkanartigen Stürmen. Am Morgen des sechsten Tages hatte der Wind so weit nachgelassen, daß ein kleines Segel gesetzt werden konnte. Nicht lange danach wurde Land gesichtet. Wieder stiegen die Hoffnungen der Schiffbrüchigen – und wieder wurden sie enttäuscht, denn das Land entpuppte sich als die unbewohnte Beauchene-Insel. Es befanden sich fast keine Lebensmittel und kein Wasser mehr an Bord, aber die Falklandinseln waren nur noch 35 Seemeilen entfernt, und deshalb ließen die Schiffbrüchigen den Mut nicht ganz sinken. Gegen Abend gingen sie an Land – auf einer Insel, die, wie sich später herausstellte, zu den östlichen Falklandinseln gehörte. Kaum waren sie ans Ufer getaumelt, stopften sie sich Schnee in den Mund und schluckten ihn so gierig hinunter, daß ihnen schlecht wurde. Dann verbrachten sie die Nacht eng aneinandergedrückt auf dem Boden.

Tags darauf brachen Kapitän Thomas und ein Besatzungsmitglied auf, um Hilfe zu holen. Stunden später kehrten sie mit der niederschmetternden Nachricht zurück, die Insel sei unbewohnt. Ein Küstenschiff wurde am Horizont gesichtet, und sie beschlossen, darauf zuzusegeln. Es wehte eine kräftige ablandige Brise, und sie machten gute Fahrt, verloren das Schiff aber trotzdem außer Sicht. Sie versuchten, zu der Insel zurückzukehren, kamen aber nicht vorwärts und mußten die Nacht auf dem Boot verbringen.

Sie waren zu einem abgezehrten Häuflein geworden. Ein paar hatten Schaum vor dem Mund. In der Nacht starb wieder einer der Seeleute. Die übrigen brauchten fast eine Stunde, um ihn über die Bordwand zu hieven.

Es lag auf der Hand, daß sie nicht mehr lange durchhalten würden. Am nächsten Tag drehte der Wind und trieb sie auf eine felsige Küste zu, an der sie mit Sicherheit zerschellt wären. Kapitän Thomas versuchte, ein zweites Segel zu setzen, um näher an den Wind gehen und auf eine ferne Landzunge zuhalten zu können, hinter der vielleicht Hilfe zu finden sein würde. Es bedurfte übermenschlicher Anstrengungen, um das zweite Segel zu setzen, aber sie schafften es und hielten auf die Landzunge zu. Stunden später umrundeten sie die Spitze. Diesmal wurden sie nicht enttäuscht. Vor ihnen lag Port Stanley, der größte Ort auf den Falklandinseln.

Im Krankenhaus von Port Stanley starben noch zwei Besatzungsmitglieder. Die übrigen neun blieben am Leben, wenn auch einigen Finger oder Zehen abgenommen werden mußten. Bei dem kleinen Jungen sah es zunächst so aus, als würde er beide Beine verlieren, aber schließlich kam der Kreislauf doch wieder in Gang, und er wurde wieder ganz gesund. Kapitän Thomas mußte ein paar Monate auf Krücken gehen, war dann aber auch völlig wiederhergestellt. Und was seine Frau anlangt, so kehrte sie mit Mann und Sohn nach England zurück, wo sie zwei Monate später eine Tochter gebar – die also ebenfalls die schreckliche Reise überlebt hatte.

Kapitel 5

Kapitän Seeteufel vom „Seeadler"

Der britische Offizier, der mit einem Kollegen an Bord gekommen war, um das Schiff zu kontrollieren, hatte den Eindruck, daß auf dem betagten Windjammer alles in Ordnung war – soweit man überhaupt Ordnung erwarten konnte auf einem norwegischen Trampschiff, das kürzlich einen heftigen Sturm auf dem Nordatlantik abgeritten hat. Es war am ersten Weihnachtsfeiertag des Jahres 1916, und die Bark *Irma* war von dem britischen Hilfskreuzer *Avenger* mit einem Schuß vor den Bug gezwungen worden beizudrehen, und das auf offener See, 160 Seemeilen östlich von Island. Es herrschte Krieg, und die britische Marine hatte Dauerbefehl, alle Schiffe aufzubringen und zu durchsuchen, die nicht eindeutig als befreundet erkannt wurden. Nachdem er sich unter gehörigem Fluchen als Kapitän Knudson von der 1500-Tonnen-Bark *Irma* ausgewiesen hatte, unterwegs von Christiana in Norwegen nach Melbourne in Australien, bat der norwegische Schiffer, ausgiebig auf seinem Priem herumkauend, den Offizier in gebrochenem Englisch zur Überprüfung seiner Papiere nach unten.

Der Norweger schien in bester Laune. Und das, so überlegte der britische Offizier, konnte ihm nur recht sein, denn der Mann sah aus, als sei sonst mit ihm nicht gut Kirschen essen. Er war hünenhaft gewachsen, etwa einsneunzig groß, und hatte einen massigen Schädel, Schultern und Arme wie ein Stauer und eine Stimme, die einem Seelöwen Ehre gemacht hätte.

In der Kapitänskajüte herrschte schreckliche Unordnung, überall lagen Papiere verstreut, Unterwäsche (mit dem eingestickten Namen Knudson) hing zum Trocknen an einer Leine, und es stank fürchterlich nach Petroleum. „Entschuldigen Sie, Mister Officer", sagte der Kapitän, „aber mein Ofen ist kaputt. Ich konnte ja nicht wissen, daß Sie, Gentlemen, mir heute einen Besuch abstatten würden." An der Kajütenwand hing das Foto einer Blondine mit der Unterschrift „Mange hilsner [viele Grüße] – Din Dagmar, 1914". Und auf der Chaiselongue lag die Dame selbst, mit schmerzverzerrtem Gesicht und einem Schal um den Kopf.

„Das ist meine Frau, Mister Officer", sagte Knudson. „Sie hat seit ein paar Tagen schreckliche Zahnschmerzen." Der britische Offizier wandte sich voller Mitgefühl an die Frau des Kapitäns: „Verzeihen Sie, daß ich störe, aber wir haben unsere Pflicht zu tun." „All right", flötete die Dame und litt weiter schweigend vor sich hin.

Während Knudson seine Papiere zusammensuchte, bot er dem Besucher eine Erfrischung an. „Einem britischen Seeman muß man immer gleich tüchtig einschenken", war seine Überzeugung, „aber natürlich auch einem deutschen oder einem amerikanischen und überhaupt jedem Seemann, gleich welcher Nationalität." Der untersuchende Offizier nahm dankend an, ganz offensichtlich der Völkerfreundschaft zuliebe.

Die Papiere und das Logbuch waren naß und fleckig, was – wie Knudson erklärte – auf den Sturm zurückzuführen war, den die *Irma* durchgemacht hatte. Während der Offizier die Papiere kontrollierte, unterhielt sich Knudson auf norwegisch mit seinem Steuermann und bemerkte, solch einen Kamelhaarüberhang mit Kapuze, wie ihn der Offizier habe, müßten sie auch haben, gegen die Kälte. „Nein", sagte da der Offizier, „gegen die Nässe." Er hatte bis dahin noch nicht zu erkennen gegeben, daß er auch norwegisch sprach, und Knudson sah ihn überrascht und voller Hochachtung an. Schließlich war die Untersuchung beendet, und der britische Offizier verkündete: „Kapitän, Ihre Papiere sind alle in Ordnung." Bevor er von Bord ging, wies er Knudson noch an, auf ein Signal von der *Avenger* zu warten, ob er seine Fahrt fortsetzen könne.

Dieses Signal wurde auf recht dramatische Art gegeben. Der britische Kreuzer nahm Fahrt auf, hielt direkt auf die *Irma* zu und drehte erst im letzten Moment ab. An seinem Heck flatterten Signalflaggen mit der Botschaft: „Glückliche Reise".

Mit sichtlichem Stolz seine zahlreichen Auszeichnungen zur Schau tragend, posierte Felix Graf von Luckner als Inbegriff des deutschen Seeoffiziers im Ersten Weltkrieg für dieses Porträt, das ihn im Andenken an seine Heldentaten als Kommandant des in ein Kaperschiff verwandelten Windjammers „Seeadler" zeigt. In der linken oberen Ecke trägt das Bild eine Widmung des Malers, Emil Osterman, an seinen Freund, den „Seeteufel", wie er genannt wurde.

Da hatten die Briten dem Richtigen „Glückliche Reise" gewünscht H.M.S. *Avenger* hatte ein Schiff entwischen lassen, das sich als eine Geißel der Ozeane erweisen sollte. Der richtige Name der *Irma* war *Seeadler*, und dieser scheinbar so harmlose alte Windjammer war in Wirklichkeit ein deutscher Hilfskreuzer, der mit persönlichem Segen von Kaiser Wilhelm II. ausgeschickt worden war, um alle feindlichen Schiffe, deren es habhaft werden konnte, aufzubringen und nach Möglichkeit zu versenken. Es war eine aus Verzweiflung geborene Mission: die Blockade der Alliierten legte die Kriegsschiffe der deutschen Marine lahm. Nur die deutschen U-Boote konnten die Blockade durchbrechen, ohne in direkte Konfrontation mit der britischen Royal Navy zu geraten, der damals größten und mächtigsten Kriegsflotte der Welt. Aber U-Boote hatten nur einen begrenzten Aktionsradius, weil sie nur kleine Mengen Treibstoff mitnehmen konnten. Das Oberkommando der deutschen Marine war sich darüber im klaren, daß bewaffnete Kaperschiffe, die die Blockade durchbrechen und auf hoher See für den Feind unerkannt bleiben sollten, getarnte, bewaffnete Kauffahrtei-schiffe – oder Hilfskreuzer – sein mußten.

Einige dieser schwer bewaffneten umgebauten Frachtschiffe wurden, als Schiffe neutraler Länder getarnt, durch die Blockade geschleust und begannen, die Handelsschiffe aufzubringen, die den Nachschub für die Alliierten transportierten. Aber den Deutschen fehlten Bunkerstationen im Atlantik und Pazifik, wo ihre dampfgetriebenen Hilfskreuzer Brennstoff hätten aufnehmen können. Eine vielversprechende Möglichkeit bestand deshalb darin, einen harmlos wirkenden Windjammer, der keine Kohle brauchte, umzubauen, zu bewaffnen und als Kaperschiff einzusetzen.

Der Admiralstab hielt die Idee zunächst für verrückt, aber ihre Verfechter ließen nicht locker. So bemerkte ein Seeoffizier, Felix Graf von Luckner, zum Kaiser: „Nun, Majestät, wenn unser Admiralstab sagt, das sei

Während ein Seemann das Ruder bedient, nimmt Leutnant Graf von Luckner 1906 an Bord des Kreuzers „Kaiserin Augusta" Meldung aus dem Bordtelephon entgegen. Obwohl Luckner ein fähiger Nachwuchs-offizier war, hatte er es in den ersten Jahren seines Dienstes in der Kaiserlichen Marine nicht immer leicht. „Ich war schließlich einmal einfacher Matrose gewesen", schrieb er, „und hatte anfangs einige Schwierigkeiten mit den Leuten, die mir den Aufstieg nicht gönnten."

unmöglich und lächerlich, dann bin ich sicher, daß es sich machen läßt. Denn dann wird es auch die britische Admiralität für unmöglich halten. Und man wird erst gar nicht nach etwas so Absurdem wie einem als harmloser alter Segler getarnten Hilfskreuzer suchen." So wurde der *Seeadler* geboren.

Sein Kommandant – der Mann, der sich dann als norwegischer Kapitän Knudson ausgab – war Felix Graf von Luckner. Als Kapitänleutnant zeichnete sich Luckner durch seine Erfahrungen im Umgang mit Segelschiffen ebenso aus wie durch seinen Abenteuergeist. Er sollte später unter dem Beinamen Seeteufel bekannt werden.

Über einen Zeitraum von 224 Tagen sollte der *Seeadler* unter Luckner den Südatlantik unsicher machen und sich in den weiten Pazifik vorwagen – als Kaperfahrer unter Segeln im Zeitalter der Dampfschiffe –, alliierten Geschwadern ausweichen und Tausende von Tonnen Schiffsraum versenken. Manche seiner Bravourstücke klingen so unwahrscheinlich, daß man sie allenfalls einem phantasiebegabten Schriftsteller abnehmen würde. Und am Ende, als der Erste Weltkrieg vorbei war, sollte dieser seefahrende Krieger sogar die Achtung und Bewunderung seiner einstigen britischen und französischen Feinde erringen.

Aber Luckners Geschichte ist nicht nur die eines Teufelskerls, sondern hat auch noch eine andere, tiefer reichende Bedeutung. Die Kaperfahrt des *Seeadler* war der letzte größere Einsatz eines Segelschiffes zu Kriegszwecken. So gesehen, symbolisiert sie einen Wendepunkt in der Geschichte der Seefahrt. Der *Seeadler* war – genau wie sein Kapitän – ein Anachronismus in einem Zeitalter der immer größer werdenden dampf- und dieselölgetriebenen Schlachtschiffe mit ihren furchtbaren 30-cm-Geschützen, deren ungeheure Geschosse selbst noch auf eine Entfernung von 10 Seemeilen und mehr eine 30 cm dicke Panzerung durchschlagen konnten. Gewiß, der *Seeadler* war ein Kaperschiff und mußte mit List und Tücke seine Beute aufspüren. Aber als letztes Schiff seiner Art, das im Krieg eingesetzt wurde, erinnerte er noch einmal an das Zeitalter der Segelkriegsschiffe und ihrer berühmten Admirale, von Blake und Tromp bis zu Nelson und Villeneuve.

Luckner war kein besonders empfindsamer Mensch. Aber er wußte, daß er das Ende einer Ära verkörperte. Und er fühlte sich der Segelschiffahrt tief verbunden. „Es war für uns immer ein Stich durchs Herz", schrieb er, „ein Segelschiff zu versenken. Die Poesie des Meeres! Jeder Segler, der untergeht, kommt ja nicht wieder, da keine mehr gebaut werden."

Felix von Luckner entstammte einer preußischen Soldatenfamilie – die meisten Luckners waren Kavalleristen gewesen. Sein Urgroßvater, Nikolaus Graf Luckner, hatte als Kavallerieoffizier im Heer Friedrichs des Großen gekämpft und später ein eigenes Husarenkorps gebildet, das als Söldnertruppe in der französischen Revolutionsarmee kämpfte – mit solch durchschlagendem Erfolg, daß der alte Haudegen zum Marschall von Frankreich ernannt wurde. Felix von Luckners Großvater und Vater kämpften als adelige Husarenoffiziere für Deutschland. Es war zu erwarten, daß der junge Felix ebenfalls in diese ruhmreiche Waffengattung eintreten würde, die – bis der Erste Weltkrieg das Gegenteil bewies – als die schlagkräftigste, jede Schlacht entscheidende Truppe galt. Doch aus Gründen, die ihm selbst verborgen blieben, fühlte Felix sich zur See und zu den großen Rahschiffen hingezogen. Aber mit seinem Wunsch, eine Laufbahn als Seemann einzuschlagen, stieß er bei seinem Vater auf wenig Gegenliebe.

Im Jahre 1894, 13 Jahre alt, lief Luckner aus seinem Elternhaus in Halle an der Saale weg und schwor sich, nie wieder nach Hause zurückzukehren, es sei denn, als fertiger Seeoffizier. Weil er keine Vorteile aus seiner adligen Abstammung ziehen, aber auch mögliche Benachteiligungen entgehen wollte, nahm er den Mädchennamen seiner Mutter Philax Lüdicke an.

Sieben Jahre fuhr er auf Windjammern und anderen Schiffen durch die ganze Welt, lernte so die Seefahrt von der Pike auf kennen und bestand zahllose Abenteuer – die er später gern mit allerlei Ausschmückungen erzählte. Niemand wußte dann genau, wo eigentlich die Wahrheit aufhörte und das Seemannsgarn anfing, denn Luckner war ein Geschichtenerzähler in bester alter Seemannstradition.

Sein erstes Schiff war ein russischer Rahsegler, auf dem er als Schiffsjunge ohne Heuer anfing. Eines Tages bei schwerem Sturm im Südatlantik verlor Luckner beim Versuch, ein Segel festzumachen, den Halt und fiel über Bord. Wassertretend und mit den Armen wild um sich schlagend, bekam er schließlich – so jedenfalls erzählte er später – den Fuß eines Albatros zu fassen, eines riesigen Vogels mit drei Metern Flügelspannweite, der dicht an ihm vorbeistrich. Obwohl der Vogel ihm eine tiefe Wunde in die Hand hackte, ließ Luckner nicht eher los, als bis ein Rettungsboot auftauchte.

In Australien lief er von seinem Schiff weg, nachdem er mit der Tochter eines Hoteliers angebandelt hatte. Er war groß für sein Alter und wirkte reifer, als er war. Als seine Gefühle für die junge Dame sich abkühlten, blieb er zunächst in Australien und brachte sich mit allerlei Gelegenheitsarbeiten durch. Er verkaufte religiöse Traktate für die Heilsarmee, wurde Gehilfe eines Leuchtturmwärters (der ihn davonjagte, als er ihn mit seiner Tochter erwischte – obwohl, wie Luckner bis ans Ende seiner Tage beteuerte, nichts weiter vorgefallen war als ein harmloses Küßchen), schloß sich vorüberge-hend einer Truppe indischer Fakire an, versuchte sich als Känguruhjäger und trainierte in einer Schule für Preisboxer.

Dann aber packte ihn wieder die Sehnsucht nach dem Schiff, und er heuerte auf einem amerikanischen Schiff an. Es folgten mehrere Jahre abenteuerlicher Seefahrt. Er diente auf fast einem Dutzend Schiffen, auf denen er die unterschiedlichsten Arbeiten übernahm. Er lernte alle Strapazen und Unglücksfälle des Seemannslebens kennen, vom Skorbut bis zum Schiffbruch, und kam weit herum. Später erzählte er mit besonderem Vergnügen, wie er einmal in Vancouver ins Gefängnis kam, weil er aus einer Laune heraus ein Fischerboot geklaut hatte, während sein Schiff im Hafen lag. Auf einer Reise nach Chile wurde er abermals eingesperrt, weil er bei einem Landurlaub im betrunkenen Zustand versucht hatte, ein Schwein zu stehlen. In Honolulu, so erzählte er, wäre er um ein Haar von einem Psychopathen ermordet worden; auf zwei Fahrten, im Nordatlantik und in der Karibik, brach er sich erst das eine, dann das andere Bein, und als sein Schiff ohne ihn von Tampico abfuhr, bummelte er durch Mexiko und diente sogar ein paar Wochen in der mexikanischen Armee.

Unter den Schiffen, auf denen der junge Luckner diente, waren zwei, die noch eine wichtige Rolle in seinem Leben spielen sollten. Das eine war ein norwegisches Rahschiff, auf dem er von Havanna nach Australien und zurück nach Liverpool fuhr. An Bord dieses Schiffes lernte er fließend Norwegisch sprechen, was ihm später so nützlich wurde.

Der zweite Windjammer war die *Pinmore*, eine britische Viermastbark, erbaut 1882 und eines der besten Schiffe ihres Jahrgangs. Sie fuhr mit einer Holzladung, und auf ihr machte Luckner eine furchtbare, 285tägige Überfahrt von Vancouver nach Liverpool mit, wobei er fast an Skorbut gestorben wäre, als auf dem Schiff bei der Umsegelung von Kap Horn die Lebensmittel- und Wasservorräte ausgingen. So schrecklich diese Reise auch war, stets war ihm später die *Pinmore* der Inbegriff seiner romanti-schen Jugendzeit auf See.

Im Jahre 1901, mittlerweile 20 Jahre alt, kehrte Philax Lüdicke endlich nach Deutschland zurück. In einem dänischen Adelskalender, den er zufällig in einem Lübecker Café liegen sah, las er, daß seine Familie ihn als verschollen hatte erklären lassen. Trotzdem wollte er noch nicht nach Hause zurück – nicht ehe er sein Kindheitsgelöbnis erfüllt hatte, Seeoffizier zu

Züchtig lächelnd und mit einem Fächer in der Hand, steht ein als Frau des angeblich norwegischen Kapitäns verkleideter Matrose neben Luckner, während der „Seeadler" von Bremerhaven ausläuft. Der verkleidete Seemann spielte seine Rolle hervorragend, als der Hilfskreuzer von zwei britischen Offizieren kontrolliert wurde; um sich nicht durch die tiefe Stimme verraten zu müssen, bekam der Mann einen Schal um die Backen und einen Wattepropf in den Mund – und wurde von den ritterlichen Briten mit Fragen verschont.

werden. Immer noch unter seinem falschen Namen besuchte er die Lübecker Navigationsschule, bestand das Steuermannsexamen, bewarb sich bei deutschen Reedereien und kam als Wachoffizier an Bord der *Petropolis,* die drei Wochen später von Hamburg nach Südamerika auslief. Ein Jahr darauf meldete er sich zur Marinereserve, wurde befördert und schließlich als Leutnant zur See der Reserve entlassen. Nun endlich konnte er nach so vielen Jahren zum erstenmal wieder nach Hause gehen.

In Uniform, mit Epauletten und Dreimaster klopfte der junge Graf an die Tür seines Elternhauses in Halle und gab seine Karte ab. Aus einem anderen Zimmer hörte er die wohlbekannte Stimme seines Vaters: „Leutnant zur See Felix von Luckner? Gibt's ja gar nicht, aber ich lasse den Grafen bitten." Nun trat Felix ein und sagte: „Tag, lieber Vater! Glaube meine Äußerung verwirklicht zu haben, Kaisers Rock in Ehren zu tragen."

Es hätte schon ein hartherziger Mann sein müssen, der von solch einem Auftritt – und solch einem Sohn – nicht beeindruckt gewesen wäre. Der ältere Luckner schloß Leutnant Felix in die Arme, und von da an gab es keine Streitigkeiten mehr über die Berufswahl des jungen Mannes. Er fuhr auf verschiedenen deutschen Dampfern, lernte fleißig, bestand sein Kapitäns-examen und ging am 3. Februar 1912 in den aktiven Dienst der Kriegsmarine. Er machte sich bald einen Namen, indem er fünf Menschen bei fünf verschiedenen Gelegenheiten vor dem Ertrinken rettete und jedesmal die Rettungsmedaille ablehnte. Die Presse feierte ihn ob solch mutiger Taten als Helden, und bald wurde auch der Kaiser auf ihn aufmerksam, den er noch auf andere Weise beeindruckte und unterhielt. Von den indischen Fakiren in Australien hatte Luckner ein paar Zauberkunststücke gelernt, und auf einem Empfang, bei dem Staatsoberhäupter und andere Würdenträger zugegen waren, beeindruckte er seinen Kaiser, indem er ein Ei in ein Taschentuch wickelte, es verschwinden ließ und anschließend aus der Westentasche des Königs von Italien hervorholte. Von da an sorgte der Kaiser dafür, daß Luckner stets gute Kommandos bekam.

Nach Ausbruch des Ersten Weltkrieges diente Luckner an Bord des Linienschiffes *Kronprinz* im III. Geschwader, und auf der *Kronprinz* nahm er an der Skagerrakschlacht teil. Im Herbst 1916 wurde ihm aufgrund seiner Fähigkeiten das *Seeadler*-Projekt übertragen.

Kapitänleutnant Felix Graf Luckner war zweifellos besser als jeder andere geeignet, Kommandant des *Seeadler* zu werden. Er war ein Seeoffizier, der seinen Mut und Einfallsreichtum oft genug bewiesen hatte. Er sprach fließend norwegisch – und die Flagge des neutralen Norwegen würde eine ideale Tarnung für das deutsche Kaperschiff darstellen. Aber vor allem war Luckner einer der wenigen Offiziere der Kaiserlichen Marine mit gründlichen Erfahrungen in der Segelschiffahrt.

Die Deutschen waren durch einen glücklichen Zufall in den Besitz des *Seeadler* gelangt. Das Schiff war 1888 in Schottland erbaut worden und hatte sich unter dem Namen *Pass of Balmaha* einen Ruf für besondere Schnelligkeit erworben. Kurz vor Kriegsbeginn hatten die britischen Eigner das Schiff an eine amerikanische Firma verkauft, und im Jahre 1916 war es mit einer Ladung Baumwolle nach Archangelsk in Rußland unterwegs, als es von einem britischen Kreuzer aufgebracht und untersucht wurde. Obwohl die Vereinigten Staaten eine neutrale Macht waren, schickte der Kommandant des Kreuzers den Windjammer mit einer englischen Prisenbe-satzung und unter englischer Flagge nach Scapa Flow.

Aber das Schiff kam nicht weit. Schon am nächsten Morgen tauchte ein deutsches U-Boot auf und hielt die *Pass of Balmaha* an. Die britische Prisenbesatzung wurde durch eine deutsche ersetzt, und das Schiff lief nach Cuxhaven. Im Laufe des nächsten Jahres, während die britische Blockade immer enger gezogen wurde, ließen die deutschen Behörden die *Pass of Balmaha* zu einem getarnten Hilfskreuzer umbauen.

Den Baumeistern des umgetauften *Seeadler* – an ihrer Spitze Luckner selbst – gelang eines der denkwürdigsten Verkleidungskunststücke der Seefahrtsgeschichte *(S. 136–143)*. Vom Kiel bis zum Oberdeck, so erinnerte sich Luckner, wurde der Dreimaster in „ein merkwürdiges Schiff voller Geheimtüren und falscher Verkleidungen" verwandelt. Zusätzlich zu den Unterkünften für die mit 64 Mann ungewöhnlich große Besatzung wurden im Zwischendeck versteckte Quartiere für weitere Soldaten und für 400 Gefangene eingerichtet. Luckner bestand darauf, diese Räume komfortabel zu gestalten und sie mit Kojen, Toiletten und sogar mit Lesestoff in englischer und französischer Sprache auszustatten.

Die Mitglieder der Mannschaft wurden sowohl nach ihrer Erfahrung auf Segelschiffen als auch nach ihrer Kaltblütigkeit im Kampf ausgewählt. Viele von ihnen sprachen fließend norwegisch. Einer der Seeleute, ein schlanker, bartloser junger Mann namens Schmidt, wurde mit Perücke und langem Kleid ausstaffiert, mußte die Rolle der Frau des Kapitäns einüben und bekam den Spitznamen Jeanette. Eine Frau, und sei es eine falsche, mußte an Bord sein, meinte Luckner, denn „gegen Damen ist man artig, besonders der englische Offizier".

Luckner selbst mußte sich von seiner Pfeife trennen und übte unverdrossen, Kautabak zu kauen und auszuspucken, eine Gewohnheit, für die die norwegische Seeleute bekannt waren.

Als all diese seltsamen Übungen mit Erfolg abgeschlossen waren, hatte der deutsche Aufklärungsdienst inzwischen ein norwegisches Schiff ausfindig gemacht, das ganz ähnlich aussah wie der *Seeadler* und dessen Doppelgänger dieser nun werden konnte. Es war die *Maletta,* die gerade in Kopenhagen ihre Ladung löschte und dann eine neue Ladung übernehmen sollte. Ihr Auslaufen war ungefähr für die Zeit vorgesehen, zu der auch der *Seeadler* fertig sein würde.

Natürlich konnte es nur von Vorteil sein, das Logbuch der *Maletta* in die Hände zu bekommen – eine Aufgabe für Philax Lüdicke, der eines Tages im Hafen von Kopenhagen auftauchte und sich als Stauer verdingte. Er beobachtete tagelang das Schiff, um Aufschluß über die Gewohnheiten des Wachpostens zu bekommen, stahl sich eines Nachts, als die übrige Mannschaft an Land gegangen war, an Bord der *Maletta,* schlich sich aufs Vorschiff, schnitt die Festmacheleine fast ganz durch und ging nach achtern, um abzuwarten. Die Flut ging zurück, wodurch das Schiff gesenkt und die Leinen gespannt wurden, so daß sie schließlich mit lautem Knall rissen, woraufhin der Wachposten zum Bug rannte, um nachzusehen, was passiert war. Luckner schlich sich im Schutz der Dunkelheit nach unten und fand das Logbuch unter der Matratze des Kapitäns. Er steckte es sich in den Hosenbund, rannte die Laufplanke hinauf und verschwand in der Nacht.

Mitte November 1916 lag die falsche *Maletta* mit ihren gefälschten Papieren, ihrer vorgetäuschten Ladung, ihrer schauspielernden Mannschaft und ihrem liebenswürdigen Kapitän samt Gattin in Bremerhaven, klar zum Auslaufen, um die britische Blockade zu durchbrechen. Ihre Abreise war für einen Tag nach dem Auslaufen der richtigen *Maletta* vorgesehen. Aber im allerletzten Moment kam ein drahtloses Telegramm vom Admiralstab mit der Order, zunächst nicht auszulaufen. Das U-Boot *Deutschland* war nämlich nach einem aufsehenerregenden Besuch in den damals noch neutralen Vereinigten Staaten auf der Heimreise nach Deutschland. Die Briten wußten also, daß sich ein deutsches U-Boot in der Nordsee aufhielt. Der Feind würde deshalb zweifellos doppelt wachsam sein, und das Oberkommando wollte den *Seeadler* keiner unnötigen Gefahr aussetzen. Als Luckner drei Wochen später endlich die Erlaubnis zum Auslaufen bekam, war die echte *Maletta* längst unterwegs. Luckners Schiff mußte sich einen anderen Decknamen zulegen. In Lloyds Register fand sich noch ein norwegisches Rahschiff, das nach den Vermessungen mit dem *Seeadler*

Als neutrale Norweger verkleidet, versammelt sich die Besatzung des deutschen Hilfskreuzers „Seeadler" auf der ebenfalls als Tarnung dienenden Holzladung für ein Gruppenphoto, ehe ihr Schiff 1916 ausläuft, um die britische Blockade zu brechen. Die Verschleierung war in allen Einzelheiten perfekt, bis hin zu falschen Personalpapieren und sogar gefälschten norwegischen Briefen in den Seekisten der Leute. „Wir mußten auf jede Stichprobe vorbereitet sein", schrieb Luckner später.

Auf diesem offiziellen Photo trägt die Besatzung des „Seeadler" stolz ihre deutschen Uniformen. Luckner wählte jeden Offizier und Mann persönlich aus. „Ich versuchte, den Männern ins Herz zu schauen", erklärte er später einmal nicht ohne Pathos, „um herauszufinden, ob sie Mut und Ausdauer besaßen."

übereinstimmte: die *Carmoe*. Aber nachdem die Schiffspapiere erneut gefälscht worden waren, diesmal auf den Namen *Carmoe*, erfuhr Luckner, daß die echte *Carmoe* von den Briten nach Kirkwall zur Untersuchung eingeschleppt worden war. In seiner Verzweiflung entschloß sich Luckner, dem *Seeadler* einfach einen erfundenen Namen zu geben: *Irma*.

Aber auch dieser neue Name mußte nun in alle Schiffspapiere und ins Logbuch eingetragen werden. Das zweimalige Radieren fiel jedoch mächtig auf, weil die Tinte auslief. Was tun? Luckner hatte einen genialen Einfall. Er ließ den Schiffszimmermann rufen und befahl ihm: „Bring die Axt her und hau die ganzen Bullaugen in der Kajüte ein!" So geschah es, und anschließend wurde alles mit Eimern voll Seewasser durchtränkt, Möbel, Schubladen, Matratzen und natürlich vor allem die Schiffspapiere. Anschließend mußte der Zimmermann grobe Holzverschläge einsetzen, wie sie der Seemann nach einem Sturmschaden provisorisch einbaut. Das notdürftig reparierte Schiff, das nun so aussah, als hätte es eben einen schweren Sturm überstanden, was auch die durchfeuchteten und fleckigen Papiere erklärte, setzte Segel und lief aus.

Lief aus – und geriet tatsächlich in einen Orkan, der sich jedoch als seine Rettung erwies. Um durch die Blockade zu schlüpfen, mußte der *Seeadler* ein riesiges Minenfeld passieren. Luckner wußte, daß die Minen einige Meter unter der Wasseroberfläche verlegt waren, um tiefgehenden Dampfern oder Schlachtschiffen einen möglichst großen Schaden zuzufügen. Segelschiffe aber hatten weniger Tiefgang, zumal dann, wenn sie mit Vollzeug laufend schwer überlagen. Deshalb setzte er fast alle Leinwand, und das Schiff krängte so stark, daß die ganze Leebordwand unter Wasser war. Und der *Seeadler* kam durch. Danach war die Untersuchung durch den britischen Kreuzer *Avenger* zwei Tage später ein Kinderspiel.

Die *Avenger* hatte an diesem Weihnachtstag 1916 kaum ihr Signal „Glückliche Reise" gesetzt, als Kapitän Luckner seine eigene wahre Flagge hißte – wenn auch nicht die seines Schiffes. Er spie den ekligen Priem aus und steckte sich wieder die geliebte Pfeife in den Mund, riß sich den Südwester vom Kopf und setzte sich die gewohnte Kapitänsmütze auf, verzichtete auf die norwegischen Flüche und ersetzte sie durch den englischen Ausruf „by Joe", den er bei jeder Gelegenheit anbrachte. Seine Leute zogen ihre deutschen Marineuniformen an, die norwegische Flagge wurde vorübergehend durch die deutsche Reichskriegsflagge ersetzt, und Bier, Schnaps und Wein flossen in Strömen, während Offiziere und Mannschaft für eine verspätete Weihnachtsfeier rüsteten.

Als die Festlichkeiten vorüber waren, wurde die zur Tarnung an Deck gestapelte Ladung Holz über Bord geworfen. Die beiden 10,5-cm-Geschütze wurden ausgepackt und am Bug aufgestellt. Der *Seeadler* war klar zum Gefecht. Trotzdem wurde die Verkleidung nicht ganz aufgehoben, damit man potentiellen Opfern möglichst nahekommen konnte, ohne erkannt zu werden. Persenninge tarnten die Geschütze, Namensschilder aus Leinwand, die über die Aufschrift *Seeadler* gehängt werden konnten, lagen bereit, desgleichen norwegische Flaggen.

Luckner hatte Weisung, nur Segelschiffe anzugreifen. Segler gegen Dampfer, das ging doch nicht! Doch als am Morgen des 9. Januar 1917 vom Ausguck ein Dampfer an Backbord gemeldet wurde, zögerte Luckner nicht, diese Weisung zu mißachten. „By Joe", hatte er einmal gesagt, „ich könnte einen Dampfer versenken und lachen, während er absackt." Dieser Dampfer nun kam ihm als erstes Opfer gerade recht.

Während der Dampfer auf den *Seeadler* zukam, ließ Luckner das Signal heißen: „Bitte um Chronometerzeit!" Das war nichts Ungewöhnliches, denn ein alter Windjammer war nur selten mit einem Chronometer oder einem Funkgerät ausgerüstet und nutzte gern die Gelegenheit zum Zeitvergleich

Mit vollen Segeln und wehender Gefechtsflagge im Vortopp schneidet der „Seeadler" auf diesem Bild des deutschen Malers Christopher Rave aus den zwanziger Jahren durchs Wasser. Das Gemälde, das den Angriff auf die französische Bark „Antonin" im Jahre 1917 darstellt, entstand nach einem Schnappschuß des Kapitäns des glücklosen Schiffes, der, nach Luckners Worten, „mit einer dramatischen Geste, wie nur ein Franzose sie zustandebringt, zurückprallte, als er die deutsche Flagge an unserer Mastspitze sah".

mit einem anderen Schiff. Der Dampfer nahm vorübergehend Fahrt weg, zeigte das Verstanden-Signal und manövrierte luvwärts, damit der *Seeadler* beidrehen könne, um die Chronometerzeit entgegenzunehmen.

Auf einen Befehl von Luckner heißte nun der *Seeadler* seine Kriegsflagge, und das B.b.-10,5-cm-Geschütz wurde abgedeckt. Luckner ließ dem Dampfer einen Schuß vor den Bug setzen. Darauf versuchte dieser zunächst auszureißen, aber nach drei weiteren Schüssen drehte er bei, und der fassungslose Kapitän ließ ein Boot zu Wasser und kam zum *Seeadler* herübergerudert. „Beim Himmel, Sie haben mich ja schön 'reingelegt", sagte der Dampferkapitän zu Luckner. Die Besatzung des Dampfers wurde herübergeholt und in den Gefangenenquartieren des *Seeadler* einlogiert. Kurz vor Einbruch der Dunkelheit besiegelte die Detonation einer Sprengladung das Schicksal des englischen Frachtdampfers *Gladys Royale.* Er sollte nur das erste von vielen Opfern des *Seeadler* sein.

Tags darauf sichtete der Ausguck schon wieder eine Rauchfahne am Horizont. Luckner fuhr auf den als Engländer erkannten Dampfer zu, bis sich die Kurse der beiden Schiffe fast kreuzten, und bat wieder um Chronometerzeit. Aber dieser Dampfer reagierte im Gegensatz zur *Gladys Royale* nicht. Er behielt vielmehr seinen Kurs bei und unternahm nichts, einem Zusammenstoß auszuweichen, obwohl nach dem Straßenrecht auf See ein Dampfer jedem Segelschiff ausweichen mußte.

Indem er im letzten Moment abdrehte, um einen Zusammenstoß zu vermeiden, heißte Luckner die Kriegsflagge und gab mehrere Warnschüsse ab. Als der Dampfer daraufhin in den Wind drehte, um zu fliehen, ließ Luckner gezielt auf Rumpf und Schornstein schießen. Das genügte. Der Dampfer, ein britischer Frachter mit dem Namen *Lundy Island,* ergab sich, und seine Besatzung wurde an Bord des *Seeadler* geholt und gesellte sich zu den schon vorhandenen von der *Gladys Royale.*

Es stellte sich heraus, daß der britische Kapitän dem *Seeadler* vom ersten Moment an mißtraut hatte. Ein sechster Sinn hatte ihm gesagt, daß mit dem großen Windjammer unter norwegischer Flagge irgend etwas nicht stimmte. Deshalb hatte er versucht, mit voller Fahrt an ihm vorbeizukommen, und das nicht nur aus militärischen, sondern auch aus persönlichen Gründen. Ein paar Monate vorher hatte er ein anderes Schiff an den deutschen Hilfskreuzer *Möwe* verloren. Man hatte das Schiff versenkt, ihn jedoch freigelassen, nachdem er einen Revers unterschrieben hatte, sich nicht mehr im Krieg zu betätigen. Er hatte Angst, man würde ihn hängen, weil er dieses Versprechen nicht gehalten hatte.

An Bord des *Seeadler* sah sich der britische Kapitän nun auch noch dem Schiffsarzt gegenüber, der schon auf dem Hilfskreuzer *Möwe* gedient hatte und der wußte, daß der Engländer den Revers unterschrieben hatte. Aber Luckner klärte ihn auf, der Revers bezöge sich nur auf kriegerische Handlungen, auf einem Dampfer könne er ruhig fahren. Die *Lundy Island,* die 4500 Tonnen Zucker aus Madagaskar für Frankreich an Bord hatte, wurde wegen des rauhen Wetters durch Granatfeuer versenkt. Ihrem Kapitän geschah weiter nichts, als daß er zu den übrigen Gefangenen gebracht wurde, wo er mit dem Kapitän der *Gladys Royale* alsbald regelrechte Turniere im Damespiel ausfocht.

Die Gefangenen mußten sich nur in ihren versteckten Quartieren aufhalten, wenn ein Gefecht bevorstand, und durften sich im übrigen ungehindert auf dem ganzen Schiff bewegen. Es stand ihnen frei, sich die Zeit mit Spielen zu vertreiben oder aber zu arbeiten, wofür sie denselben Lohn erhielten, den ihre eigenen Reedereien ihnen gezahlt hätten.

Zehn Tage lang wurde nun kein feindliches Schiff gesichtet. Endlich dann, am 21. Januar, tauchte am Horizont ein Segel auf. Luckner hatte für denjenigen, der zuerst ein Schiff meldete, eine Flasche Champagner als Prämie ausgesetzt. So saßen nun die britischen Gefangenen zusammen mit den deutschen Seeleuten in der Takelage und suchten mit Ferngläsern die See ab. „So war da stets ein Wettgucken", schrieb Luckner, „denn einer gönnte dem andern die Meldung nicht, und jeder hatte das Bedürfnis, die Pulle Schaum zu sehen."

Das Schiff entpuppte sich als die große französische Bark *Charles Gounod,* die mit Mais von Durban nach Bordeaux unterwegs war. Sie gehorchte sofort Luckners Signal „Drehen Sie bei" und wurde wie ihre Vorgängerinnen versenkt, nachdem die Besatzung mit all ihrem Hab und Gut – und etlichen Kisten französischen Rotweins – vom *Seeadler* übernommen worden war.

Im Laufe der nächsten drei Wochen wurden drei weitere Windjammer, ein Kanadier, ein Franzose und ein Italiener, aufgebracht und versenkt, und nur mit dem französischen Schiff gab es Schwierigkeiten. Es war die Viermastbark *Antonin,* ein elegantes und offenbar auch schnelles Schiff. Das war genau die Art von Herausforderung, die Luckner Spaß machte. Obwohl der *Seeadler* einen Motor besaß, verließ sich der „Seeteufel" ganz auf seine Segelkünste. Anfangs konnte der *Seeadler* bei dem nun folgenden Wettsegeln den Abstand zur *Antonin* kaum verringern, aber als die beiden Schiffe in eine Bö gerieten, ließ der französische Kapitän die Royal- und Bramsegel bergen; Luckner trieb dagegen den *Seeadler* mit Vollzeug voran. „Der Kapitän der *Antonin* hielt uns für völlig verrückt", erinnerte sich Luckner. „In einem Sturm Bram- und Royalsegel fahren – so etwas hatte er seiner Lebtage noch nicht gesehen. Er fand den Anblick so komisch, daß er ein Foto davon machen ließ." Als der *Seeadler* sich der *Antonin* nun so weit genähert hatte, daß seine Besatzung sehen konnte, wie an Deck des anderen Schiffes die Aufnahmen gemacht wurden, gab Luckner den Befehl, ein Maschinengewehr des *Seeadler* sprechen zu lassen.

„Erst war er völlig konsterniert", berichtete Luckner über den französischen Kapitän, „dann wurde er wütend: ,Was hatten diese Idioten vor?' Als nächstes", so jedenfalls erzählte Luckner, „begann er, uns im ordinärsten Französisch zu beschimpfen. Und wenn ein Franzose flucht, dann kann man das meilenweit hören." Sogar im Sturmgeheul?

Nachdem die *Antonin* kapituliert hatte, wurden ihr Kapitän und ihre Besatzung von der wachsenden Schar der Gefangenen des *Seeadler* willkommen geheißen. „Aber zuerst", erinnerte sich Luckner, „ließen wir uns die Kodak und den Film geben, by Joe."

Das war alles furchtbar aufregend, entsprach aber durchaus den internationalen Regeln für den Seekrieg. Doch inmitten dieser Kette von Abenteuern sollte Luckner auch ein Erlebnis haben, das ihn zwischen den wehmütigen Erinnerungen an die Vergangenheit und den harten Erfordernissen der Gegenwart schwanken ließ. Am 19. Februar 1917 kaperte der *Seeadler* die *Pinmore,* die stattliche Viermastbark, die einmal die Heimat des jungen Ausreißers Philax Lüdicke gewesen war.

Nachdem der *Seeadler* die Besatzung der *Pinmore* übernommen hatte, ruderte Luckner allein zu dem alten Windjammer hinüber und ging an Bord. Er schritt die Planken ab, auf denen er so oft gegangen war. Das große Schiff rollte leicht hin und her, und nur das Knacken der Rahen war zu hören. Luckner ging in die Logis und fand seine alte Koje wieder. Und auch der Haken war noch in der Decke, den er selbst eingeschraubt hatte, um unter einem Leck eine Blechdose aufzuhängen. Er ging auf die Poop, stellte sich ans Ruder und fand halbverwischt seinen Namen wieder, den er dort einstmals ins Holz gekerbt hatte: Philax Lüdicke.

Auf den *Seeadler* zurückgekehrt, beschloß Luckner, noch einmal auf der *Pinmore* zu fahren. Später erzählte er, welch kühnen Plan er gefaßt hatte: „Da wir nun schon ziemlich lange draußen waren, überprüfte ich unsere Vorräte an Lebensmitteln und stellte fest, daß wir mit bestimmten Sachen schon sehr knapp dran waren, vor allem Tabak, Zigaretten, Obst und

An Deck des „Seeadler" sitzen die Kapitäne gekaperter alliierter Schiffe zusammen mit Graf Luckner (zweiter von links) bei Cognac und Champagner, der von dem britischen Dampfer „Horngarth" stammte. „Besondere Sorgfalt war darauf verwandt worden, den gefangenen Kapitänen und Offizieren würdige Räume einzubauen", schrieb Luckner. Er unterhielt seine „Gäste" mit Konzerten und hatte sogar Gesellschaftsspiele sowie englischen und französischen Lesestoff mitgenommen.

Gemüse. Da wir nur etwa hundert Meilen von Rio de Janeiro entfernt waren, beschloß ich, die *Pinmore* selbst in diesen Hafen zu steuern." Da die Besatzung der *Pinmore* zum größten Teil aus Norwegern bestanden hatte, konnte Luckner sie bei diesem riskanten Unternehmen von seinen falschen Norwegern darstellen lassen. „Ich hatte herausbekommen, daß die *Pinmore* keine Agenten in Rio hatte", erzählte er, „und dachte mir deshalb, daß wir mit ein bißchen Glück eigentlich durchkommen müßten."

Mit dem Arm in der Schlinge, um eine Ausrede dafür zu haben, daß er die Unterschrift des echten Kapitäns nicht leisten konnte, lief er im März 1917 in den Hafen des neutralen Rio ein. Die *Pinmore* wurde wie üblich von den Schleppern und Zollbeamten begrüßt. Die Scharade, auf die schon die britischen Offiziere des Blockadekreuzers *Avenger* hereingefallen waren, wurde nun auch den brasilianischen Hafenbehörden vorgespielt, mit dem Ergebnis, daß die Papiere des Schiffes in Ordnung befunden wurden. Nachdem das Schiff an einen Liegeplatz geschleppt worden war, ging Luckner persönlich an Land, um die benötigten Vorräte zu beschaffen.

Als er zum Schiff zurückkehrte, kam ihm wieder einmal sein sprichwörtliches Glück zu Hilfe. Am Kai traf er einen Offizier der britischen Kriegsmarine, der ihm mitteilte, sobald sein Kreuzer *Glasgow* klar zum Auslaufen sei, werde er zusammen mit seinem Schwesterschiff *Amethyst* Jagd auf ein deutsches Kaperschiff machen, das Berichten zufolge etwa 100 Meilen westlich von Trinidad stehe.

Da Luckner nun über die Absichten des Feindes Bescheid wußte und außerdem nicht das Risiko eingehen wollte, noch mehr Leuten zu begegnen – womöglich gar solchen, die den echten Kapitän der *Pinmore* kannten –, begab er sich eilends wieder an Bord des requirierten Windjammers. Alsbald brachten Hafenbarkassen den bestellten Nachschub, unter anderem 350 Pfund Tabak und 20 000 Zigaretten. Nachdem die Zollabfertigung reibungslos über die Bühne gegangen war, stahl sich die *Pinmore* unauffällig aus dem Hafen und erreichte nach drei Tagen wieder den *Seeadler*.

Nachdem er die Vorräte auf sein eigenes Schiff hatte umladen lassen, rückte der Augenblick näher, dem Luckner die ganze Zeit mit gemischten Gefühlen entgegengesehen hatte. Er gab Befehl, alle wertvollen Ausrüstungsgegenstände von der *Pinmore* herüberzuholen, ging dann in seine Kajüte und schloß sich ein. Allein wartete er dort den dumpfen Explosionsknall ab, der ihm sagte, daß die *Pinmore* und damit ein wichtiger Abschnitt seiner Laufbahn für immer von der Oberfläche verschwand.

Der *Seeadler* jedoch stand erst am Beginn seiner Laufbahn. Am 5. März wurde ein französischer Windjammer, die *Dupleix*, mühelos aufgebracht, doch der Kapitän, der an Bord des *Seeadler* kam, schien trotzdem bester Laune; offensichtlich hielt er das alles für einen Scherz. Erst als Luckner ihn in die Kajüte hinunter bat, wo Bildnisse des Kaisers und verschiedener deutscher Kriegshelden die Wände zierten, verging ihm das Lachen. „Um Gottes willen, Deutsche!" jammerte er. Aber nicht nur der Verlust seines Schiffes ging ihm nahe, er meinte auch, sich Vorwürfe machen zu müssen, weil zwei andere französische Kapitäne ihn in Valparaiso vor deutschen Kaperschiffen gewarnt und ihm geraten hatten, seiner Reederei zu telegrafieren und um Instruktionen zu bitten. Er hatte ihren Rat in den Wind geschlagen – und damit sein Unglück selbst verschuldet. „Mit welchen Schiffen haben Sie denn in Valparaiso zusammengelegen?" erkundigte sich Luckner. Mit der *Antonin* und der *Rochefoucauld,* erwiderte der Kapitän. Luckner drehte sich um: „Ordonnanz, bringen Sie mal Kapitän 5 und 9 rauf!" Als die beiden die Kajüte betraten, sah der Neuankömmling, daß seine beiden Freunde offenbar ihren eigenen weisen Rat nicht befolgt hatten. „Eh", rief er aus, „da ist ja *toute la France* versammelt!"

In der darauffolgenden Woche sichtete ein Ausguck einen großen britischen Dampfer, und Luckner nahm die Verfolgung auf. Es war die *Horngarth,* und bei näherem Hinsehen zeigte sich, daß sie nicht nur mit einem Funkgerät, sondern auch mit einem 12,5-cm-Geschütz ausgerüstet war. Luckner versuchte es zunächst mit seinem bewährten Trick, der Frage nach der Chronometerzeit. Keine Antwort. Darauf setzten die Deutschen ihren Rauchapparat in Betrieb, so daß schwarze Rauchwolken und rote Magnesiumfeuer aus dem Schiff stiegen; außerdem setzte Luckner das Notsignal. Feuer auf See war etwas, was kein Schiff ignorieren durfte, und so hielt die *Horngarth* auf den Windjammer zu und drehte bei. Aber es galt immer noch, das Funkgerät und die Kanone außer Gefecht zu setzen. Luckner versuchte es mit einem Ablenkungsmanöver: er drehte den „Rauchaugust" zu und befahl seiner „Frau", der blonden Jeanette, im langen weißen Kleid an Deck hin und her zu wandeln.

Während sich Kapitän und Besatzung der *Horngarth* an der Reling drängten und Stielaugen auf diese ungewohnte Erscheinung warfen, ließ Luckner die Kriegsflagge heißen, zeigte seine Kanone und begann, die Funkstation des Dampfers unter Feuer zu nehmen. Ein Volltreffer zerstörte sie. Als zusätzlichen Effekt hatte die Besatzung des *Seeadler* noch eine falsche Kanone aus einem alten Schornstein zusammengebaut, die mit lautem Getöse losgehen und dabei eine große Rauchwolke ausstoßen konnte – und damit „feuerten" sie nun auf die *Horngarth*. Der britische Kapitän befahl nun mit lauter Stimme seinen Leuten, das Geschütz klarzumachen.

Aber Luckner hatte noch einen Bluff auf Lager. In weiser Voraussicht hatte er

Der französische Windjammer „Charles Gounod" steuert seinen letzten Kurs, als drittes Schiff, das Luckner zum Opfer fiel. Die französische Besatzung sah, die Mützen respektvoll an die Brust gedrückt, vom „Seeadler" aus zu, wie ihr Schiff versank, und der Kapitän weinte. Luckner meinte mit gespielter Traurigkeit, er habe da ausgerechnet seinen Lieblingskomponisten versenken müssen, denn Gounods „Liebchen komm mit in das duftige Grün" sei sein Lieblingslied gewesen.

30 000 Seemeilen Kaperfahrt im Namen des Vaterlandes

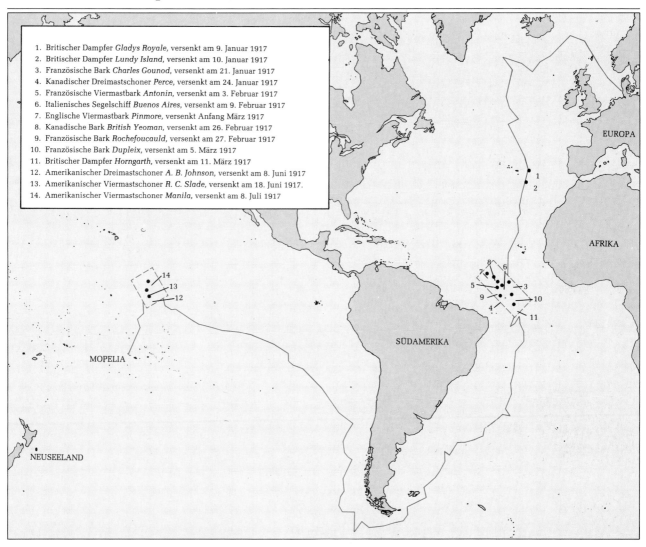

1. Britischer Dampfer *Gladys Royale*, versenkt am 9. Januar 1917
2. Britischer Dampfer *Lundy Island*, versenkt am 10. Januar 1917
3. Französische Bark *Charles Gounod*, versenkt am 21. Januar 1917
4. Kanadischer Dreimastschoner *Perce*, versenkt am 24. Januar 1917
5. Französische Viermastbark *Antonin*, versenkt am 3. Februar 1917
6. Italienisches Segelschiff *Buenos Aires*, versenkt am 9. Februar 1917
7. Englische Viermastbark *Pinmore*, versenkt Anfang März 1917
8. Kanadische Bark *British Yeoman*, versenkt am 26. Februar 1917
9. Französische Bark *Rochefoucauld*, versenkt am 27. Februar 1917
10. Französische Bark *Dupleix*, versenkt am 5. März 1917
11. Britischer Dampfer *Horngarth*, versenkt am 11. März 1917
12. Amerikanischer Dreimastschoner *A. B. Johnson*, versenkt am 8. Juni 1917
13. Amerikanischer Viermastschoner *R. C. Slade*, versenkt am 18. Juni 1917.
14. Amerikanischer Viermastschoner *Manila*, versenkt am 8. Juli 1917

Auf seiner siebenmonatigen Fahrt durch Atlantik und Pazifik im Jahre 1917 kaperte und versenkte Graf Luckners „Seeadler" 14 alliierte Schiffe (schwarze Punkte), ehe er auf Mopelia in den Gesellschaftsinseln selbst Schiffbruch erlitt. Obwohl das Schiff insgesamt 25 000 Seemeilen zurücklegte, lohnte sich die Kaperfahrt nur im Seeraum zwischen Nordostbrasilien und Afrika, wo innerhalb von knapp zwei Monaten neun Schiffe versenkt wurden. Im Pazifik konnte Luckner nur noch drei amerikanische Segelfrachter versenken.

drei Mann mit Megaphonen in den Mast geschickt, die jetzt auf sein Stichwort gleichzeitig und aus vollem Hals „Klar bei Torpedos!" riefen. Sofort kam vielstimmig die Antwort von dem Dampfer zurück: „*No torpedos, no torpedos!*" Die *Horngarth* strich die Flagge, aber Luckners Sieg wurde von einem traurigen Ereignis überschattet: Einer der Offiziere der *Horngarth* war bei der Beschießung der Funkstation von einem umherfliegenden Metallsplitter getroffen worden. Er starb an Bord des *Seeadler* und erhielt ein ehrenvolles Seemannsbegräbnis.

Die Mission des *Seeadler* war so erfolgreich, daß nun schon 262 Offiziere und Seeleute die Gefangenenquartiere bevölkerten. Luckner mußte deshalb einen Weg finden, sie loszuwerden, um Raum für neue Gefangene zu schaffen. Am 21. März, auf dem Weg zum Kap Horn, traf er einen Windjammer, der ihm für seine Zwecke geeignet schien. Es war die französische Bark *Cambronne*. Als ihr Kapitän, der schon alles verloren geglaubt hatte, erfuhr, daß sein Schiff doch nicht versenkt werden, sondern die Gefangenen nach Rio de Janeiro bringen sollte, war er außer sich vor Freude. Eine schwierige Frage war jedoch, wer von den zwölf Kapitänen an Bord des *Seeadler* die *Cambronne* befehligen sollte. Auf Vorschlag seiner Offiziere wählte Luckner dafür den ältesten, Kapitän Mullen von der

Pinmore, dem er das Versprechen abnahm, mit keinem Schiff Kontakt aufzunehmen, ehe er Rio erreicht haben würde. Ein Teil der Salpeterladung der *Cambronne* wurde ins Meer geworfen, die oberen Masten wurden gekappt, damit sie erst in etwa 14 Tagen Rio erreichen konnte, und die Gefangenen wurden übergesetzt.

Während die *Cambronne* Kurs auf Rio nahm, segelte Luckner nach Norden, bis er außer Sicht war, machte dann abrupt kehrt und lief nach Süden. Als die Gefangenen auf der *Cambronne* in Rio ankamen und die Nachricht verbreiteten, Luckner besitze Karten vom Kap-Horn-Gebiet, wurden mehrere britische Kreuzer und Hilfsfahrzeuge in diese Region entsandt. Aber der *Seeadler* war nicht aufzufinden.

Indem Luckner mit voller Fahrt nach Süden ging, nachdem er die Gefangenen nach Brasilien entlassen hatte, gelang es ihm, Kap Horn zu passieren, ehe die britische Navy genug Schiffe mobilisiert hatte, um ihn abzufangen. Als der *Seeadler* sich zwei Monate später mitten im Pazifik dem Äquator näherte, versenkte er drei große Viermastschoner der amerikanischen Handelsmarine, die *A. B. Johnson,* die *R. C. Slade* und die *Manila.* Verglichen mit der Beute im Atlantik, waren das jedoch nur kleine Brocken – und außerdem gingen auf dem *Seeadler* die Vorräte zur Neige. Beriberi und Skorbut brachen unter Gefangenen und Besatzung aus, und Luckner mußte einen sicheren Hafen finden, um seine Vorräte aufzufüllen.

Am 31. Juli 1917 warf der *Seeadler* vor Mopelia Anker, einem üppig bewachsenen, doch nur spärlich besiedelten Atoll in den Gesellschaftsinseln. Am Abend gingen Kapitän, Besatzung und Gefangene an Land, um sich an Schildkrötensuppe, Hummer und Möweneier-Omelett zu delektieren. Zwei Tage darauf wurde der *Seeadler* vom Schicksal ereilt.

Wie sich die Katastrophe abspielte, darüber gibt es zwei verschiedene Versionen. Luckner selbst behauptete bis an sein Lebensende, eine riesige, von einem Seebeben ausgelöste Flutwelle habe den *Seeadler* auf das Korallenriff geschleudert, und wie durch ein Wunder hätten alle, die an Bord waren, das Unglück überlebt; seine Besatzungsmitglieder bestätigten einmütig diese Darstellung.

Die amerikanischen Gefangenen jedoch schworen Stein und Bein, es sei alles ganz anders gewesen. Sie behaupteten, Luckner habe unverantwortlich nahe an dem Korallenriff geankert. Am Tage des Unglücks sei er mit dem größten Teil der Besatzung zu einem Picknick an Land gewesen, während die Gefangenen sowie ein paar deutsche Besatzungsmitglieder an Bord geblieben seien. Es habe völlige Windstille geherrscht, aber aufgrund einer starken Strömung habe der *Seeadler,* offenbar den Anker nachziehend, auf das Riff zuzutreiben begonnen. Ehe noch jemand etwas dagegen unternehmen konnte, sei das Schiff hart auf das Riff aufgelaufen, und der Kiel sei dabei an fünf Stellen gebrochen.

Wahrscheinlich haben die Amerikaner die Wahrheit gesagt. Ohne Luckners Verdienste schmälern zu wollen, kann man vermuten, daß er die Geschichte mit der Flutwelle erfand, um von seinem schweren Fehler abzulenken, der zu dem vermeidbaren Verlust des *Seeadler* führte. In den Aufzeichnungen einer französischen Wetterstation auf der benachbarten Insel Tahiti ist von einer Flutwelle im August 1917 nichts vermerkt.

Aber wie auch immer, nach dem Desaster rettete die Besatzung von dem havarierten *Seeadler,* was zu retten war, und errichtete aus Schiffsbalken, Segeltuch und Palmblättern Hütten. Die Gefangenen, ausnahmslos Amerikaner, tauften die „Straßen" Broadway, Pennsylvania Avenue und Bowery. Es war noch reichlich Wein von der *Charles Gounod* da, außerdem ein ansehnlicher Vorrat Cognac und Champagner von der *Horngarth* sowie Tabak in Hülle und Fülle. Aber nach drei Wochen begannen sich die Abenteurer in ihrem tropischen Paradies zu langweilen.

Als der „Seeadler" beim Auflaufen auf ein Korallenriff in den Gesellschaftsinseln Kielbruch erlitten hatte, schafften Luckner und seine Mannschaft alles von Bord, was noch brauchbar war, und sprengten dann das Schiff. „Wir waren Schiffbrüchige in einer der gottverlassensten Gegenden des Stillen Ozeans", schrieb der Kapitän. Doch die Mannschaft ließ den Mut nicht sinken und versicherte Luckner: „Herr Graf, de Eikbom, de steit noch."

„Die Eintönigkeit ging uns allmählich auf die Nerven", erinnerte sich Luckner. Deshalb faßten er und fünf seiner Leute den beherzten Entschluß, ihr Insel-Exil im offenen Boot zu verlassen. Sie rüsteten ein vom *Seeadler* geborgenes Rettungsboot mit einem Mast und Segeln aus, brachten Proviant und Waffen – ein Maschinengewehr, Karabiner, Pistolen, Handgranaten, Bomben und 1000 Schuß Munition – an Bord und liefen mit der Absicht aus, das erste zwischen den Inseln verkehrende Handelsschiff zu kapern, dem sie auf ihrer Fahrt begegneten.

Das Schiffchen nahm Kurs nach Ost, in Richtung auf die Cook- und Fidschi-Inseln, mußte aber schon bald gegen Sturm und schwere See ankämpfen. Ständig Wasser schöpfend, gequält von der Sonne und dem Scheuern ihrer vom salzigen Gischt getränkten Kleidung und mit Hartbrot und Speck als einziger Nahrung, hielten Luckner und seine Gefährten 28 Tage lang auf hoher See aus.

Nachdem sie von Mopelia gut 2000 Seemeilen zurückgelegt hatten, erreichten sie endlich Wakaya in den Fidschi-Inseln. Dort gerieten sie an einen britischen Offizier und vier Soldaten einer auf der Insel stationierten Garnison. Luckner überlegte, ob er mit seiner überlegenen Bewaffnung Widerstand leisten sollte, kam aber zu dem Schluß, daß das nur zu unnötigem Blutvergießen geführt hätte. Die Deutschen ergaben sich, und ihre Mission war beendet. Sie wurden nach Neuseeland gebracht und blieben dort bis Kriegsende in Gefangenschaft.

Alles in allem hatte Luckner – der Seeteufel vom *Seeadler* – auf seiner mehr als 25 000 Seemeilen langen, siebenmonatigen Kaperfahrt über Südatlantik und Pazifik 14 Schiffe alliierter Länder aufgebracht. Drei davon waren Dampfer und elf Segelschiffe gewesen, zum größten Teil Windjammer wie sein eigener. Dabei hatte dieser wagemutige deutsche Adelige, wie ein Beobachter schrieb, „Schiffe und Ladungen im Wert von 25 Millionen Dollar versenkt und außerdem unabsehbaren Schaden dadurch verursacht, daß Hunderte von Frachten seinetwegen mit großer Verspätung ausliefen". Doch bis an sein Lebensende – Luckner starb 1966 im Alter von 85 Jahren – war er vor allem stolz darauf, daß er und der *Seeadler* nur einem einzigen Menschen den Tod gebracht hatten – jenem britischen Offizier an Bord der *Horngarth,* der durch einen verirrten Granatsplitter ums Leben kam.

Was die Windjammer insgesamt anlangte, so nahm ihre Bedeutung als Handelsschiffe im Laufe des Krieges weiter rapide ab. Zahllose Windjammer – wie viele es genau waren, wurde nie festgestellt – aus Frankreich, England, Italien und Amerika, die Getreide, Erdöl und Kriegsmaterial nach Europa beförderten, wurden von deutschen U-Booten im Nordatlantik versenkt. Von 1914 bis 1919 verlor die berühmte französische Reederei A. D. Bordes fast die Hälfte ihrer Flotte, nämlich 22 von insgesamt 46 Windjammern. Andere Firmen in Nantes und an der Biskaya beklagten den Verlust von 36 Windjammern durch Feindeinwirkung. Für die Deutschen hatte der Weltkrieg noch verhängnisvollere Auswirkungen. Zahlreiche deutsche Windjammer wurden in alliierten oder mit den Alliierten befreundeten Ländern im Hafen festgehalten, wo sie jahrelang nutzlos herumlagen und vor sich hin rosteten, während ihre unglücklichen Kapitäne und Mannschaften nicht wußten, wie sie die Zeit totschlagen sollten. Im chilenischen Valparaiso waren allein 25 große deutsche Windjammer interniert, und obwohl sie nach dem Waffenstillstand voll mit Salpeter beladen heimkehrten, war ihr Schicksal längst besiegelt.

Der Krieg hatte – wie es so oft bei Kriegen der Fall ist – große technische Fortschritte auf dem Gebiet der Schiffskonstruktion und des Dampfantriebs mit sich gebracht. Das billige Erdöl verdrängte die Kohle. Eigner, Kapitäne und Seeleute wandten sich in ständig wachsender Zahl der Dampfschiffahrt zu – bis nur noch ein paar Unentwegte übrig waren, denen die Liebe zu den hohen, weißgeflügelten Schiffen über alles ging.

Meisterhafte Tarnung
für eine Kriegswaffe

Er war ebenso harmlos wie schön – der amerikanische Windjammer *Pass of Balmaha –,* bis ihn 1916 die Kaiserliche Marine beschlagnahmte und zu einer Kriegswaffe umwandelte, einen Hilfskreuzer, dessen Aufgabe es war, feindliche Schiffe aufzubringen und zu vernichten.

Der Umbau war ein Meisterstück der Tarnung. Schön war das Schiff immer noch, und harmlos sah es immer noch aus, aber unter seinem eleganten Äußeren und den hoch aufragenden Segeln hatte dieser prachtvolle dreimastige Vollrigger, den Luckner auf den neuen Namen *Seeadler* getauft hatte, scharfe Krallen, die diesem Namen alle Ehre machten. Auf der Tecklenborgschen Werft in Geestemünde bauten Werftarbeiter Geheimtüren ein, durch die schwerbewaffnete deutsche Marineangehörige im Notfall an Deck stürmen konnten. Im Bug waren zwei 10,5-cm-Kanonen versteckt, die manchem nichtsahnenden feindlichen Schiff zum Verhängnis werden sollten. Unter der Wasserlinie wurde der Rumpf so umgebaut, daß ein Dieselmotor eingebaut werden konnte, der es dem *Seeadler* ermöglichen sollte, seinen Opfern auch in einer Flaute auf den Fersen zu bleiben. An Deck wurden zwei Motorbarkassen zum raschen Übersetzen von Prisenkommandos untergebracht. Für die erwarteten zahlreichen Gefangenen wurden im Laderaum geheime Unterkünfte eingebaut – geheim für den Fall, daß der *Seeadler* von einem feindlichen Kriegsschiff inspiziert wurde.

Um den *Seeadler* als neutralen norwegischen Windjammer zu tarnen, wurden Chronometer, Barometer, Thermometer und sonstige Instrumente norwegischer Herkunft installiert. Der Kapitän, Felix Graf von Luckner, und 16 seiner 64 sorgfältig ausgewählten Besatzungsmitglieder sprachen fließend norwegisch. Einer von ihnen, Obermatrose Heinrich Hinz, schilderte die Kostümierung: „Die Besatzungsmitglieder trugen norwegische Holzpantinen, dicke Norwegerpullover und blaue Schiffermützen, und jeder hatte norwegischen Priem und vor allem einen norwegischen Ausweis bei sich. Viele hatten über Nacht eine ‚Braut‘ in Norwegen bekommen, von der sie sogar Liebesbriefe besaßen. Wir ließen uns den Bart wachsen und nahmen norwegische Namen an.“

Als der *Seeadler* aus dem Trockendock kam und in aller Stille auslief, war er ein beutegieriges Kaperschiff im Gewand eines harmlosen Segelfrachters. Manche Kapitäne ließen sich durch dieses harmlose Aussehen täuschen und mußten mit ansehen, wie ihre Schiffe samt ihrer wertvollen Ladung auf den Grund geschickt wurden. Und noch ehe seine Kaperfahrt endete, sollte der *Seeadler* zur Legende werden.

Um den eigentlichen Zweck des Umbaus auch vor den Werftarbeitern geheimzuhalten, wurde der „Seeadler“ zu einem Schulschiff erklärt und erhielt den Decknamen „Walter“. Am Heck montieren Arbeiter gerade eine Schraube an der bereits mit dem im Achterraum untergebrachten Motor verbundenen Welle. Weitere Arbeiter (ganz links) packen unterdes einen Hilfskessel aus, der den Dampfantrieb zum Betätigen der Winden und zum Heben und Absenken von Kanonen und Motorbooten liefern wird. Unter den Augen ahnungsloser Zuschauer wird der Rumpf frisch gestrichen.

Ingenieure und Arbeiter senken einen
1000-PS-Dieselmotor in den Rumpf des
„Seeadler" ab. Der Motor war in Kopenhagen gebaut worden und sollte es dem „Seeadler" ermöglichen, auch bei schwachem
Wind feindliche Schiffe anzugreifen.

Ein Zimmermann paßt als Vertäfelung getarnte Türen in die Wand der Kapitänskajüte ein, durch die im Notfall bewaffnete Besatzungsmitglieder aus ihrem Versteck im umgebauten Laderaum hereinkommen konnten. Die für den Nichteingeweihten unverdächtigen Verkleidungen gaben Luckner die Möglichkeit, seine Soldaten zu Hilfe zu rufen, falls einmal Offiziere eines feindlichen Kriegsschiffes an Bord kamen, um die Papiere des „Seeadler" zu kontrollieren, und trotz der geschickten Tarnung Verdacht schöpfen sollten.

Zur Unterbringung der Gefangenen des „Seeadler" bauen Metallarbeiter im Laderaum des Schiffes Rohrgerüste ein, die, mit Segeltuch bespannt, als Kojen dienen werden. Die bewaffnete Besatzung bekam Quartiere derselben Art. Auf dem Stativ im Vordergrund ist ein Rohrschraubstock befestigt, und darunter liegt (ganz vorne) ein Gewindeschneider für die Rohrenden.

Vor der deutschen Küste ankernd, übernimmt der „Seeadler" von
zwei Lastkähnen eine Ladung norwegischer Holzplanken,
deren jede den Stempel eines norwegischen Sägewerks trägt. Diese Ladung diente nur der Tarnung und ging über Bord, als der „Seeadler" die Blockade der alliierten Schiffe durchbrochen hatte.

Die vom Ladebaum abgenommenen Planken werden von den als norwegische Matrosen verkleideten Besatzungsmitgliedern des „Seeadler" über den Luken des Schiffes gestaut. Dadurch wurde der Zugang zum Schiffsinneren verbaut, um zu verhindern, daß bei einer Kontrolle die geheimen Unterkünfte entdeckt wurden.

Seine Verkleidung abwerfend, gibt sich der „Seeadler" seinem ersten Opfer zu erkennen, dem britischen Frachter „Gladys Royale", der nach Südamerika unterwegs ist. Die Kanone ist von ihrer Persenning befreit worden, und die Besatzungsmitglieder – jetzt in Uniform – packen Granaten aus und laden die Kanone.

Nach dem ersten Schuß, der über den britischen Dampfer hinwegging, ließ dessen Kapitän den Union Jack heißen und wollte fliehen, aber nach drei weiteren Schüssen ergab er sich. Ein Prisenkommando, zu dem die beiden Männer mit den Gewehren (links) gehören, ging an Bord des verlassenen Frachters und versenkte ihn.

Richard Schlecht

Kapitel 6

Treuhänder einer verschwindenden Lebensart

Die majestätischen Windjammer, über ein Dutzend an der Zahl, allesamt unter der finnischen Flagge mit ihrem himmelblauen Kreuz auf weißem Grund, lagen in dem von Kiefern umsäumten Hafen vor Anker, und ihre Masten und Rahen überragten die einfachen Holzhäuschen am Ufer. Nur ein kleiner, holzbeheizter Schlepper mit dem Namen *Johanna* störte die beschauliche Ruhe; er trug die Buchstaben „GE" am Schornstein und glitt von Schiff zu Schiff wie ein Wasserläufer auf einem Seerosenteich.

Auf dem Ruderhaus des Schleppers stand ein stämmiger alter Mann mit einem kantigen Gesicht. Von Zeit zu Zeit verließ er seinen Posten, um hinkend an Bord eines der Windjammer zu gehen, wo er dann alles mit Argusaugen überprüfte, in die Lagerräume spähte und sogar in den Mast ging, um die Rahen zu inspizieren. „Ich achte darauf, daß sie keinen Rost ansetzen", hatte der alte Mann einmal gesagt, „daß Ausrüstungen und Takelage in Ordnung sind, daß die Masten und Rahen ihre Segel um Kap Horn und überallhin tragen, wohin ich sie schicke."

Der winzige, entlegene Hafen war Mariehamn auf den Ålandinseln zwischen Schweden und Finnland, das damals, in den dreißiger Jahren unseres Jahrhunderts, bereits zur Windjammer-Hauptstadt der Welt geworden war. Der stämmige alte Mann war Kapitän Gustaf Erikson, dessen Initialen den Schlepper zierten – der Besitzer der letzten größeren Windjammerflotte, die den Erdball umsegelte.

Fast zwei Jahrzehnte lang hatte Erikson mit rund zwanzig aus zweiter Hand erstandenen Windjammern ums Überleben gekämpft. Er wußte, daß er auf lange Sicht keine Chance hatte; die Zeit arbeitete gegen ihn, und es stand fest, daß die Windjammer zum Aussterben verurteilt waren. Doch Erikson versuchte in hartnäckigem Alleingang, das Unabwendbare so lange wie möglich hinauszuschieben. „Ich liebe diese Schiffe", sagte er. „Wenn ich einmal nicht mehr bin, werden sie auch nicht mehr sein, aber solange ich da bin, werden auch sie da sein."

Der Erste Weltkrieg brachte den Hochsee-Segelschiffen den Untergang. Nicht nur wurden zahlreiche Segler versenkt, sie waren auch nicht mehr konkurrenzfähig. Die künstliche Salpeterherstellung, die aufgrund der immens gestiegenen Nachfrage in den Kriegsjahren entwickelt wurde, beraubte die Windjammer einer ihrer einträglichsten Frachten, des Chilesalpeters. Und als nach dem Krieg der Panamakanal für Schiffe aller Nationen geöffnet wurde, konnten die Dampfer, vor allem von den Westküsten Nord- und Südamerikas nach der amerikanischen Ostküste und Europa, einen viel kürzeren Weg fahren als die Segelschiffe.

Da technische Fortschritte den Dampfantrieb immer zuverlässiger und rentabler machten, gaben die großen Seefahrtsnationen die Segelschiffahrt allmählich ganz auf. Im Jahre 1923 waren in Lloyds Register nur noch 28 in britischem Besitz befindliche Segelschiffe mit 1000 oder mehr Tonnen aufgeführt. Den letzten britischen Kap-Horn-Frachtsegler ereilte sein Schicksal, als die 1892 erbaute *Garthpool* 1929 vor den Kapverdischen

Wohlgefällig betrachtet Kapitän Gustaf Erikson zwei Windjammer-Modelle an Deck seiner Bark „Ponape". Als genialer Geschäftsmann und Windjammer-Kapitän vom Scheitel bis zur Sohle besaß Erikson in den zwanziger und dreißiger Jahren dieses Jahrhunderts rund 20 Segelschiffe – die letzte große Flotte von Hochsee-Segelfrachtern der Geschichte.

Inseln Schiffbruch erlitt. In Frankreich wurden die Windjammer zu Dutzenden abgewrackt. In einem Kanal unweit der Loire ankerten so viele, daß der Ort den Beinamen „der Friedhof" bekam. Die Reederei A. D. Bordes verkaufte 1926 ihr letztes Schiff, die *Atlantique*, und löste sich auf.

In den Vereinigten Staaten gab es mehrere verspätete Versuche, die großen Segelschiffe auch nach dem Krieg noch nutzbringend einzusetzen, aber sie blieben zumeist erfolglos. Einer dieser Wiederbelebungsversuche wurde an deutschen Windjammern vorgenommen, die 1917 in amerikanischen Häfen beschlagnahmt und aus einer romantischen Laune heraus auf indianische Namen getauft worden waren. So wurde aus der *Dalbek* die *Monongahela*, die *Steinbek* nannte sich fortan *Arapahoe*, und ein besonders stabiles, schnelles Schiff, die *Kurt*, erhielt den Namen *Moshulu*, was soviel wie „furchtlos" bedeutet. Die Schiffe wurden zum Holztransport vom pazifischen Nordwesten nach Australien eingesetzt, aber der amerikanische Eigner, der sie billig dem amerikanischen Staat abgekauft hatte, bekam nicht genügend Frachtaufträge und ging schließlich bankrott. Sein bestes Schiff, die *Moshulu*, wurde 1935 für den lächerlichen Betrag von 12 000 Dollar verkauft – an Gustaf Erikson von den Ålandinseln.

Als die Verlierer des Krieges mußten die Deutschen es sich gefallen lassen, daß ihre prachtvolle Handelsflotte, die aus Dampfern und Segelschiffen bestand, praktisch ausgelöscht wurde. Der Vertrag von Versailles sah vor, daß Deutschland alle Handelsschiffe mit 1600 oder mehr Bruttoregistertonnen den Alliierten übergeben mußte – und das bedeutete, daß sämtliche Windjammer unter diese Bestimmung fielen.

Anfang der zwanziger Jahre unternahm die Reederei Laeisz in Hamburg einen heldenhaften Versuch, doch wieder ins Geschäft zu kommen, indem

Große Kap-Horn-Segler aus Gustaf Eriksons Flotte säumen auf diesem Bild eines schwedischen Malers im Jahre 1935 die felsige Küste des Hafenstädtchens Mariehamn. Eine Rauchfahne nach sich ziehend, tuckert der kleine Schlepper „Johanna" dahin, mit dem Erikson sich an Bord seiner Schiffe bringen ließ, um selbst zu kontrollieren, ob seine peniblen Vorschriften auch alle beachtet wurden.

sie mehrere ihrer alten Schiffe zurückkaufte und es noch einmal mit der immer bedeutungsloser werdenden Salpeterfahrt versuchte. Laeisz gab sogar den Neubau eines Schiffes in Auftrag, der *Padua;* die 97 Meter lange und 3064 Bruttoregistertonnen große Viermastbark lief 1926 von Stapel – als letzter Kap-Horn-Segler. Aber nicht einmal Laeisz kam gegen die wirtschaftlichen Realitäten der Zeit an. Bis Anfang der dreißiger Jahre hatte die Firma bis auf zwei Rahschiffe alle ihre Segler abgewrackt oder verkauft. Der stolze Besitzer von fünf ehemaligen P-Linern war nun Gustaf Erikson.

Mit 18 Windjammern war Gustaf Erikson der letzte Eigner einer größeren Flotte von Hochseeseglern. Wer über die letzten Jahre der Windjammer berichten will, muß deshalb auch von Gustaf Erikson sprechen, von seinen Leuten, den Seefahrern der Ålandinseln, und von seinen Schiffen, vor allem seiner vielgeliebten *Herzogin Cecilie,* dem großen Windjammer, der sich an einem stürmischen Oktobervormittag des Jahres 1934 im Südatlantik mit dem britischen Dampfer maß.

Erikson war ein echter Ålander, mit Leib und Seele ein Sohn seiner Heimat, jener von Gletschern geschliffenen Ansammlung von rund 6000 Inseln und felsigen Eilanden in der schmalen Meeresstraße zwischen der Ostsee und dem Bottnischen Meerbusen. Historisch und ethnisch, ihrer Sprache und ihren Sitten und Gebräuchen nach waren die Ålander Schweden, und ihre Vorfahren hatten zu den Wikingern gehört, die schon tausend Jahre zuvor die Weltmeere erkundet hatten.

Aber im Winter 1809 griffen russische Truppen über Eis an und nahmen Åland ein, die größte Insel des Archipels. Im selben Jahr trat Schweden im Frieden von Fredrikshamn zusammen mit Finnland auch die Ålandinseln

an den Zaren ab, unter dessen Herrschaft die Inseln bis zur Machtübernahme der Bolschewisten im Jahre 1917 blieben. Dann erhielten die Ålandinseln, obwohl fast 30 000 Ålander sich in einer Volksabstimmung für die Rückkehr ins schwedische Reich ausgesprochen hatten, vom Völkerbund die Selbstverwaltung zugesprochen, unter der Oberhoheit Finnlands, das sich im Dezember 1917 von Rußland losgesagt hatte. So kam es, daß die Ålandinseln halb finnisch, halb schwedisch wurden.

Bei alledem hielten die Ålander an ihrem überlieferten Erbe fest: dem sanft gewellten Ackerland im Innern ihrer Inseln und dem umgebenden Meer. Da das bebaubare Land über so viele kleine Inselchen verstreut war, mußte ein Bauer oft mit dem Boot aufs Feld fahren. Nach und nach bildete sich eine Frühform einer Genossenschaft heraus. Gruppen von Bauern schlossen sich zusammen, um aus einheimischem Holz einen Schoner oder eine Brigg zu bauen. Jede beteiligte Familie stellte einen Mann oder einen Jungen für die Besatzung, und die kleinen Schiffe fuhren über die Ostsee und verkauften landwirtschaftliche Produkte der Ålandinseln.

Die Ålander sahen in Hochsee-Windjammern eine Möglichkeit, ihren Horizont über Ost- und Nordsee hinaus zu erweitern. Ein paar bauten sie sich selbst, andere kauften sie – stets aus zweiter Hand –, während andernorts die Reeder sich auf Dampfer umstellten.

Die Ålander waren sparsame Leute. Als ein Schiffseigner von Åland den britischen Vollrigger *Thomasina Mclellan* kaufte, verkürzte er den Schiffsnamen auf *Thomasina*, angeblich, um Telegraphierkosten zu sparen. Auch galt es auf Åland als Faustregel, daß die Gewinne aus den ersten Jahren Handel mit einem Schiff, sorgsam auf die hohe Kante gelegt, ausreichen mußten, ein zweites Schiff zu kaufen. Nach diesem Prinzip konnten beispielsweise die Einwohner eines Dorfes wie Vårdö, kaum tausend an der Zahl, vor dem ersten Weltkrieg 21 Rahschiffe kaufen und betreiben.

Die Ålander verfügten auch über einen geschützten, praktisch gezeitenlosen Hochseehafen, nämlich Mariehamn an der Südspitze der Insel Åland. Bei auflandigem Wind konnte ein Schiff unter Segel die Liegeplätze vor der Stadt erreichen. Dem schmucken Städtchen war natürlich auf Schritt und Tritt anzumerken, womit seine Einwohner sich hauptsächlich beschäftigten. Eine staatliche Navigations-Akademie bildete Kapitäne und Steuerleute aus, mehrere wohlhabende Bürger hatten Galionsfiguren in ihrem Garten, und in den Kirchen hingen Segelschiffe als Dekoration von der Decke. Es war gewiß nicht der geringste Vorteil von Mariehamn, daß die Stadt bei Bedarf von einem Tag auf den andern ein Schiff mit einer vollständigen Besatzung ausrüsten konnte, vom Kapitän bis zum Schiffsjungen.

Gustaf Erikson wuchs ganz in dieser Tradition auf. Als Sohn eines Seemanns wurde er mit neun Jahren Schiffsjunge und mit 13 Schiffskoch. Obwohl nicht überliefert ist, ob er jemals die von den Behörden in Mariehamn eingerichtete Schule für Schiffsköche besuchte, bewahrte er sich sein Leben lang eine Vorliebe für seemännische Kost. Wenn er viele Jahre später als erfolgreicher Reeder einmal jährlich eine Geschäftsreise nach London machte, logierte er stets in einem einfachen Hotel, wo er sich offenbar einen Spaß daraus machte, sich beim Hotelier darüber zu beschweren, daß der Küchenchef nicht imstande war, eine ordentliche Erbsensuppe nach Seemannsart – mit tüchtigen Brocken gesalzenen Schweinefleisches darin – zuzubereiten.

Im Alter von 19 Jahren wurde Erikson Kapitän eines nur auf Ost- und Nordsee verkehrenden Handelsschiffes. Nach zwei Jahren fand er es an der Zeit, seinen Horizont zu erweitern, und vertauschte seinen Kapitänsposten auf dem Küstenschiff mit dem eines Steuermanns auf einem Hochseeschiff. Mit dreißig war er wieder Kapitän, diesmal aber auf einer der ålandischen Barken, auf der er über alle sieben Meere segelte. Aber dann verletzte er sich

Stars des Nordens: die Alaska Packers

Noch lange nachdem die meisten Reedereien sich längst auf Dampfer umgestellt hatten, gab es hier und da kleinere Firmen, die noch Verwendung für die stattlichen alten Windjammer fanden. Eine dieser Firmen war die in San Francisco ansässige Alaska Packers' Association, ein Fischereibetrieb, der sich auf den gewinnträchtigen Lachsfang spezialisiert hatte.

Um 1901 begannen die Packers, die robusten Kap-Horn-Segler aufzukaufen, die andere Unternehmen nach und nach abstießen. Rund drei Jahrzehnte lang liefen von da an nach der winterlichen Liegezeit *(unten rechts)* jedes Frühjahr im April die Schiffe in die lachsreichen Gewässer vor Alaska aus.

Die Schiffe der ,,Star Line" der Pakkers – so genannt nach den Namen auf einzelnen Windjammern: *Star of England, Star of Scotland, Star of Alaska* und noch über ein Dutzend weiterer ,,Stars" – waren für ihre Aufgabe besonders ausgerüstet. Jedes Schiff hatte eine komplette Fabrikbelegschaft – bis zu 200 chinesische Arbeiter – und 5000 Tonnen Proviant, Material und Geräte an Bord, alles, was man in den kommenden sechs Monaten brauchen würde: Kistenbretter, Weißblech, Lötmetall, Reusen, Schleppnetze, Boote und Reis.

Nach einmonatiger Reise über rund 2500 Seemeilen in Alaska angekommen, verwandelten sich die Besatzungsmitglieder in Fischer und fuhren in Booten hinaus; und auch die Chinesen machten sich an die Arbeit: Sie fertigten Konservenbüchsen an, nagelten Kisten zusammen und bereiteten sich darauf vor, die Fische so schnell auszunehmen, zu säubern und zu verpacken, wie die Fischer sie heranzuschaffen vermochten.

Den ganzen Sommer lagen die Windjammer vor Anker und nahmen die Ladung an Bord *(oben rechts)*. Im September gingen sie auf die Heimreise nach San Francisco, mit bis zu 50 Millionen Kilogramm Lachs in den Laderäumen, eingedost und in Kisten verpackt und fertig für den Versand in alle Welt – eine Form moderner Massenproduktion, die durch die letzten amerikanischen Rahschiffe ermöglicht wurde.

In Naknek, Alaska, hieven Seeleute Kisten mit Lachs in Konservenbüchsen an Bord des Star Liners.

Auf die Lachsfahrt im Frühling wartend, liegt die ,,Star of India" in der Bucht von San Francisco.

bei einem bösen Sturz aus der Takelage so schwer, daß sein rechtes Bein für immer verkrüppelt blieb. Da er nun nicht mehr aktiv zur See fahren konnte, beschloß er 1913, als Schiffseigner sein Glück zu machen.

Sein erstes Schiff, das er für weniger als 10 000 Dollar erstand, war eine alte 1500-Tonnen-Bark, die *Tjerimai*. Die Vorbesitzer hatten das Schiff für unrentabel befunden, aber Erikson sorgte dafür, daß es ihm von Anfang an Gewinne einfuhr. Er kaufte die Vorräte selbst ein. Er inspizierte das Schiff vom Bug bis zum Heck, wenn es im Hafen lag, und beaufsichtigte alle Reparaturen; er war ein Meister der Segelmacherkunst und schnitt die Segel selbst zu. Er setzte die Frachtraten fest und sorgte dafür, daß die *Tjerimai* nie leer fahren mußte. Mit einem Wort, er fungierte als Ein-Mann-Reederei. Dann wandte er das alte åländische Erfolgsrezept an und kaufte sich von den Gewinnen, die er mit der *Tjerimai* machte, weitere Schiffe.

Während des Ersten Weltkriegs fuhren die åländischen Schiffe noch unter russischer Flagge und hatten deshalb unter den Deutschen zu leiden. Bei Ausbruch der Feindseligkeiten wurden 14 Schiffe in deutschen Häfen beschlagnahmt, und bald darauf wurden zwei weitere vor der Küste aufgebracht. An einem Unglückstag des Jahres 1917 wurden drei der schönsten Schiffe von Åland versenkt. Eriksons *Barrowdale* und seine *Margarita* wurden von deutschen U-Booten auf den Grund geschickt. Doch während viele seiner Kollegen durch diese Verluste ruiniert wurden, machte Erikson dank seiner Umsicht und einer guten Portion Glück nach wie vor gute Geschäfte. Er verlor keine weiteren Schiffe mehr und profitierte

Unter einem an einem Rettungsboot aufgehängten, am Boden durchlöcherten Blechkanister sitzend, nimmt ein Besatzungsmitglied an Deck der „Herzogin Cecilie" ein erfrischendes Regenwasser-Duschbad, während seine Kameraden warten, bis sie an der Reihe sind. Da die Dauer einer Überfahrt nie genau vorherzusehen war, wurde das Süßwasser an Bord eines Windjammers strikt rationiert – außer nach einem tropischen Unwetter. Dann, so erinnerte sich ein Kap-Horn-Kapitän, „schwelgte jeder in Seife und Wasser".

von den durch den Krieg in schwindelnde Höhen getriebenen Frachtsätzen. So stieg beispielsweise der Frachtsatz für einen Transport vom argentinischen Rio de la Plata nach England von 12 Schilling je Tonne im Jahre 1914 auf 65 Schilling im Jahre 1915 und auf 146 Schilling im Jahre 1916.

Als nach dem Krieg der Abstieg der Windjammer begann, war Gustaf Erikson zur Stelle, um Schiffe, die ihren Eignern nur noch zur Last fielen, für ein Butterbrot zu kaufen. Unter seinen Neuerwerbungen war auch die in Großbritannien erbaute *Lawhill*, eine stählerne Viermastbark, die unter Erikson den Namen „*Lucky Lawhill*" bekam, weil sie von allem Unglück verschont blieb und stets profitable Frachten fand. Auf einer Reise nach Argentinien im Jahre 1921, zu einer Zeit, als viele Schiffe keine Fracht bekamen, nahm die *Lawhill* in Buenos Aires eine Ladung ein, die Erikson den unvorstellbaren Gewinn von 200 000 Dollar eintrug.

Der Schlüssel zu Eriksons Erfolg war seine unglaubliche Sparsamkeit. Zu Hause auf Åland hatte er den Spitznamen „Pjutte Gusta" – „Knickriger Gustaf" –, den ihm seine Besatzungsmitglieder verpaßt hatten. Sie sangen sogar ein Spottlied auf seine Knausrigkeit:

Pjutte Gusta, dieser Geizhals, Dreht jeden Pfennig zweimal um,
Kauft Schoner sich und Barken – Halbverfaulte alte Archen.

Ein Pfennigfuchser war er tatsächlich, aber seine Sparsamkeit diente einem höheren Zweck – und war außerdem in seiner ständigen Angst begründet. Er hegte eine sentimentale Liebe zu seinen Schiffen, aber als Reeder und Kaufmann konnte er sich keine Sentimentalitäten leisten, denn sonst hätten ihn die Konkurrenz der Dampfer und das zurückgehende Frachtaufkommen in kurzer Zeit an den Rand des Ruins gebracht. „Wenn ich meine Schiffe verliere", sagte er, „ist alles verloren." Und so legte der knickrige Gustaf sich krumm und sparte an allen Ecken und Enden.

Mit nur drei Mitarbeitern dirigierte er seine große Flotte von einem Büro aus, das kaum mehr als eine Baracke war und aus dem seine laute Stimme bis auf die Hauptstraße von Mariehamn hinaus schallte. Einmal fragte er einen Mann, der sich als Steuermann bei ihm beworben hatte, ob er denn auf irgendeinem seiner Schiffe lieber fahren würde als auf den anderen. Der Mann erwiderte, die Schiffe gefielen ihm alle recht gut, aber wenn er es sich aussuchen könnte, würde er auf der *Lawhill* oder der *Grace Harwar* lieber nicht fahren, weil das doch schon recht alte, arg mitgenommene Schiffe seien, die ihre besten Tage längst hinter sich hätten. „Alle meine Schiffe sind erstklassig!" donnerte Erikson. „Die besten Leinen, die beste Leinwand, die beste Farbe. Was reden Sie für dummes Zeug!"

Obwohl er es nie zugegeben hätte, hob Erikson alles mögliche Material für spätere Verwendung auf. In den dreißiger Jahren fand ein Besatzungsmitglied in der Segelkoje eines von Eriksons Schiffen ein Segel, dessen deutsche Bezeichnung verriet, daß es vor 1914 angefertigt worden war. Beschädigte Segel wurden geflickt und in den Tropen als Passatsegel anstelle der neueren, schwereren Sturmsegel gefahren, die man im Nord- und Südatlantik brauchte. Nur dank solcher Sparmaßnahmen konnte Erikson wirtschaftlich überleben. Er kalkulierte knapp, und einmal rechnete er sich aus, daß er froh sein konnte, wenn er mit jedem seiner Schiffe einen Reingewinn von 3200 Dollar jährlich erzielte. Segel waren teuer, und der Verschleiß war erschreckend hoch. In guten Jahren mußte Erikson die jährlichen Kosten für Leinwand auf 1200 bis 2000 Dollar je Schiff veranschlagen, und in schlechten Jahren waren es noch viel mehr – beispielsweise als die *Herzogin Cecilie* in einem Sturm vor den englischen Scilly-Inseln innerhalb von 30 Stunden 19 Segel verlor.

Wenn einer von Eriksons Windjammern Schiffbruch erlitt, was sehr selten vorkam, wurde soviel wie nur irgend möglich geborgen. Als die Bark

Hougomont 1932 vor der Südküste Australiens entmastet wurde und aufgegeben werden mußte, lag schon bald die *Herzogin Cecilie* längsseits, um alle Gegenstände und Schiffsteile, die noch zu retten waren, nach Mariehamn mitzunehmen. Nicht lange, und das Kartenhaus der *Hougomont* wurde auf der Poop der *Penang* aufgebaut, ihr Ruderhaus tauchte auf der *Killoran* wieder auf – und ihre Galionsfigur in Gustafs Garten.

So war es nur konsequent, daß Pjutte Gusta auch an den Löhnen sparte: 60 bis 80 Dollar monatlich erhielten seine Kapitäne, ganze acht Dollar ein einfacher Matrose – erheblich weniger, als auf einem Dampfer bezahlt wurde. Aber Erikson sagte seinen Leuten – und vielleicht glaubte er es sogar selbst –, sie sollten sich keine Sorgen machen, denn die Aussichten für die Segelschiffahrt seien bestens. Die vielen rauchspeienden Dampfschiffe würden in kurzer Zeit die ganzen Brennstoffvorräte der Erde auffressen – und dann würde ein neues Goldenes Zeitalter der Segelschiffe anbrechen.

Die Bewohner der Ålandinseln mögen diese Reden insgeheim belächelt haben, aber Geld bedeutete ihnen nicht alles im Leben. Und der alte Knabe kämpfte so heldenhaft um den Fortbestand der Windjammer, daß es ihm nie an Kapitänen und Matrosen für seine Schiffe fehlte.

Erikson tüftelte sogar ein System aus, nach dem die Leute, die für ihn arbeiteten, ihm noch etwas dafür bezahlten. Jeder finnische Staatsbürger, der einmal Schiffsoffizier werden wollte – und sei es auch auf einem Dampfer –, mußte eine Ausbildungszeit auf einem Segelschiff nachweisen. Erikson war nur zu gerne bereit, solche Anwärter auf seinen Schiffen

Stauer schieben im Jahre 1929 an einem Kai in Wallaroo, Australien, Säcke mit Getreide über eine Rutsche in eine Luke an Bord der „Grace Harwar". Dabei kam es immer wieder vor, daß ein paar Säcke aufplatzten, weshalb die Besatzung die Laderäume mit alten Segeln und Rupfen auslegte, damit die losen Getreidekörner nicht in die Bilge hinabrieselten und die Pumpen verstopften. Der Laderaum eines typischen 3000-Tonnen-Windjammers faßte über 60 000 Sack Getreide.

auszubilden. Er verlangte von jedem 200 Dollar im Jahr als Gebühr für das Privileg, auf einem Eriksonschen Windjammer arbeiten zu dürfen, und zahlte als Heuer ganze zwei Dollar im Monat, also 24 Dollar jährlich. Zeitweise fuhren auf einem Schiff mehr zahlende als bezahlte Seeleute. Im Jahre 1932 beispielsweise fuhren auf der *Archibald Russell* 24 Mann vor dem Mast. Davon bekamen nur vier einen regulären Lohn.

Als die Windjammer dann im Aussterben waren, kam Gustaf Erikson darauf, daß sich mit zahlenden Passagieren, die aus romantischen oder nostalgischen Gründen eine Seereise auf einem Windjammer machen wollten, ein gutes Geschäft machen ließ. Für etwa 400 Dollar pro Person konnten die Passagiere sieben Monate auf dem Schiff bleiben. Vor der Abreise unterschrieben sie, daß sie als Besatzungsangehörige mitfuhren, und obwohl sie nicht zur Arbeit gezwungen wurden, wäre Erikson der letzte gewesen, der ihnen Arbeit verwehrt hätte.

Eines seiner Schiffe, die *L'Avenir,* machte einmal zwischen zwei Handelsfahrten eine Vergnügungsreise über die Ostsee, mit Orchester, Tanzfläche, Bar, Schwimmbad und allem, was sonst noch dazugehörte. Auf der *Herzogin Cecilie* durften im Jahre 1932 vier Passagiere mitfahren. Und da einer davon eine Frau war, ging der galante Erikson, so geizig er sonst war, sogar so weit, eine Stewardeß an Bord zu nehmen.

Aber die Beförderung von Passagieren brachte natürlich allenfalls einen hübschen Nebenverdienst ein. Daß es Erikson gelang, den endgültigen Abschied der Windjammer immer wieder hinauszuschieben, verdankte er seinem untrüglichen Instinkt dafür, auf welchem Markt die Segler den Dampfern immer noch eine Nasenlänge voraus waren. Und das war die australische Getreidefahrt. Erikson hatte sie zwar nicht erfunden, schlug aber größeren Nutzen daraus als jeder andere. Südaustralien war eine der größten Kornkammern der Welt. Doch die seichten, von zahlreichen Riffen durchzogenen Gewässer und die primitiven Hafenanlagen, die das Beladen der Schiffe oft zu einer Angelegenheit von mehreren Wochen werden ließen, machten die Getreidefahrt für die tiefgehenden und mit hohen laufenden Kosten belasteten Dampfer zu einem riskanten und unwirtschaftlichen Unternehmen. Hinzu kam, daß Getreide eine geradezu ideale Windjammerfracht war. Es war relativ leicht, problemlos zu verladen und, einmal geerntet, beinahe unbegrenzt haltbar. Deshalb litt es kaum während der durchschnittlich 120 Tage dauernden Reise der Windjammer von Australien nach Europa. Und zu guter Letzt waren die Zeitpläne der Getreideanbauer und der Schiffe perfekt aufeinander abgestimmt: Die Windjammer bewältigten zwar nur eine Rundreise pro Jahr, aber auch die Farmer konnten nur einmal jährlich ernten.

Erikson und ein paar kleinere Reeder, die sich ebenfalls in der Getreidefahrt betätigten, konnten denn auch recht saftige Gewinne verbuchen. In den dreißiger Jahren brachten beispielsweise Windjammer normalerweise einen Gewinn von mindestens fünf Dollar je Tonne Getreide. Ein Rahschiff, das 3500 Tonnen Weizen an Bord hatte, konnte demnach mit einer einzigen Reise 17 500 Dollar verdienen. Dennoch, die Landwirtschaft ist und war schon immer in allen Weltgegenden ein unsicheres Geschäft. Um seine ganze Flotte mit Ballast nach Australien zu schicken, was zusammengenommen etwa 200 000 Seemeilen ohne Verdienst bedeutete, und darauf zu hoffen, daß für alle Schiffe ausreichend Fracht zur Verfügung stehen werde, mußte Erikson schon ungeheuren Mut aufbringen. Er brachte ihn auf.

Anfang der dreißiger Jahre, als Erikson sich ganz auf die Getreidefahrt warf, entwickelte sich eine Art alljährlich ablaufendes Ritual. Im Spätherbst, nachdem die Schiffe im Hafen von Mariehamn ausgebessert und ausgerüstet worden waren, gingen sie in See. Meist liefen sie anschließend Kopenhagen an, um Vorräte an Bord zu nehmen und die Kompasse zu kompensieren, ein mühsames und umständliches Verfahren, bei dem Schlepper die Schiffe in ganz bestimmten Richtungen ziehen mußten. Die Abfahrt in Kopenhagen hat ein englischer Augenzeuge wie folgt beschrieben: „Die Steuerleute jedes Schiffes blieben an Deck, um das Wetter zu beobachten, und wenn gegen Abend der Wind auf eine günstigere Richtung drehte, klopften sie an die Tür der Kapitänskajüte und meldeten die Neuigkeit.

„Pfeifen schrillten, und auf jedem Schiff setzte Betriebsamkeit ein. Das Rattern und Rasseln beim Einholen der Ankerketten schreckte die Möwen auf, und deren aufgeregte Schreie mischten sich unter die Rufe der Steuerleute und Matrosen. Man konnte sehen, wie die Männer in den Masten in fliegender Eile die Zeisinge losmachten, und die flügelähnlichen Rahsegel entfalteten sich, als die Geitaue losgemacht wurden. Die Klüver killten einen Moment, der Rudergänger warf das Ruder herum, die Marssegel blähten sich seufzend, und die langen, schlanken Rümpfe der Schiffe begannen durchs Wasser zu gleiten und nahmen immer mehr Fahrt auf, während ein Segel nach dem anderen in der Höhe aufblühte."

Vor ihnen, 15 000 Seemeilen entfernt auf der anderen Seite der Erde, an der Südküste Australiens, lag die Große Australische Bucht, deren öde Küste sich 2500 Kilometer weit erstreckte und von so abweisenden geographischen Namen wie Cape Arid (Kap der Dürre), False Bay (Trügerische Bucht) und Anxious Bay (Bucht der Angst) markiert war. Am äußersten östlichen Ende der Bucht, zwischen Cape Spencer und Cape Catastrophe (so benannt nach einem Schiffbruch, bei dem acht Mann ums Leben kamen), stößt ein gezeitenzerklüfteter Meeresarm 300 Kilometer tief ins Hinterland vor. Das ist der Spencer-Golf, und dort, vor halbverfallenen Dörfern namens Port Augusta, Port Germein und Port Pirie, lagen die letzten Windjammer an den zerbröckelnden Kais, um auf dem Höhepunkt der Ernte, um die Weihnachtszeit, ihre Getreideladungen zu übernehmen.

Das war ein mühsames Unterfangen. Port Germein beispielsweise hatte eine Anlegebrücke, die über anderthalb Kilometer lang war, aber nur an ihrer äußersten Spitze war das Wasser so tief, daß ein Windjammer – und zwar immer nur einer – zur Übernahme der Ladung anlegen konnte. Im Jahre 1936 mußte Eriksons *Killoran* 40 Tage warten, bis sie an der Reihe war. Aber Port Germein war noch geradezu ideal, verglichen mit Port Broughton und Port Victoria, wo die Rahschiffe weit draußen ankern mußten, während Landarbeiter das Getreide Sack für Sack auf Ketschen und Schoner verluden, die dann die Fracht zu den Schiffen hinausbrachten.

Wenn der Frühling kam, war die Arbeit getan, und die Schiffe machten sich auf die Heimreise, im allgemeinen über Falmouth in Südwest-England, um dort Anweisungen entgegenzunehmen, wo sie die Ladung löschen sollten, ehe sie nach Mariehamn zurückkehrten. Auf Eriksons Schiffen war es üblich, die zweite Hälfte der Überfahrt von Australien mit dem Überholen des Schiffes zuzubringen, damit die Schiffe für die peinlich genaue Inspektion gerüstet waren, der sie mit Sicherheit von dem alten Mann unterzogen wurden, sobald sie in Mariehamn eintrafen.

Erikson mußte vor allem deshalb so genau auf seine Schiffe achtgeben, weil er nicht versichert war: Kleine Mängel, die nicht gleich behoben wurden, hätten mit der Zeit unweigerlich zu größeren Schäden geführt, und die hätte Erikson aus eigener Tasche bezahlen müssen. Dazu sagte er einmal: „Ich kann es mir nicht leisten, meine Schiffe versichern zu lassen. Wollte ich die Prämien zahlen, die die Versicherungen verlangen, müßte ich die Schiffe aufgeben, eins nach dem anderen." Doch dank der sorgsamen Pflege – und natürlich auch mit viel Glück – blieb Eriksons Flotte weitgehend von Katastrophen verschont. In seiner über dreißigjährigen Tätigkeit als Reeder, dessen Schiffe auf jeder Meile, die sie zurücklegten, Gefahren ausgesetzt waren, verlor Erikson nur drei Schiffe durch Schiffbruch.

Keine Macht der Welt hätte das Desaster verhindern können, das am 21. April 1932 die *Hougomont* ereilte. Nur der Beharrlichkeit ihrer Besat-

Seeleute an Bord der „Parma", die hier Anfang der dreißiger Jahre von Australien nach Falmouth heimkehrt, überholen die Spannschrauben und Zurrtaue des stehenden Gutes, während der Schiffskoch die Decksplanken vor der Kombüse säubert. Gleichgültig, wie alt ein Windjammer war, die Tradition verlangte es, daß die Besatzung ihn blitzblank herrichtete, bevor er in den Hafen und damit unter die kritischen Augen des sparsamen Eigners kam.

zung war es zu verdanken, daß sie nicht vollends sank und dann nicht mehr für die anderen Schiffe der Flotte hätte ausgeschlachtet werden können. Das Schiff wurde in der Großen Australischen Bucht von einer riesigen schwarzen Wolke eingeholt, die Orkanstürme mit Windgeschwindigkeiten bis zu 160 Kilometern je Stunde entfesselte. Nachdem die Besatzung zwölf Stunden lang gegen den Orkan angekämpft hatte, waren die Stümpfe des Vortopps, des Kreuzmastes und des Besanmastes alles, was von der Takelage des Schiffes übriggeblieben war. Aber die *Hougomont* war noch flott und wurde in einen Hafen geschleppt. Da jedoch die Reparaturkosten auf die ungeheure Summe von 13 000 Dollar veranschlagt wurden, entschied sich Erikson, das Schiff ausschlachten und als Wellenbrecher für die Stenhouse-Bay-Pier im Spencer-Golf versenken zu lassen. So betrüblich der Verlust war, Erikson hatte dabei noch Glück gehabt: Die *Hougomont* hatte nur Ballast an Bord gehabt, so daß der unversicherte Erikson wenigstens nicht für den Verlust einer Ladung geradezustehen brauchte.

Drei Monate später, im Juli 1932, fiel die Viermastbark *Melbourne* als zweites Schiff der Erikson-Flotte einem Unglück zum Opfer. Die Bark hatte eine düstere Vergangenheit. Als sie 1908 unter dem Namen *Austrasia* von Liverpool aus in See gegangen war, hingen bei der Ankunft in Rio ihre Segel in Fetzen; der Kapitän war in Ketten gelegt, und die beiden Steuerleute hatten Schußwunden. Der Kapitän wurde später vor Gericht gestellt, weil der Zweite Steuermann der Schußverletzung, die er ihm beigebracht hatte, erlegen war, und für geisteskrank erklärt.

Als Eriksons *Melbourne* stand das Schiff jetzt vor Queenstown unweit des Leuchtturms Fastnet, als sie von einem Tanker gerammt wurde. Der Kapitän, der das Schiff unbedingt retten wollte, fiel in der Aufregung von der Poop aufs Hauptdeck und brach sich beide Beine. Der Erste und Dritte Steuermann wollten ihn retten und ertranken mit ihm, als das Schiff sank. Doch Erikson entging abermals dem wirtschaftlichen Ruin: Die Schuld an dem Zusammenstoß lag eindeutig bei dem Tanker, und dessen Eigner mußten für die *Melbourne* Schadenersatz leisten.

Als drittes Schiff lief dann am 25. April 1936 kurz vor vier Uhr morgens die *Herzogin Cecilie*, das Flaggschiff von Eriksons Flotte und seit 15 Jahren sein ganzer Stolz, 49 Meilen vor Falmouth auf Grund.

Die *Herzogin Cecilie* wurde 1902 mit dem damals riesigen Kostenaufwand von über 200 000 Dollar als Kadetten-Schulschiff für die Dampfschiffahrtsgesellschaft Norddeutscher Lloyd erbaut; die Reederei hatte eine schnelle, elegante, stählerne Viermastbark bestellt, die sowohl eine große Ladekapazität als auch angemessene Unterkünfte für die künftigen Offiziere der deutschen Handelsmarine aufweisen sollte. Das Schiff wurde nach der Herzogin Cecilie von Mecklenburg benannt, die später deutsche Kronprinzessin wurde, und es war auch wahrhaftig eine Prinzessin, ja eine Königin unter den Segelschiffen. Die Bark war der Inbegriff jener rahgetakelten Segelschiffe, von denen ein hingerissener englischer Chronist einmal sagte, sie seien „die erhabensten und schönsten Schöpfungen, die der Mensch im Lauf seiner Geschichte jemals hervorgebracht hat".

Zwölf Jahre lang beförderte die *Herzogin Cecilie* unter der Flagge des Deutschen Reiches Ladungen – und Kadetten – und erregte Bewunderung, wo sie auch auftauchte. Dann setzte sie sechs trübe Jahre lang Rost an, weil sie für die Dauer des Weltkriegs im chilenischen Hafen Coquimbo festgehalten wurde. Nach dem Krieg wurde sie im Vertrag von Versailles den Franzosen zugesprochen – die aber gar nicht schnell genug aus der Segelschiffahrt aussteigen konnten. Deshalb hatten sie nichts Eiligeres zu tun, als das Schiff zu verkaufen, zu jedem Preis.

Ende 1921 schickte Gustaf Erikson aus Mariehamn denjenigen seiner Kapitäne, dem er am meisten vertraute, Ruben de Cloux, einen Åländer belgischer Abstammung, nach Marseille, um dort den ehemaligen Laeisz-

Viermaster *Passat* zu inspizieren, der jetzt ebenfalls in französischer Hand war und zum Verkauf stand. Auf seinem Weg dorthin machte de Cloux im Hafen von Ostende Station, wo er die *Herzogin Cecilie* vor Anker liegen sah. Er setzte seine Reise gar nicht mehr fort. (Die *Passat* kam dann auch tatsächlich erst zehn Jahre später in Eriksons Besitz.) Auf den Rat seines erfahrenen Kapitäns hin kaufte Erikson die *Herzogin Cecilie* schließlich für die lächerliche Summe von 20 000 Dollar.

Erikson war in die Bark vernarrt. Er machte sie zu seinem Flaggschiff. Stolz ließ er sich an Deck des Schmuckstücks fotografieren. Mit Freunden feierte er an Bord der *Herzogin Cecilie* Feste. Sie durfte ihren schimmernd weißen Anstrich behalten, während Eriksons übrige Schiffe mit schwarzer Farbe gestrichen waren, die haltbarer und deshalb billiger war.

Erikson vertraute die *Herzogin Cecilie* seinem besten Kapitän an, eben jenem de Cloux – einem Hünen von Gestalt –, der ein Meister der Seefahrt war. Als de Cloux 1929 in den Ruhestand trat, wurde sein damals erst 25 Jahre alter Steuermann Matthias Sven Eriksson sein Nachfolger als Kapitän der *Herzogin Cecilie;* auch dieser war ein Åländer, und sein Vater, beide Großväter, Onkel und Brüder waren allesamt Kapitäne gewesen. Der drahtige Eriksson hatte von der Pike auf gedient und war ein strenger Kapitän, der seinen Leuten nichts schenkte.

Unter ihren beiden Kapitänen, die einander in nichts als ihrer Zuneigung zu der graziösen Bark glichen, erbrachte die *Herzogin Cecilie* vorzügliche Leistungen. Es war der Brauch, daß die Kapitäne der Windjammer sich auf der Heimreise von Australien mit ihren Getreideladungen an Bord gegenseitig Rennen lieferten. Im allgemeinen waren an einem solchen Rennen nur jeweils zwei Getreideschiffe beteiligt, weil sie paarweise ausliefen. Es ging dabei im Grunde genommen nicht um wirtschaftliche Vorteile, denn das Getreide war praktisch nicht verderblich, und die Preise wurden jeweils für eine Saison festgesetzt und blieben dann mehr oder minder stabil. Doch Geschwindigkeit galt als Maßstab für das seemännische Können eines Kapitäns und die Leistungsfähigkeit seines Schiffes, und deshalb setzte jeder Kapitän, der etwas auf sich hielt, so viele Segel, wie er nur irgend verantworten konnte. Der alte Pjutte Gusta hat möglicherweise für besonders schnelle Überfahrten sogar Prämien ausgesetzt.

Die erste Fahrt der *Herzogin Cecilie* war ihre schlechteste; 151 Tage brauchte sie 1926 von Port Lincoln am Spencer-Golf nach Falmouth. Ihre schnellste Fahrt war die letzte: 1936 schaffte sie die Überfahrt von Port Victoria nach Falmouth in 86 Tagen. Die Heimreise von den Getreidehäfen in weniger als 100 Tagen zu bewältigen war der Ehrgeiz fast aller Kapitäne von Gustaf Erikson. Aber auf ihren insgesamt 272 Überfahrten von 1921 bis 1936 schafften sie es nur 29mal. Die *Herzogin Cecilie* führte dabei mit vier solcher Rekordfahrten das Feld an. Nach ihrer letzten glanzvollen Fahrt im Jahre 1936 lief die *Herzogin Cecilie* Falmouth an, um dort Instruktionen entgegenzunehmen, und ging am Freitag, dem 24. April, nach Ipswich in See, wo sie ihre Ladung löschen sollte.

Sie lief bei mäßig bewegter See und einzelnen Nebelbänken mit Steuerbordhalsen, hielt sich von dem gefährlichen Manacle Point klar und nahm die letzte von fünf Kurskorrekturen um 3 Uhr 30 vor, holte um 5° aus, um mehr Seeraum zu gewinnen. Sie lief bei jetzt dichtem Nebel sieben Knoten Fahrt. Um 3 Uhr 50, vor der Südküste von Devon, sah – oder ahnte – einer der Männer, die Wache gingen, eine große dunkle Masse im Nebel auf der Backbordseite. Kapitän Sven Eriksson wurde sofort an Deck gerufen. Das Ruder wurde hart nach Steuerbord gelegt, und man warf die Steuerbordbrassen los. Doch es war schon zu spät. Die *Herzogin Cecilie* schlug am Ham Stone Rock leck, wurde von einer Dünung über den Achtersteven in die Sewer Mill Cove abgetrieben und kam schließlich etwa 50 Meter vom Fuß einer Klippe entfernt fest.

Die Rennen der Weizenfahrer

Jahr	Schiff	Land
1921	*Marlborough Hill*	Finnland
1922	*Milverton*	
1923	*Beatrice*	Schweden
1924	*Greif*	Deutschland
1925	*Beatrice*	Schweden
1926	*Avenir*	Belgien
1927	*Herzogin Cecilie*	
1928	*Herzogin Cecilie*	
1929	*Archibald Russell*	
1930	*Pommern*	
1931	*Herzogin Cecilie*	Finnland
1932	*Parma*	
	Pamir	
1933	*Parma*	
1934	*Passat*	
1935	*Priwall*	Deutschland
1936	*Herzogin Cecilie*	
1937	*Pommern*	
	Passat	Finnland
1938	*Passat*	
1939	*Moshulu*	

Dieser von einer Meerjungfrau getragene Globus, der einen Durchmesser von 15 cm hat, war – als Werbegag 1928 von einem Hersteller von Anstreichfarbe für Schiffe gestiftet – die einzige Trophäe, die je ein Gewinner der inoffiziellen, doch mit um so größerer Begeisterung ausgetragenen Wettfahrten der Weizensegler von Australien zu den Britischen Inseln zuerkannt bekam. Die finnische Bark „Herzogin Cecilie" (einst ein deutsches Schiff) errang ihn mit einer Überfahrt von 96 Tagen, womit sie ihre Erzrivalin, die schwedische „Beatrice", um 18 Tage schlug. Aber wie die Tabelle oben erkennen läßt, war das bei weitem nicht der Rekord in diesem Wettstreit.

91 Tage, Port Lincoln bis Queenstown
90 Tage, Melbourne bis London
88 Tage, Melbourne bis London
110 Tage, Port Lincoln bis Falmouth
103 Tage, Adelaide bis Falmouth
110 Tage, Geelong bis Lizard Point
98 Tage, Port Lincoln bis Queenstown
96 Tage, Port Lincoln bis Falmouth
93 Tage, Melbourne bis Queenstown
105 Tage, Wallaroo bis Falmouth
93 Tage, Wallaroo bis Falmouth
103 Tage, Port Broughton bis Falmouth
103 Tage, Wallaroo bis Queenstown
83 Tage, Port Victoria bis Falmouth
106 Tage, Wallaroo bis Lizard
91 Tage, Port Victoria bis Queenstown
86 Tage, Port Lincoln bis Falmouth
94 Tage, Port Victoria bis Falmouth
94 Tage, Port Lincoln bis Falmouth
98 Tage, Port Victoria bis Falmouth
91 Tage, Port Victoria bis Queenstown

Kapitän Eriksson führte den Schiffbruch der *Herzogin Cecilie* auf ein Zusammentreffen unglücklicher Umstände zurück: den Nebel, eine mögliche magnetische Anziehung und Strömungen, die stark genug waren, um das Schiff vom Kurs abzubringen. Aber heute wie damals will diese Erklärung nicht recht einleuchten. Im Jahre 1937, nur ein Jahr nach dem Schiffbruch der *Herzogin Cecilie,* stellte ihr Chronist W. L. A. Derby eine Frage, die bis heute unbeantwortet geblieben ist: „Wie erklärt es sich, daß eine seetüchtige Bark in den Händen eines erfahrenen Kapitäns so weit von ihrem Kurs abkam, daß sie sich, als sie noch keine 50 Seemeilen zurückgelegt hatte, in solch einer bedauerlichen Lage befand, fast zehn Meilen nördlich ihrer errechneten Position?" Einige Besatzungsmitglieder ließen durchblicken, es habe sich in der bewußten Nacht kein Offizier an Deck befunden, bis es dann bereits zu spät war. Auch wurde gemunkelt, die Besatzung habe nach dieser glanzvollen Rekordfahrt tüchtig gefeiert.

Jeder vernünftige Mensch hätte die *Herzogin Cecilie* verlorengegeben. Aber der alte Windjammer hatte ein zähes Leben, und seine Leiden wurden noch künstlich verlängert. Obwohl Großbritannien als eines der ersten Länder die Umstellung auf Dampfer vollzogen hatte, ging eine Welle der Sympathie für das unglückliche Schiff durch die englische Bevölkerung. Mitte Mai erschien in englischen Zeitungen ein denkwürdiger Aufruf zu Spenden für die Bergung und Reparatur des Schiffes. Hinter diesem Aufruf standen Kapitän Sven Eriksson und seine Frau, die das Schiff fast genauso ins Herz geschlossen hatte wie er selbst. Sie hatten nach dem Unglück Briefe von allen möglichen Leuten bekommen, die ihr Bedauern ausdrückten und zum Teil Geld beigelegt hatten, für den Fall, daß ein Fonds zur Rettung des berühmten alten Windjammers eingerichtet werde. Die Erikssons wandten sich daraufhin an die Presse, die den Aufruf verbreitete: „In Hunderten von Briefen und Telegrammen hat die britische Öffentlichkeit zum Ausdruck gebracht, daß ihr Interesse an der Segelschiffahrt echt und ihre Sympathie für die ‚Herzogin' tief und aufrichtig ist. Nur durch Liebe zur Sache und rigorose Sparsamkeit konnte der Eigner der *Herzogin Cecilie* bislang seine Flotte von Segelschiffen erhalten. Sollte die Öffentlichkeit dazu beitragen, daß die ‚Herzogin' eines Tages wieder unter Segel gehen kann, so verbürgt sich Kapitän Eriksson dafür, daß der Eigner, Gustaf Erikson, jährlich nicht weniger als sechs und bis zu zehn britische Offiziersanwärter kostenlos auf seinen Schiffen fahren läßt, damit sie vor dem Mast Erfahrungen im Führen eines Segelschiffes sammeln können."

So lächerlich dieses Angebot manchem erschienen sein mag, kamen durch den Aufruf und seine Gebühr von einem Schilling sechs Pence für die Besichtigung der gestrandeten Bark allmählich über 3000 Dollar zusammen, eine für die Zeit der Weltwirtschaftskrise sehr ansehnliche Summe. Auch wurde berichtet, daß der alte Gustaf bereit sei, selbst ein großes Opfer zu bringen. Er werde, so hieß es, bis zu 9000 Dollar – fast die Hälfte des Kaufpreises, den er für die *Herzogin Cecilie* gezahlt hatte – für Reparaturen ausgeben, falls das Schiff erst einmal wieder flottgemacht werden könne. Am 19. Juni unternahmen zwei Schlepper den Versuch, das gestrandete Schiff abzubringen. Die Trossen strafften sich, bis die *Herzogin Cecilie* zitterte, in Bewegung kam – und schließlich wieder flott wurde.

Sie wurde in die nahe gelegene Starehole Bay geschleppt, wo die Instandsetzungsarbeiten beginnen sollten. Mittlerweile hatten giftige Gase von dem verderbenden Getreide in den Laderäumen das ganze Schiff durchdrungen, fraßen Farbe und Lack und ließen den Rumpf korrodieren. Und eines Tages wurde Sven Eriksson von diesen Gasen ohnmächtig – man fand ihn gerade noch rechtzeitig im Bilgenwasser liegend. Eriksson erholte sich, aber für die *Herzogin Cecilie* gab es keine Rettung mehr.

Wie so viele Stellen an der Küste von Devon war auch die Starehole Bay nicht viel mehr als eine seichte Bucht, der Grunddünung und manchmal

auch Sturmfluten ausgesetzt. Eines Tages kam eine Dünung und warf den Windjammer tief in den Sand, wo er abermals auf Fels festkam. In der Nacht vom 17. auf den 18. Juli besorgte ein Sturm den Rest: Die Seen hoben das Schiff in die Höhe und ließen es wieder fallen. Nach 84 Tagen der Agonie wurde der *Herzogin Cecilie* endgültig das Rückgrat gebrochen.

Eine Quelle ständiger Freude war Gustaf Erikson genommen. Aber er hielt verbissen durch, bis dann der Zweite Weltkrieg besiegelte, was im Ersten begonnen hatte: den Niedergang der Windjammer. Als Erikson 1947 starb, stellte sich seine Firma rasch auf Dampfer um. Der alte Mann hatte gehofft, seinem jüngsten Sohn, Gustaf Adolf, der seine Liebe zu den großen Segelschiffen teilte, eine noch intakte Segelschiff-Reederei übergeben zu können. Aber Gustaf Adolf war schon ein paar Jahre zuvor gestorben, und die Firma ging auf einen älteren Sohn über, der nur Geschäftsmann war und keine Erfahrungen auf See hatte.

Es gab zu der Zeit ohnehin nur noch eine Handvoll Windjammer, die noch in der Lage waren, Segel zu setzen. Einige davon landeten auf den Schrottplätzen Europas, von Schiffsverschrottern mit Schweißbrennern zu Altmetall zerschnitten; andere verrosteten in irgendwelchen abgelegenen Häfen zu bizarren Wracks. Einige wenige wurden zur Erinnerung an ein versunkenes Zeitalter erhalten. Eriksons *Passat* wurde in Lübeck als schwimmendes Museum eingerichtet, seine *Viking* kam ins schwedische Göteborg, und seine mächtige *Pommern* blieb als Denkmal in Mariehamn. Andere Windjammer – die *Star of India* und die *Balclutha* – wurden in San Diego und San Francisco eingemottet. Und ein Windjammer, die *Moshulu*, wurde gar in ein Restaurant umgewandelt und an ihrem letzten Liegeplatz an einem Kai in Philadelphia, auf dem Delaware River, vertäut.

Nur ganz wenige durften nach dem Tod der Segelschiffahrt noch weiterleben, nämlich als Schulschiffe – Symbole der Seefahrt in der guten alten Zeit. Die *Padua* von der Reederei Laeisz ging als Kriegsentschädigung von Deutschland an die Sowjetunion und war hin und wieder zu sehen, wie sie, in *Krusenstern* umgetauft, mit jungen Marineoffizieren an Bord die Weltmeere durchpflügte. In den fünfziger und sechziger Jahren setzten mehrere Länder nachgebaute Windjammer als Renommier-Schulschiffe ein; darunter befanden sich die *Eagle* der US-Küstenwache, die argentinische *Libertad*, die westdeutsche *Gorch Fock II* und die dänische *Danmark*, alle 20 bis 30 Segel fahrend und mit 200 bis 300 Kadetten bemannt, die sich zum erstenmal den Wind der Weltmeere um die Nase wehen ließen.

Aber die alten Windjammer, jene schwerbeladenen Frachtschiffe, die von wettergegerbten Seeleuten bis in die entlegensten Winkel der Weltmeere geführt wurden, gehörten endgültig der Vergangenheit an. Das letzte Segelschiff, das gegen Entgelt Fracht beförderte, war nach allem, was man weiß, eine eiserne Viermastbark, die unter peruanischer Flagge Guano längs der chilenischen Küste transportierte. Sie sank am 26. Juni 1958, mit 3000 Tonnen Guano an Bord, im Pazifik. Ihr Name: *Omega*, der letzte Buchstabe im griechischen Alphabet, das Ende.

Umrahmt von der Steuerbord-Takelage einer vorbeilaufenden Yacht, gleitet die „Herzogin Cecilie" Anfang der dreißiger Jahre mit Vollzeug elegant über die sonnenglitzernde Ostsee. Die Bark, die auch damals noch als globetrottender Segelfrachter Gewinne einfuhr, war in ihren heimatlichen Gewässern ein seltener Gast; in den 15 Jahren, die sie unter der Flagge der Erikson-Flotte lief, kehrte sie nur fünfmal in Ballast nach Mariehamn heim.

von Kielen, Wracks und einer „Mörderbande"

Während bei Kap Horn so mancher Windjammer mit Mann und Maus spurlos in den Tiefen der stürmischen südlichen See verschwand, lag der eigentliche Friedhof der großen Schiffe 3000 Seemeilen nordöstlich an Großbritanniens granitenen Scilly-Inseln und den Kaps von Cornwall. Hier zerschellten zu Dutzenden Dampfer, Küstenschiffe, Fischerboote und Windjammer, und die Salinge gebrochener Masten markierten wie Grabkreuze den Ort, an dem die Gebeine einiger der stolzesten und größten Segelschiffe aller Zeiten ruhen.

Daß so viele Schiffe kurz vor ihren Heimathäfen ins Verderben fuhren, lag daran, daß sich die verschiedensten widrigen Umstände gegen sie verschworen: heimtückische Strömungen, undurchdringlicher Nebel, furchtbare Stürme und gewaltige Seen, die ihre Kompasse ablenkten, ihre Ruder außer Gefecht setzten, ihre Lotsen narrten und sie auf Riffe warfen.

Ein Seemann verglich diese Felsen einmal mit einer „Mörderbande". Etwa 25 Seemeilen vor Land's End gelegen, haben die rund 50 Scilly-Inseln *(unten)* zusammen nur eine Oberfläche von 130 Quadratkilometern. Aber allein im November 1893 gingen dort nicht weniger als 298 Schiffe verloren. Zusammen mit den knorrigen Ausläufern von Cornwall trennen die Scilly-Inseln den Bristolkanal vom Ärmelkanal und bedrohen daher jedes Schiff, das die Einfahrt in eine dieser beiden Meeresstraßen sucht. Jenseits der Scilly-Inseln liegen im Ärmelkanal Lizard Point und Manacle Point, zwei felsige Kaps, an denen so manches Schiff zerschellte, das bei Nacht und Nebel oder im Sturm vom rechten Kurs abkam.

Die gestrandeten Schiffe auf den folgenden Seiten – Bilder von den letzten qualvollen Stunden im Leben der Windjammer – wurden von der Gibson-Familie photographiert, die seit dem 18. Jahrhundert auf den Scilly-Inseln ansässig ist. Nur wenige Schiffe hielten längere Zeit der Brandung an den felsigen Küsten stand, doch solange sie nicht vollends auseinanderbrachen, lockten sie Scharen von Schaulustigen an. Einer, der viele gestrandete Schiffe gesehen und eine tragische Schönheit in ihnen entdeckt hatte, verglich die Wracks einmal mit „verschwundenen Meisterwerken großer Bildhauer".

CORNWALL

Land's End

Manacle Point

Lizard Point

Scilly-Inseln

ÄRMELKANAL

Nachdem sie eine Woche auf den Riffs von Lizard gelegen hatte, wurde die „Cromdale" am 30. Mai 1913 endgültig von der Brandung zertrümmert. Das mit

einer Ladung Chilesalpeter heimkehrende Schiff strandete in dichtem Nebel, für den diese Gegend berüchtigt ist.

Das Rahschiff „Hansy", mit einer Ladung Bauholz und Roheisen von Schweden nach Australien unterwegs, zerschellte im November 1911 an der

Lizard-Küste. Einheimische Fischer bargen einen Teil der Holzladung und erzielten gute Preise dafür. Außerdem holten sie noch zwei Ziegen aus dem Wrack.

Ein Unglück kommt selten allein: Als im Dezember 1901 die „Glenbervie" bei Manacle Point gestrandet war, gingen die Strandräuber leer aus. Zu ihrer

Enttäuschung ließen die Behörden die aus Tausenden von Kisten und Fässern voll Whisky bestehende Ladung bergen.

Bibliographie

Allen, Jerry: *Joseph Conrad. Die Jahre zur See.* Peter Hammer Verlag, 1969

Attiwill, Ken: *Windjammer.* Doubleday, 1931

Barker, James P.: *The Log of a Limejuicer.* Huntington Press, 1933

Binns, Archie: *Northwest Gateway.* Binfords & Mort, 1941

Bone, David W.: *Auf großer Fahrt.* Albert Nauck & Co., 1948

Bradford, Gershom: *The Mariner's Dictionary.* Weathervane Books, 1952

Braynard, Frank O.: *Search for the Tall Ships.* Operation Ship, Ltd., 1977

Carse, Robert: *The Twilight of Sailing Ships.* Galahad Books, 1965

Clements, Rex: *A Gipsy of the Horn.* Heath Cranton, 1924
A Stately Southerner. Houghton Mifflin, 1926

Colton, J. F.: *Windjammers Significant.* J. F. Colton, 1954

Coman, Edwin T., jr., und Helen M. Gibbs: *Time, Tide and Timber.* Greenwood Press, 1968

Coolidge, Olivia: *The Three Lives of Joseph Conrad.* Houghton Mifflin, 1972

Cox, Thomas, R.: *Mills and Markets.* University of Washington Press, 1974

Dana, R. H., jr.: *The Seaman's Manual.* E. Moxon, 1871

Derby, W. L. A.: *The Tall Ships Pass.* David and Charles, 1937

Desmond, Shaw: *Windjammer: The Book of the Horn.* Hutchinson, 1932

Duncan, Fred B.: *Deepwater Family.* Pantheon Books, 1969

Eriksson, Pamela: *The Life and Death of the Duchess.* Houghton Mifflin, 1959

Fischer, Anton Otto: *Focs'le Days.* Scribner's, 1947

Fischer, Katrina: *Anton Otto Fischer – Marine Artist.* Teredo Books, 1977

Fowles, John: *Shipwreck.* Little, Brown, 1974

Gibbs, Jim: *Pacific Square-Riggers.* Bonanza Books, 1969
West Coast Windjammers in Story and Pictures. Bonanza Books, 1968

Gowlland, Gladys M. O.: *Master of the Moving Sea.* J. F. Colton, 1959

Hamecher, Horst: *Königin der See. Fünfmast-Vollschiff Preußen.* Verlag Egon Heinemann, 1969

Hennessy, Mark W.: *The Sewall Ships of Steel.* The Kennebec Journal Press, 1937

Henningsen, Henning: *Crossing the Equator.* Munksgaard, 1961

Hinz, Heinrich: *Under Count Luckner as Seaman First Class.* Ernte-Verlag, 1922

Hoehling, A. A.: *The Great War at Sea: A History of Naval Action 1914–1918.* Thomas Y. Crowell, 1965

Hoyt, Edwin P.: *Count von Luckner: Knight of the Sea.* David McKay, 1969

Hugill, Stan: *Sailortown.* E. P. Dutton, 1967

Hurst, Alexander A.: *Arthur Briscoe – Marine Artist, His Life and Work.* Teredo Books, 1974
The Call of High Canvas. Cassell, 1958
Ghosts on the Sea-Line. Cassell, 1957
Square-Riggers – The Final Epoch, 1921–1958. Teredo Books, 1972

Hutton, W. M.: *Cape Horn Passage.* Blackie and Son, 1934

Huycke, Harold D., jr.: „*The Great Star Fleet.*" Yachting, Feb. 1960
To Santa Rosalia, Further and Back. Mariner's Museum of Newport News, Va., 1970

Jean-Aubry, G.: *Joseph Conrad Life and Letters.* Bde. I, II, Heinemann, 1927

Jobé, Joseph (Hrsg.): *The Great Age of Sail.* Crescent Books, 1967

Johnson, Captain Irving: *The Peking Battles Cape Horn.* Sea History Press, 1977

Jones, William H. S.: *The Cape Horn Breed.* Criterion Books, 1956

Karlsson, Elis: *Die See, mein Leben.* Übers. v. Ulrich Zimmermann, Delius, Klasing, 1965

Le Scal, Yves: *The Great Days of the Cape Horners.* Souvenir Press, 1966

Learmont, James S.: *Master in Sail.* Percival Marshall, 1950

Lubbock, Basil: *The Down Easters.* Brown, Son & Ferguson, 1929
The Last of the Windjammers. Brown, Son & Ferguson, 1929
The Nitrate Clippers. Brown, Son & Ferguson, 1932

Lucia, Ellis: *The Big Woods.* Doubleday, 1975

Luckner, Graf Felix von: *Seeteufel. Abenteuer aus meinem Leben.* Verlag von K. F. Koehler, 1921
Pirate von Luckner and the Cruise of the Seeadler. Geddis and Blomfield, 1919

Lydenberg, Harry Miller: *Crossing the Line.* The New York Public Library, 1957

MacMullen, Jerry: *Star of India: The Log of an Iron Ship.* Howell-North, 1961

McCulloch, John Herries: *A Million Miles in Sail.* Dodd, Mead, 1933

McCutchan, Philip: *Tall Ships: The Golden Age of Sail.* Crown Publishers, 1976

McEwen, W. A., und A. H. Lewis: *Encyclopedia of Nautical Knowledge.* Cornell Maritime Press, 1953

Masefield, John: *The Wanderer of Liverpool.* Heinemann, 1930

Masters, David: *The Plimsoll Mark.* Cassell, 1955

May, W. E., Commander: *A History of Marine Navigation.* Norton, 1873

Meyer, Jürgen: *Hamburgs Segelschiffe, 1795–1945.* Verlag Egon Heinemann, 1971

Morgan, Murray: *The Northwest Corner.* Viking, 1962

Newby, Eric: *Grain Race.* George Allen and Unwin, 1968
The Last Grain Race. Secker & Warburg, 1956

Noall, Cyril: *Cornish Lights and Shipwrecks.* D. Bradford Barton, 1968

Peters, George H.: *The Plimsoll Line.* Barry Rose, 1975

Riesenberg, Felix: *Cape Horn.* Dodd, Mead, 1939

Rohrbach, Paul, Piening, Hermann, und Fred Schmidt (Hrsg.): *FL. Die Geschichte einer Reederei.* Hans Dulk, 1954. 2. verbesserte Auflage 1955.

Spiers, A. G.: *The Wavertree: An Ocean Wanderer.* South Street Seaport. 1969

The Visual Encyclopedia of Nautical Terms under Sail. Crown, 1978

Thesleff, Holger: *Farewell Windjammer.* Thames and Hudson, 1951

Thomas, Lowell: *The Sea Devil's Fo'c'sle.* Doubleday, 1929

Tod, Giles: „*Along the Road to Rio.*" Yachting, May 1943

Tryckare, Tre (Hrsg.): *The Lore of Ships.* Crescent Books, 1963

Underhill, Harold A.: *Deep-Water Sail.* Brown, Son & Ferguson, 1976

Villiers, J. Alan: *By Way of Cape Horn.* Scribner's, 1952
Falmouth for Orders. Scribner's, 1952
Last of the Wind Ships. George Routledge, 1934
Men, Ships and the Sea. National Geographic Society, 1973
Sea-Dogs of To-day. George G. Harrap, 1932
Voyage of the Parma. Geoffrey Bles, 1933
The War with Cape Horn. Scribner's, 1971
Auf blauen Tiefen. Rütten & Loening, 1967

Villiers, Alan, und Henri Picard: *The Bounty Ships of France.* Scribner's, 1972

Woolard, Claude L. A. (Hrsg.): *The Last of the Cape Horners.* Arthuer H. Stockwell, 1967

Quellennachweis der Abbildungen

Die Quellen der Abbildungen sind unten nachgewiesen. Die Nachweise sind bei Abbildungen von links nach rechts durch Semikolons, von oben nach unten durch Gedankenstriche getrennt.
Einband: Eileen Tweedy, Gemälde von Derek G. H. Gardner, R.S.M.A., mit frdl. Genehmigung des National Maritime Museum, London Vorsatzblätter vorne und hinten: Zeichnung von Peter McGinn. Seite 3: Al Freni, mit frdl. Genehmigung von The National Maritime Historical Society, Brooklyn, N.Y. 6,7: Alan Villiers von Popperfoto, London. 8, 9: National Maritime Museum in San Francisco, Halvorson Collection. 10, 11: National Maritime Museum in San Francisco, Page Collection. 12, 13: Alan Villiers von Popperfoto, London. 14, 15: Sammlung Jean Randier, Paris. 16, 17: Mit frdl. Genehmigung der Kennedy Galleries, New York. 19: Foto Pozzar, mit frdl. Genehmigung des Museo Civico di Belle Arti, Triest. 20: Mit frdl. Genehmigung von Mystic Seaport, Inc., Mystic, Conn. 23: Fischer-Daber, mit frdl. Genehmigung des Altonaer Museums, Hamburg. 26: National Maritime Museum in San Francisco. 29: Mit frdl. Genehmigung von The Mariner's Museum of Newport News, Va. 30, 31, 32: Zeichnungen von John Batchelor. 34, 35: Zeichnungen von Peter McGinn. 36: National Maritime Museum, London. 38: National Maritime Museum in San Francisco, Hester Collection. 42: Privatsammlung, Paris. 44, 45: National Maritime Museum in San Francisco, Hester Collection, außer oben links. National Maritime Museum in San Francisco. 47: National Maritime Museum in San Francisco.

49: The Beinecke Rare Book and Manuscript Library, Yale University. 52, 53: Sammlung Jean Randier, Paris. 55: National Maritime Museum in San Francisco. 57: Alan Villiers von Popperfoto, London. 58: Mit frdl. Genehmigung von Kapitän J. Ferrell Colton. 60 bis 63: Reproduktion aus *Anton Otto Fischer – Marine Artist* mit frdl. Genehmigung der Teredo Books Ltd., Brighton. 64: Frank Lerner, mit frdl. Genehmigung von Katrina Sigsbee Fischer. 65, 66, 67: Reproduktion aus *Anton Otto Fischer – Marine Artist* mit frdl. Genehmigung von Teredo Books Ltd., Brighton. 68, 69: Mit frdl. Genehmigung von Dr. Jürgen Meyer, Rellingen. 72: Fischer-Daber, mit frdl. Genehmigung von F. Laeisz, Hamburg. 73: Fischer-Daber, mit frdl. Genehmigung des Museums für Hamburgische Geschichte, Hamburg. 75: Mit frdl. Genehmigung von Norman Brouwer. 77 bis 80: Zeichnungen von John Batchelor. 82: Dmitri Kessel, mit frdl. Genehmigung des Musée International du Long-Cours Cap Horniers, Saint Malo. 83: Sammlung Bernartz im Deutschen Schiffahrtsmuseum, Bremerhaven. 84, 85: H. Roger-Viollet, Paris. 87: National Maritime Museum in San Francisco – mit frdl. Genehmigung des Bath Marine Museum, Bath, Me. 88, 89: Peabody Museum of Salem. 92: National Maritime Museum in San Francisco. 93: National Maritime Museum in San Francisco, Hester Collection. 94: Library of Congress. 96 bis 101: Reproduktion aus *Arthur Briscoe – Marine Artist, His Life and Work* mit frdl. Genehmigung der Teredo Books Ltd., Brighton. 102, 103: Jiri Juru, mit frdl. Genehmigung der Samm-

lung Goemans, Schoten, Belgien. 106: Karte von William Hezlep. 108, 109: National Maritime Museum in San Francisco, Plummer Collection. 110: Alan Villiers. 112, 113: Alan Villiers von Popperfoto, London. 116: The South Street Seaport Museum, New York. 120: Deutsches Schiffahrtsmuseum, Bremerhaven. 122: Erwin Böhm, Mainz, mit frdl. Genehmigung von Heinrich Graf Luckner, Oberursel. 125: Reproduktion aus *The Sea Devil, The Story of Count Felix von Luckner, The German War Raider,* von Lowell Thomas, William Heinemann Ltd., London, 1928. 127 bis 132: Paulus Leeser, mit frdl. Genehmigung der Peter Kircheisz Collection, Ontario. 133: Karte von William Hezlep. 134: Paulus Leeser, mit frdl. Genehmigung der Peter Kircheisz Collection, Ontario. 136 bis 143: Zeichnungen von Richard Schlecht. 144, 145: Cookson Collection, Long Sutton, Lincolnshire, England. 146, 147: Folkes Foto, mit frdl. Genehmigung des Ålands Sjöfartsmuseum, Mariehamn, Finnland. 149: National Maritime Museum in San Francisco – Peabody Museum of Salem. 150, 152: Alan Villiers von Popperfoto, London. 154, 155: Reproduktion aus *Last of the Wind Ships* von Alan J. Villiers, George Routledge Sons Ltd., London, 1934. 157: Folkes Foto, mit frdl. Genehmigung des Ålands Sjöfartsmuseum, Mariehamn, Finnland. 158, 159: Mit frdl. Genehmigung von Dr. Jürgen Meyer, Rellingen. 160, 161: Karte von William Hezlep; F. E. Gibson, Scilly-Inseln. 162 bis 169: F. E. Gibson, Scilly-Inseln.

Danksagungen

Das Register dieses Buches wurde von Gale Partoyan zusammengestellt. Die Herausgeber danken den Künstlern John Batchelor *(Seiten 30–32, 77–80)*, Peter McGinn *(Karte der Vorsatzblätter)*, Richard Schlecht und dem Berater William Avery Baker *(Seiten 136–143)*.

Die Herausgeber danken ferner: In Australien: Ross Osmond, Adelaide. In Belgien: Annick Goemans, Schoten. In Kanada: Peter Kircheisz, Toronto. In Finnland: Lars Grönstrand, Abo; Christian Ulfstedt, Helsinki; Kapitän Karl Kåhre, Kurator, Ålands Sjöfartsmuseum, Mariehamn. In Deutschland: Kapitän Rolf Reinemuth, Bremen-Lesum; Arnold Kludas, Direktor des Archivs und der Bibliothek des Deutschen Schiffahrtsmuseums, Bremerhaven; Gerhard Kaufmann, Direktor des Altonaer Museums, Harro Christiansen, Blohm und Voss, Walter Kresse, Museum für Hamburgische Geschichte, Sophie Christine von Mitzlaff-Laeisz, Dieter Jaufmann, Reederei Laeisz, Hamburg; Heinrich Graf Luckner, Oberursel; Kapitän Walther von Zatorski, Osterholz-Scharmbeck; Heinz Burmester, Wedel, Holstein; Walter Lüden, Friesenmuseum, Wyk auf Föhr. In London: Juliet Carter, P. R. Ince, David Lyon, Ursula Stuart Mason, Joan Moore, Pieter van der Merwe, G. S. Osbon, A. W. H. Pearsall, Roger Quarm, Denis Stonham, David Taylor, National Maritime Museum; David R. MacGregor, Peter M. Wood. Ebenfalls in England: Alexander A. Hurst, Brighton; Mark Myers, Bude, Cornwall; Richard M. Cookson, Long Sutton, Lincolnshire. In Paris: Monique de la Roncière, Kustos, Bibliothèque Nationale; Gérard Bordes; Robert de Chateaubriand; Irène Delaroière; Gérard Baschet, Editions de *l'Illustration;* Madeleine Farnarier; Fabienne de Fonscolombe; Marie-Thérèse Hirschkoff; Hervé

Cras, Leiter der Dokumentation, Denise Chaussegroux, Dokumentation, Musée de la Marine; Hélène Petit; Maryvonne Stéphan. Ebenfalls in Frankreich: Pierre Lacroix, La Bernerie en Retz; Simon Lambert, Stellvertretender Kustos, Musée de la Marine, Chambre de Commerce et d'Industrie, Marseille; Kommandant Georges Aubin, Nantes; Kommandant Léon Gautier, Raymond Lemaire, Saint Lunaire; Kommandant Joseph Hourrière, Dan Lailler, Kustos, Musée International du Long-Cours Cap Hornier, Saint Malo; Victor Richard, Saint Servan. In Rom: Marc' Antonio Bragadin; Kommandant Tullio Serafini, Ministero della Marina. Ebenfalls in Italien: Luisa Secchi, Direktor, Museo Navale, Genua-Pegli; Giulio Montenero, Direktor, Museo Civico di Belle Arti, Triest; Baron Giambattista Rubin de Cervin, Direktor, Museo Navale, Venedig. In Santiago: Julieta Kirkwood, Research Professor, Latin American Faculty of Social Sciences; Leopoldo Benavides, Research Professor, Latin American School of Sociology; Humberto Valenzuela, Direktor, Museum of Popular and Folkloric Art, Eugenio Pereira Salas, Direktor, Department of History, University of Chile. In Stockholm: Kapitän Bengt Ohrelius, Leiter der Informationsabteilung, Gösta Webe, Kustos, National Maritime Museum. In Tahiti: J. Ferrell Colton.

Die Herausgeber danken auch: Washington, D.C.: Francis D. Roche, Museum Technician, Richard Philbrick, Division of Transportation, John H. White, Jr., Curator, Division of Transportation, The National Museum of History and Technology, Smithsonian Institution; Charles Haberlein, Agnes Hoover, Naval Historical Center. Ebenfalls in USA: Murray Morgan, Auburn, Wash.; Marnee Lilly, Bath Marine Museum, Bath, Me.; Richard Kaffenberger,

Cambridge, Mass.; Kapitän Irving Johnson, Hadley, Mass.; Philip L. Budlong, Registrar, Mystic Seaport, Inc., Mystic, Conn.; Larry Duane Gilmore, Assistant Curator, Department of Collections, Carolyn Ritger, Photographic Librarian, The Mariners Museum of Newport News, Va.; Norman Brouwer, Historiker, The South Street Seaport Museum, Rex Vivian, New York; Ken Dillon, Rosslyn, Va.; Waverly Lowell, John Maounis, National Maritime Museum at San Francisco; Kathy Flynn, Photographic Assistant, Markham W. Sexton, Staff Photographer, Philip C. F. Smith, Curator of Maritime History, Peabody Museum, Salem, Mass.; Harold Sewall Williams, Waitsfield, Vt.

Zitate aus *The War with Cape Horn* von Alan Villiers, © 1971 Alan Villiers, und *The Way of a Ship* von Alan Villiers, Copyright 1953 Alan Villiers, abgedruckt mit Genehmigung von Charles Scribner's Sons. Auszüge aus *The Sea Devil's Fo'c'sle* von Lowell Thomas, © 1929 Lowell Thomas, abgedruckt mit Genehmigung von Doubleday and Co., Inc. Zitate aus *The Tall Ships Pass* von W. L. A. Derby, abgedruckt mit frdl. Genehmigung von David and Charles, England. Zitate aus *A Million Miles in Sail* von John Herries McCulloch, 1933, abgedruckt mit Genehmigung von Dodd, Mead and Co. Weitere besonders wertvolle Quellen für dieses Buch waren: *Focs'le Days* von Anton Otto Fischer, © 1976 Katrina Fischer, Charles Scribner's Sons, 1947; *A Stately Southerner* von Rex Clements, Houghton Mifflin Co., 1926, und *FL: A Century and a Quarter of Reederei F. Laeisz*, hrsg. unter Mitwirkung von Paul Rohrbach, Hermann Piening und Fred Schmidt, übersetzt von Antoinette G. Smith, J. F. Colton and Co., 1957.

Register

Gesamtherstellung: Mohndruck
Grafischer Betrieb GmbH, Gütersloh